C0-AKV-047

Abendmahlsaltäre vor der Reformation

Barbara Welzel

Abendmahlsaltäre vor der Reformation

Gebr. Mann Verlag · Berlin

Gedruckt mit Unterstützung des Förderungs-
und Beihilfefonds Wissenschaft der VG Wort

Die Deutsche Bibliothek – CIP-Einheitsaufnahme

Welzel, Barbara:
Abendmahlsaltäre vor der Reformation / Barbara Welzel. –
Berlin : Gebr. Mann, 1991
Zugl.: Berlin, Freie Univ., Diss., 1989
ISBN 3-7861-1610-5

Satz: Fotosatz Leingärtner · Nabburg/Neusath
Lithos: OffsetReproTechnik Kirchner + Graser GmbH & Co. · Berlin
Druck und Verarbeitung: Jos. C. Huber KG · Dießen/Ammersee
Printed in Germany · ISBN 3-7861-1610-5

Inhalt

Einleitung

Das biblische Abendmahl als Initiation des Sakramentes durch Christus selbst scheint eine geradezu prädestinierte Darstellung für das Zentrum eines Retabels. Es ist hier dem Altar, dem Ort der liturgischen Eucharistie- bzw. Abendmahlsfeier direkt zugeordnet. Diese Auffassung ist jedoch einseitig durch eine protestantische Kulturtradition geprägt. Sie läßt sich zurückverfolgen bis zu einer Äußerung Luthers aus dem Jahre 1530: »Wer hier Lust hätte, Tafeln auf den Altar malen zu lassen, der solle lassen das Abendmahl Christi malen ...«[1] Diese nachdrückliche Bevorzugung des Themas durch den Reformator sowie nicht zuletzt der 1547 in der Cranach-Werkstatt gemalte Abendmahlsaltar für die Wittenberger Stadtkirche[2] führten sogar dazu, daß die bisherige Forschung das Abendmahl als Hauptdarstellung eines Altarwerkes fast ausschließlich für den evangelischen Bereich in Anspruch nahm[3]. Eine konfessionelle Vereinnahmung ist vom historischen Befund her jedoch nicht gerechtfertigt. Prominente Beispiele wie der Löwener Sakramentsaltar von Dirk Bouts *(Abb. 3a)* und im deutschen Bereich vor allem der Rothenburger Heiligblut-Altar von Tilman Riemenschneider *(Abb. 11a)* belegen vielmehr eine altkirchliche Tradition. Deren Entwicklung gelten die folgenden Überlegungen.

Zusammengestellt sind erstmals die Abendmahlsaltäre vor der Reformation in den Niederlanden und im deutschsprachigen Gebiet. Ziel ist, das Verhältnis zwischen Darstellungsform des Abendmahles, Stellung des Themas innerhalb des Retabelaufbaues und historischer Entstehungssituation zu klären. In einem weiteren Schritt wird die Frage nach der Überlieferung ikonographischer Programme untersucht. Nicht zuletzt gilt das Interesse dem Status einer für die Reformation wichtig werdenden Ikonographie in der katholischen Tradition.

Um zu einem repräsentativen Überblick zu gelangen, verbietet sich die Beschränkung auf eine der beiden Gattungen, Malerei oder Skulptur. Entsprechend spürbar sind die Grenzen weiter Bereiche kunsthistorischer Literatur, die auch bei Retabeln oft nur entweder die Malerei oder die Skulptur behandelt. So geben mit der erwähnenswerten Ausnahme des von Gmelin vorgelegten Inventarbandes der niedersächsischen Tafelmalerei (1974) die großen Überblickswerke über Malerei beziehungsweise Skulptur die jeweils der anderen Gattung angehörenden Teile des Retabels nicht oder nur unvollständig an. Diese Beob-

---

[1] Luther, WA 31, 415.

[2] Thulin 1955, 9-32; Christensen 1979, 139-141.

[3] Noch Christensen spricht von der »predominance of the Last Supper motif in early Lutheran altarpiece art«, während das Thema im altkirchlichen Bereich ausgesprochen selten verwendet werde (1979, 148). Die Stellung des Abendmahles im Retabelaufbau wird in dieser Untersuchung jedoch nur statistisch erfaßt, nicht aber in die weiteren Überlegungen über die theologische Konzeption von Retabelprogrammen einbezogen; bei Christensen auch die ältere Literatur.

achtung gilt gleichermaßen für die Corpusbände zur »Altniederländischen Malerei« von Friedländer[4] wie für das entsprechende Unternehmen zur »Deutschen Malerei der Gotik« von Stange[5], aber auch für die Werke über Schnitzaltäre von Münzenberger-Beissel[6], Borchgrave d'Altena[7], für das Überblickswerk »Medieval Sculpture in Sweden«[8] oder die neuere Untersuchung der frühen Schnitzaltäre von Wildenhof[9]. Eine Ausnahme bilden meist nur werkmonographische Arbeiten, aber selbst die neueren Veröffentlichungen von Blum 1968 und Lane 1984 zu altniederländischen Retabeln übersehen beispielsweise den – wenn auch nur urkundlich überlieferten – skulpturalen Schmuck des Löwener Sakramentsaltares und damit einen wichtigen Bestandteil des Programmes[10].

Die bekannten Abendmahlsaltäre werden monographisch vorgestellt. Im Zentrum stehen diejenigen Werke, für die ursprünglicher Aufstellungsort, Entstehungszeit, Auftraggeber und Künstler gesichert überliefert sind. Eine Schlüsselstellung für die Untersuchung nehmen daher das 1464-1468 von Dirk Bouts für die Sakramentsbruderschaft zu Löwen gemalte Retabel *(Abb. 3a)* und der Rothenburger Heiligblut-Altar, dessen figürliche Teile Tilman Riemenschneider 1501-1505 schuf *(Abb. 11a)*, ein. Für andere Werke sind Zuschreibungen zu überprüfen oder neu vorzunehmen. Bei nicht mehr vollständig erhaltenen Werken schließlich können aufgrund ihrer Stellung in der aufgezeigten Entwicklung von Retabelprogrammen Rekonstruktionen vorgeschlagen werden.

Das Verhältnis zwischen Darstellungsform des Abendmahles, Stellung des Themas innerhalb des Retabelaufbaus und historischer Entstehungssituation einerseits sowie die Frage der Überlieferung ikonographischer Programme andererseits ist von der Forschung bisher nicht erörtert worden. Die Literatur kann vielmehr in zwei Gruppen unterteilt werden, erstens die Erforschung der Abendmahlsikonographie im allgemeinen und zweitens monographische Untersuchungen zu Künstlerpersönlichkeiten oder zu bedeutenden Altarwerken. Ergänzend kommen Arbeiten zur Entwicklung von Retabeln hinzu.
Der gegenwärtige Stand der Forschung erfordert einige grundlegende Vorüberlegungen, ist doch weder die spätmittelalterliche Abendmahlsikonographie hinreichend aufgearbeitet, noch die Beziehung der Bilder zum kirchlichen Eucharistieverständnis geklärt. Zu prüfen ist schließlich, in welchem Verhältnis Bildprogramme von Retabeln zur Funktion der jeweiligen Altäre stehen.

Mit der ikonographischen Entwicklung des Abendmahles beschäftigt sich für die byzantinische Kunst bereits 1871 Dobbert, der seine Untersuchungen 1890-1895 auf die abendländische Kunst bis zum 14. Jahrhundert ausweitet. Werke des 15. und 16. Jahrhunderts werden erstmals in die 1907 veröffentlichte systematische Untersuchung der unterschiedlichen Darstellungsformen des Abendmahles von Sachs einbezogen. Am Beginn des 20.

---

[4] Friedländer ENP 1967-1976; Panofsky 1953.
[5] Stange DMG 1934-1961; ebenfalls Stange KV 1967-1978.
[6] Münzenberger-Beissel 1885-1905; neuere Arbeiten über Schnitzaltäre gehen in der Regel von einer lokalen Begrenzung aus, besonderes Interesse der Forschung haben die süddeutschen Retabel gefunden, vgl. beispielsweise Schindler 1978.
[7] Borchgrave d'Altena 1948.
[8] Sculpture 1964-1980.
[9] Wildenhof 1974.
[10] Siehe unten das Kapitel »Der Sakramentsaltar von Dirk Bouts in Löwen«.

Jahrhunderts ist jedoch die ästhetische Norm des Abendmahlsfreskos von Leonardo in Mailand, wie besonders die Arbeit von Scheltema (1912) zeigt, derart bestimmend, daß die nordalpinen Werke nur unzureichend berücksichtigt werden. Im Kontext eucharistischer Bildthemen behandelt die nur in kleiner Auflage verbreitete Publikation von Wirz (1912) das Abendmahl, wichtiger und detaillierter, jedoch auf Werke der französischen und niederländischen Kunst beschränkt, ist die Untersuchung von Vloberg 1947[11]. Eine Fülle von Material ist in den entsprechenden Artikeln der ikonographischen Nachschlagewerke zusammengetragen[12], als grundlegend muß noch immer die Zusammenstellung von K. Möller[13] gelten. Die von der älteren Literatur vorgegebene Gewichtung auf die frühe Entwicklung sowie die Kunst der italienischen Renaissance wird jedoch weitgehend beibehalten und führt zu einer vergleichsweise pauschalen Bewertung der nordalpinen Beispiele im ausgehenden Mittelalter.
Die ikonographische Entwicklung wird in der bisherigen Forschung durchgängig getrennt von der Funktion der Darstellung beschrieben. Hinzu kommt die summarische Behandlung der spätmittelalterlichen Bildtradition. Voraussetzung einer Klärung von Darstellung und Verwendung des Themas ist daher zunächst die Charakterisierung der Abendmahlsikonographie im 15. Jahrhundert und zu Beginn des 16. Jahrhunderts nördlich der Alpen[14]. Die spätmittelalterliche Entwicklung nördlich der Alpen sowie die Veränderung der Darstellungskonvention vor allem durch Albrecht Dürer müssen daher in ihren Grundzügen beschrieben werden. Die im Rahmen dieser Untersuchung vorgetragenen Überlegungen vermögen jedoch nicht die gerade in der Erforschung altdeutscher Kunst vorhandenen Lücken auszugleichen. Allerdings kann die Entwicklung der Bildformulierung für das Abendmahl mit der Geschichte der Frömmigkeit in Zusammenhang gebracht werden.

Eine Beschäftigung mit Flügelaltären hat für deren formale Entwicklung noch immer von den Untersuchungen von Hasse 1941 und Paatz 1963 auszugehen, die entsprechend ihrer Fragestellung jedoch nicht auf Darstellungsprogramme eingehen. Ebensowenig berücksichtigt wird die Stellung des jeweiligen Altares innerhalb einer Kirche. Gleiches gilt nahezu durchgängig für die Arbeiten von Rasmussen 1974 und Kaiser 1978, die sich mit der Veränderung der Retabeltypen um 1500 befassen. Für die Entwicklung der niederländischen Schnitzaltäre, die als Vergleich heranzuziehen sind, bilden noch immer die Untersuchungen Borchgrave d'Altenas[15] den maßgeblichen Ausgangspunkt; einen Teil der Flügelgemälde behandelt, über die Ergebnisse bei Friedländer hinausgehend[16], Périer d'Ieteren 1984 in ihrer Werkmonographie über Colijn de Coter. Während die Schnitzaltäre am Beginn des 15. Jahrhunderts Gegenstand der Dissertation von Wildenhof (1974) sind, muß man für die gemalten Beispiele auf Untersuchungen zu Werkgruppen wie den westfälischen Retabeln oder der Kunst Meister Bertrams zurückgreifen[17]. Die genannten Ar-

[11] Für die spanische Kunst legt Trens 1952 eine vergleichbare Untersuchung vor.
[12] Lucchesi-Palli und Hoffscholte: »Abendmahl«, in: LCI Bd. 1, 10-68; Réau 1955, Bd. 2, 406-420; Schiller Bd. 2, 35-51; vgl. auch »Last Supper, Iconography of ...«, in: NCE Bd. 8, 399-401.
[13] Artikel »Abendmahl« im RDK Bd. 1, 28-44.
[14] Siehe unten das Kapitel »Das Abendmahl als Retabelthema«.
[15] Borchgrave d'Altena 1948, aber auch »Medieval Sculpture in Sweden« 1964-1980.
[16] Friedländer 1967-1976.
[17] Martens 1929; »Westfälische Malerei ...« 1964. Die Untersuchung von Pilz 1970 »Das Triptychon als Kompositions- und Erzählform« beschäftigt sich mit der Frage der Erzählstruktur, nicht aber mit der Entwicklung der Gattung oder den Programmen von Retabeln, so werden beispielsweise

beiten behandeln durchgängig die stilistische Entwicklung und Weitergabe künstlerischen Formengutes. Untersuchungen über das Verhältnis zwischen der Aufstellung eines Retabels und seiner Gestaltung, dem Verhältnis zu verehrten Reliquien oder zu Patrozinien und Liturgie liegen zwar einerseits für die ältesten Flügelaltäre aus dem 14. Jahrhundert vor[18], andererseits in Einzeluntersuchungen beispielsweise von Reiner Haussherr[19] und Ewald M. Vetter[20]. Reiches Material bietet darüberhinaus noch immer das grundlegende Werk von Braun (1924). Mit der fehlenden systematischen Aufarbeitung spätmittelalterlicher Ikonographie, die zudem die Funktion des jeweiligen Werkes zu klären hätte, geht jedoch einher, daß bisher die Kriterien fehlen, um die Entwicklung des Abendmahles als Hauptthema eines Retabels zu beschreiben. Wird es beispielsweise für bestimmte Patrozinien bevorzugt oder für bestimmte Reliquien? Eignet es sich als zentrales Thema gleichermaßen für einen Haupt- wie für einen Nebenaltar? Der Ausarbeitung derartiger Fragen und Kriterien müssen deshalb einige einleitende Überlegungen im ersten Kapitel gelten.

Die meisten der in dieser Arbeit behandelten Werke haben nur beiläufiges Interesse der Forschung in größer angelegten Überblicksuntersuchungen gefunden. Symptomatisch scheint die Situation für die Imhoffsche Terrakotta-Gruppe des Abendmahles *(Abb. 1)*, die – wie zu zeigen sein wird – die Hauptgruppe des frühesten bekannten Abendmahlsaltares bildete. Sie läßt sich in die Entwicklung der Nürnberger Skulptur des beginnenden 15. Jahrhunderts lediglich unzureichend einordnen und erfährt in den entsprechenden Veröffentlichungen eher untergeordnete Beachtung[21]. Die einschlägigen Arbeiten zur mittelrheinischen Terrakottaskulptur, von denen eine Klärung der Frage, ob die Gruppe nicht wie das gleichzeitige Tondörffer-Epitaph an der Nürnberger Lorenzkirche ein Import-Stück ist, zu erwarten wäre, übersehen die Gruppe[22].

Ausführlicher untersucht sind die gut dokumentierten und durch Quellen für einen bekannten Künstler belegten Retabel in Löwen und Rothenburg. Die ältere monographische Forschung ist bekanntlich nahezu ausschließlich stilgeschichtlich orientiert. So nimmt Wolfgang Schöne 1938 den Löwener Altar von Dirk Bouts als eines der beiden gesicherten Werke des Künstlers zum Ausgangspunkt einer stilkritischen Analyse. Gleiches gilt für die entsprechenden Abschnitte der nach wie vor unentbehrlichen Überblickswerke von Friedländer[23] und Panofsky[24]. Erst Blum (1968) stellt die Programmgestaltung des Retabels in den Mittelpunkt des entsprechenden Kapitels ihrer »Study in Patronage«. Lane (1984) schließlich ordnet das Werk, unter anderem zusammen mit dem Braque-Triptychon von Rogier van der Weyden, in eine Reihe von Flügelaltären der altniederlän-

---

die Gemälde der Flügelaußenseiten nicht berücksichtigt, »... weil sie nicht drei, sondern zwei Bildträger zeigen und damit in eine Untersuchung der Kompositionsform ›Diptychon‹ gehören« (13).

[18] Keller 1965; Ehresmann 1982.

[19] Vgl. beispielsweise Haussherr 1985 zum Bamberger Altar des Veit Stoss.

[20] Vetter 1980 zum Münnerstädter Altar von Tilman Riemenschneider oder 1983 zum Schwabacher Hochaltar, jedoch zu keinem der in dieser Arbeit zu besprechenden Werke.

[21] Höhn 1922; aber auch Wilm 1929.

[22] Ehresmann 1966; »Kunst um 1400 ...« 1975; vgl. unten »Der Abendmahlsaltar der Familie Imhoff in Nürnberg«.

[23] Friedländer 1967-1976.

[24] Panofsky 1953.

dischen Malerei ein, deren Programm in jeweils unterschiedlicher Weise auf die Versinnbildlichung der Eucharistie abgestimmt sei. Beide Autorinnen berücksichtigen jedoch die Bildtradition nur unzureichend und können daher das theologische Programm einerseits sowie die künstlerische Neuformulierung des Themas andererseits nicht klar gegen den Anteil überlieferter Ikonographie abgrenzen. Zudem verbleiben sowohl Blum als auch Lane in dem durch die älteren Überblickswerke von Friedländer und vor allem Panofsky abgesteckten Rahmen altniederländischer Malerei. Sie berücksichtigen keine Werke der Schnitzkunst, so daß ihnen nicht zuletzt die Marienskulptur des Löwener Sakramentsaltares als Vervollständigung des inhaltlichen Programmes entgangen ist[25].

Vergleichbar stellt sich der Stand der Forschung zum Heiligblut-Altar von Tilman Riemenschneider dar. Das Retabel hat reiche Aufmerksamkeit in der Forschung gefunden. Ausgehend von der biographischen und lokalhistorischen Literatur des vorigen und des beginnenden 20. Jahrhunderts stellt zunächst Bier in seiner umfangreichen Riemenschneider-Monographie das Schaffen des Künstlers nahezu vollständig vor[26]. Der Anhang mit den bekannten Quellen macht das Buch noch immer zum Ausgangspunkt jeder Beschäftigung mit dem Werk. Für die Entstehungsgeschichte des Heiligblut-Altares kann Gerstenberg 1941 eine neue Lesart der Dokumente plausibel machen[27]. Zusammengefaßt findet sich der ältere Forschungsstand in dem Inventarband zur Rothenburger Jakobskirche von Anton Ress[28]. Seit den fünfziger Jahren hat sich die Forschung einerseits – nicht zuletzt angeregt durch die Untersuchung Hessigs von 1935[29] – der Vermittlung von Kompositionsschemata und Motiven durch druckgraphische Vorlagen zugewendet[30] und damit die ältere These einer Reise Riemenschneiders in die Niederlande[31] ausgeschlossen. Andererseits gewinnt die Frage der monochromen Fassung – angeregt von den Untersuchungen Willemsens[32] und Tauberts[33] – durch die Restaurierung des Retabels unter Oellermann an Interesse[34]. Als neueste Arbeit ist schließlich das Buch über »Die Kunst der Bildschnitzer« (»The Limewood Sculptors of Renaissance Germany«) von Baxandall zu nennen, der erstmals versucht, das Retabel, insbesondere die Abendmahlsdarstellung mit Texten zeitgenössischer Frömmigkeit in Verbindung zu bringen[35]. Vorrangiges Anliegen ist für Baxandall hierbei die Rekonstruktion des Rezeptionshorizontes und die Weise, wie der Künstler sich mit seiner Formensprache hierzu jeweils in Beziehung setze. Eine ikonographische Einzeluntersuchung, wie sie Vetter etwa für den Münnerstädter Altar von Riemenschneider vorgenommen hat[36], liegt nicht vor.
Die Entstehungsgeschichte des Retabels sowie die Stellung im Œuvre Riemenschneiders dürfen zum gegenwärtigen Zeitpunkt in ihren Grundzügen als hinlänglich geklärt gelten.

---

[25] Vgl. unten »Der Sakramentsaltar von Dirk Bouts in Löwen«.
[26] Bier 1925-1978, besonders 1930.
[27] Gerstenberg (1941) 1962², 114-119.
[28] Ress 1959, 174.
[29] Hessig 1935, zum Heiligblut-Altar 91-99.
[30] Bier 1957; Vetter/Walz 1980.
[31] Gerstenberg 1934 sowie ders. (1941) 1962², 22-28.
[32] Willemsen 1962.
[33] Taubert 1967, vgl. auch ders. 1978.
[34] Oellermann 1966; Benkö 1969, 21-25. Vgl. auch die Überlegungen anläßlich der Restaurierung des Münnerstädter Altares, »Riemenschneider ...« 1981, Kat. 15-25.
[35] Baxandall (1980) 1984 sowie die Rezension von König 1984.
[36] Vetter 1980.

Von der Forschung nicht geleistet wurde jedoch die Einordnung von Programm und Darstellungen in die Bildtradition sowie das Verhältnis des Programmes zur Heiligblut-Verehrung. Es hätte dann auffallen müssen, daß die aus moderner Sicht gleichsam selbstverständliche Zuordnung von Heiligblut-Reliquie und Abendmahlsdarstellung in den Jahren um 1500 durchaus nicht geläufig war, sondern explizit als Ausnahme bezeichnet werden muß. Die folgenden Ausführungen haben somit einerseits ausgehend von der Bildtradition das Rothenburger Retabelprogramm noch einmal zu charakterisieren und andererseits seine historische Stellung zu würdigen.
Das Fehlen neuerer Werkmonographien sowohl über Dirk Bouts als auch über Riemenschneider, die die Ergebnisse der nach dem Zweiten Weltkrieg erfolgten Restaurierungen und technischen Untersuchungen einzubeziehen hätten, ist deutlich spürbar. Man wird vor allem die Bedeutung eines Künstlers nicht mehr an seiner tendenziellen Voraussetzungslosigkeit gegenüber der Geschichte messen wollen, sondern das Verhältnis gerade auch zu ikonographischen Vorläufern differenzierter zu bestimmen suchen. Die monographischen Untersuchungen zu den Abendmahlsaltären vermögen – eingebettet in den Überblick – das Verhältnis zwischen Auftraggeber, Auftragssituation und Künstler zu beleuchten. Übernahme einer Bildtradition oder bewußte Neuformulierung sowie der Anteil von theologischem Berater einerseits und Künstler andererseits werden erkennbar. Fast unnötig zu sagen, daß diese Überlegungen keine weiterführenden Einzelmonographien ersetzen können, geboten wären beispielsweise auch Arbeiten zur Löwener Sakramentsbruderschaft als Auftraggeber oder zur Ausstattungskampagne der Stadt Rothenburg in der St. Jakobskirche.

Vorliegende Untersuchung versteht sich als exemplarischer Beitrag zur Entwicklung und Gestaltung spätmittelalterlicher Retabel. Sie verknüpft die Aufarbeitung der Entwicklung von Abendmahlsaltären über etwa 150 Jahre einerseits mit Einzeluntersuchungen andererseits. Diese Herangehensweise ermöglicht, die einzelnen Werke in der Spannung zwischen Tradition und Innovation zu charakterisieren. Die Ergebnisse werden durch Überlegungen zur Liturgie- und Frömmigkeitsgeschichte abgerundet.
Die kirchengeschichtlich und theologisch brisante Diskussion um die Auslegung des Abendmahles läßt gerade die Abendmahlsaltäre zum besonderen Spiegel des Umbruchs am »Vorabend der Reformation« werden.

Die Arbeit hat von wenigen Änderungen abgesehen 1989 dem Fachbereich Geschichtswissenschaft der Freien Universität Berlin als Dissertation vorgelegen.
Ich habe von vielen Seiten Anregungen und Auskünfte erhalten. Allen sei herzlich gedankt. Mein ausgesprochener Dank gilt Reiner Haussherr, der die Entstehung der Arbeit mit großem Interesse begleitet hat. Weiterhin danken möchte ich insbesondere Christiane Andersson (Frankfurt/Main), Birgit Franke (Berlin), Eberhard König (Berlin), Hartmut Krohm (Berlin), Ursula Schlegel (Berlin/Florenz), Wilhelm Schmidt-Biggemann (Berlin), Michael Wolfson (Hannover).
Ohne die finanzielle Unterstützung durch meine Eltern Inge Welzel und Peter Welzel, die in ihrer sehr unterschiedlichen Weise am Fortgang der Arbeit Anteil genommen haben, und durch ein Promotionsstipendium nach dem Nachwuchsförderungsgesetz (NaFöG) hätte diese Arbeit nur schwer geschrieben werden können.
Danken möchte ich auch der VG Wort für den Druckkostenzuschuß sowie schließlich dem Gebr. Mann Verlag, namentlich Falk Redecker.

Retabel und Eucharistie

Retabel, Reliquien und Bildprogramme

Retabel sind bekanntlich kirchliche Ausstattungsstücke, die ihrer Bestimmung nach im Verbund mit einem Altar aufgestellt sind[1]. Infolge kirchlicher Neuausstattungen, denkmalpflegerischer Eingriffe vor allem des 19. Jahrhunderts sowie musealer Aufstellung, die in der Regel Skulptur und Malerei trennt, ist der ursprüngliche Zusammenhang oft nicht mehr ersichtlich. Das kann jedoch nicht davon entbinden, das ursprüngliche Ensemble so weit als möglich zu rekonstruieren. Von Bedeutung ist nicht nur die Funktion derjenigen Altäre, auf denen das jeweilige Retabel einmal aufgestellt war, ob es sich beispielsweise um den Hauptaltar oder den Laienaltar einer Kirche oder um die private Stiftung einer Familienkapelle handelte[2]. Auch der Status der einzelnen Kirche – die Spanne reicht immerhin von der Bischofskirche bis zur kleinen Wallfahrtskapelle – ist zu benennen. Einher geht die Frage nach der Verwendung der Retabel in einer konkreten Liturgie, die am jeweiligen Altar zelebriert wurde. Versuchsweise zu rekonstruieren ist in diesem Zusammenhang der Rhythmus der Wandlungen, aber auch eine mögliche Beziehung zwischen Darstellungsprogramm und Liturgie. Die unmittelbare Verbundenheit von Retabel und Altar läßt fragen, inwiefern hieraus eine inhaltliche Bezugnahme der Darstellungsprogramme auf die Eucharistie, die – als liturgisch wichtigste Handlung der Kirche – am Altar zelebriert wird, resultiert. Geklärt werden muß schließlich, inwieweit Altarpatrozinien einen bildnerischen Ausdruck in den Darstellungen finden.

Seit dem 12. Jahrhundert werden zunehmend häufiger Retabel aufgestellt, sie werden dann bis zum ausgehenden 14. Jahrhundert feste Konvention der Altarausstattung. Flügelaltäre, die unterschiedliche Wandlungen der Bildprogramme ermöglichen, sind eine Sonderform der Retabel. Ihre geographische Verbreitung bleibt weitgehend auf den deutschsprachigen Raum und die Niederlande begrenzt[3]. Die frühesten Beispiele entstehen im ersten Drittel des 14. Jahrhunderts. Flügelaltäre werden dann bekanntlich bis in die Zeit um 1500 zum wichtigen kirchlichen Ausstattungsstück und zu einer bedeutenden künstlerischen Aufgabe.

Die Gewohnheit, Retabel aufzustellen, ist – entgegen weit verbreiteter Annahme – keine Folge einer liturgischen Reform. »Eine allgemein verbindliche Vorschrift, den Altar

[1] Vgl. Begriffsbestimmung und historischen Überblick bei Braun 1937.
[2] Siehe Hagers Kritik (1962) an Braun (1924), jedoch nur für die italienischen Beispiele.
[3] Für diese allgemeinen Angaben ist als grundsätzliche Literatur noch immer das Werk von Braun 1924 anzugeben sowie der zusammenfassende Artikel des gleichen Autors 1937.

mit einem Retabel auszustatten, besteht nicht, noch hat es je eine solche gegeben.«[4] Ebensowenig sind Retabel, beziehungsweise Flügelaltäre mit ihren unterschiedlichen Wandlungen in die Meßzeremonie integriert. Entsprechend wurden keine überregional gültigen Regeln für Retabelprogramme und Retabelwandlungen erstellt. Maßgeblich für die Verwendung und Gestaltung von Retabeln waren vielmehr lokale Entscheidungen oder Gewohnheiten. Hierin dürfte die Erklärung für die Schwierigkeit liegen, die genaue Verwendung von Wandelaltären zu rekonstruieren. So erlauben beispielsweise die Hinweise in erhaltenen Meßnerpflichtbüchern, wie den im ausgehenden 15. Jahrhundert entstandenen von St. Sebald und St. Lorenz zu Nürnberg kaum eine vollständige Rekonstruktion aller Retabelwandlungen[5]. Retabel gehörten zu den möglichen, aber nicht notwendigen kirchlichen Ausstattungsstücken. Sie bilden jedoch spätestens seit dem ausgehenden 14. Jahrhundert eine verbindliche Konvention.

Die Entstehung der Flügelaltäre ist in der Forschung, wenn auch in unterschiedlicher Akzentsetzung, mit dem Reliquienkult in Verbindung gebracht worden. »Man betrachtete es (das Retabel – Vf.), wie es scheint, als einen Ersatz für Reliquiare. Wie man diese auf den Altar setzte, so mochte man es für entsprechend halten, mit den Heiligenbildern des Retabels ein gleiches zu tun.«[6] Die Diskussion um die Entstehung der Flügelaltäre sei im folgenden zusammenfassend referiert. Ziel ist jedoch weniger, die Debatte ein weiteres Mal aufzurollen, als vielmehr allgemeine Kriterien für das Verhältnis der Bildprogramme zur Funktion der Retabel zu ermitteln.
Die Entwicklung der besonderen Retabelform des Flügelaltares wird von Keller[7] als zunehmende Verselbständigung des Bilderschmuckes von Reliquienschränken beschrieben. Als Ausgangspunkt werden Schränke angesehen, deren bemalte Türen geöffnet oder geschlossen worden seien, um Reliquien zu zeigen oder zu verbergen und zu schützen. Zunächst nur nach Bedarf auf die Altäre gehoben, seien sie dort später fest installiert worden. Die feste Verbindung von Reliquien und Skulpturen kennzeichnet die dritte Entwicklungsstufe, als Beispiele gelten die Altäre in Marienstatt[8] und Cismar[9]. Es folgt an manchen Orten die Abdrängung der Reliquien in die Predella. Letzter Entwicklungsschritt ist dieser Hypothese zufolge die Verselbständigung der Skulptur, wobei der Bezug zur Reliquie durch die Reliquiendepositen in einigen Skulpturen noch als gewährleistet gilt.
Dieses Entwicklungsmodell bietet letztlich eine Erweiterung bereits von Braun vorgetragener Überlegungen[10], die seither in jeweils abgewandelter Form wiederholt aufgenom-

---

[4] Braun 1924, Bd. 2, 281. Braun hatte jedoch vorgeschlagen, die Retabel auf eine Liturgie zu beziehen, in der der Priester nicht mehr hinter dem Altar stehend die Messe zelebriert, oder aber der Subdiakon von hinten an den Altar tritt, um die Gaben zu reichen (Braun 1924, Bd. 2, 277 f.). Hiermit sollte ein terminus ante quem non ermittelt werden. Hasse weist jedoch zurecht darauf hin, daß die bei Braun selbst aufgeführten Quellen einen solchen Schluß nicht erlauben (Hasse 1941, 8 mit Anm. 3).

[5] Vgl. die Editionen von Gümbel 1928 und 1929.

[6] Braun 1924, Bd. 2, 285.

[7] Keller 1965. Keller bezieht sich in seinen Ausführungen wiederholt auf Wentzel 1937. Eine kritische Auseinandersetzung mit den Überlegungen von Keller leistet Ehresmann 1982.

[8] Keller 1965, 128, Abb. 2.

[9] Wentzel 1938, Kat. Nr. 7. und ders. 1941. Zum Erhaltungszustand des Retabels vgl. Löffler-Dreyer 1987.

[10] Braun 1924, Bd. 2, 345 ff.
»Der Zweck, den die Flügel hatten, war vor allem liturgischer Art. Sie sollten es möglich machen, in einfacher, aber wirkungsvoller Weise dem Retabel bald einen Alltags-, bald einen Festtagscha-

men werden[11]. Die These lautet, daß das Bildwerk den Wert der Reliquie übernommen und dadurch die Geltung eines »authentischen« Gegenstandes der Frömmigkeit gewonnen habe. Die in dieser Argumentation vorgetragene Verwendung des Begriffes »Kultbild« muß jedoch differenziert werden. Obwohl in der Praxis Bildwerke oft als »Kultbild« verstanden worden sind – die Exzesse um die »Schöne Madonna« in Regensburg sind hierfür ein krasses Beispiel[12] –, sollten auch in einer rezeptionsgeschichtlich orientierten Kunstwissenschaft offizielle, schriftlich fixierte katholische Lehre[13] und – möglicherweise nicht nur zufällig – mißverstehende Praxis deutlich unterschieden werden. Gerade bei den exponierten Flügelaltären wird man von einem hohen Maß an theoretischer Reflexion der Auftraggeber oder zumindest ihrer theologischen Berater ausgehen dürfen.

Den von Keller vorgetragenen Überlegungen muß entgegen gehalten werden, ob nicht neben der Verschließbarkeit von Reliquien und kostbaren Bildwerken von vornherein die Wandelbarkeit der Bildprogramme ausschlaggebend für die Entwicklung von Flügelaltären war[14]. Ausgehend von einer Kritik jener Entwicklungshypothese zeigte Ehresmann[15] für die frühen mittelrheinischen und norddeutschen Retabel[16], daß sie offenbar entspre-

---

rakter zu geben, dadurch, daß man sie an gewöhnlichen Tagen und besonders in den Zeiten der Buße und Trauer schloß, an Festtagen aber öffnete und dadurch das Innere des Retabels in seinem vollen Glanze erstrahlen ließ.« A.a.O. 355-356.

»Indessen war es wohl nicht ausschließlich dieser liturgische Zweck der Retabelflügel, dem diese ihre Einführung und das Flügelretabel seine Entstehung verdankte, es dürfte auch ein praktischer Grund hierauf nicht ohne Einfluß gewesen sein. Bei den Retabeln des späten Mittelalters, gemalten wie namentlich geschnitzten, spielte Gold eine Hauptrolle ... Je kostbarer aber solche Altaraufsätze waren, umso mehr mußte man begreiflicherweise dafür Sorge tragen, daß sie nicht ohne Schutz gegen die Unbilden und Schaden blieben, welche Staub und Feuchtigkeit ihnen leicht bringen konnten, ja auf die Dauer dem leicht verletzbaren Glanzgold zufügen mußten ... Man mußte darauf bedacht sein, für diese Retabeln eine Einrichtung zu schaffen, welche gestattete, ohne Mühe deren herrlichen Bilderschmuck zu enthüllen und wieder zu verhüllen.« A.a.O. 356.

»Was die Anregung und den Anlaß bot, das Retabel mit Flügeln zu versehen, sagt uns der Zweck den diese hatten. Man wollte den kostbaren Inhalt des Rebabels nur an den Festtagen zur Schau bringen und ihn zugleich schützen, besser erhalten. Namentlich empfahl es sich, die Reliquienretabeln mit Flügeln zum Verschließen zu versehen. Wirklich haben die meisten der Flügelschreine, die sich aus dem Ende des 13. und dem Beginn des 14. Jahrhunderts erhalten haben, den Charakter von Reliquienretabeln. Vorbild für den Flügelschrein aber waren alle zweitürigen Schränke, zumal die nicht selten prächtig ausgestatteten Schränke, welche zur Aufbewahrung der Kelche und anderer heiliger Geräte, der Kreuze, der Evangeliare und besonders auch der Reliquiare dienten und oft sowohl auf der Innen- wie der Außenseite der Türen mit geschnitztem oder gemaltem Bildwerk verziert wurden.« A.a.O. 361.

11 So zuletzt von Legner 1986. Auch die von Herbert Beck und Horst Bredekamp sowie von Bernhard Decker vertretenen Überlegungen zum Kultbild gehören in diesen Zusammenhang; Beck und Bredekamp: »Die internationale Kunst um 1400«, in: »Kunst um 1400 am Mittelrhein ...« 1975, 1-29 sowie Herbert Beck und Horst Bredekamp: Bildkult und Bildersturm, in: Funkkolleg Kunst 1987, Bd. 1, 108-126 sowie Decker 1985.

12 Vgl. zuletzt Mielke 1988, Nr. 202 mit weiterführender Literatur.

13 Vgl. beispielsweise Aschenbrenner 1938.

14 »Daß die Flügel ebenfalls Platz für Bildwerk boten und damit die Möglichkeit gewährten, das Retabel noch reicher auszustatten, als es ohne sie möglich gewesen wäre, war wohl nicht Ursache der Einführung derselben, wohl aber trug dieser Umstand viel dazu bei, das Flügelretabel so beliebt zu machen.« Braun 1924, Bd. 2, 357.

15 Ehresmann 1982.

16 Ehresmann geht in seinen Ausführungen von der gleichen Gruppe früher Retabel aus, die auch für Keller 1965 den Ausgangspunkt der Überlegungen bildete.

chend der Hierarchie von Werk-, Sonn- beziehungsweise Festtagen im Kirchenjahr gewandelt wurden und mit der Konzeption ihrer Bildprogramme darüberhinaus auf die Hochfeste Bezug nehmen.

Die Einbeziehung eines anderen frühen, jedoch weder mittelrheinischen noch norddeutschen Flügelaltares, dessen Entstehungsgeschichte zudem erstaunlich gut dokumentiert ist, hätte die Entwicklung deutlicher werden lassen können. Nach einem Brand am 14.9.1330 ließ Propst Stephan von Sierndorf die Tafeln der 1181 von Nikolaus von Verdun geschaffenen Lettnerbrüstung in Klosterneuburg nach Wien bringen, um sie in einen Flügelaltar integrieren zu lassen[17]. Die alten Emails bilden, um einige Tafeln ergänzt, die Schauseite des Retabels, die Außenseiten der Flügel werden von vier Tafelbildern eingenommen. Das Retabel schmückte wohl bis 1589 den Laienaltar vor dem Lettner des Augustiner-Chorherrenstiftes zu Klosterneuburg. Für diesen Flügelaltar, der gleichzeitig mit den frühen mittelrheinischen und norddeutschen Beispielen geschaffen wurde, kann die Genese nicht mit Reliquien erklärt werden. Anliegen war hier offenbar vielmehr die Wandelbarkeit des Retabels und die damit verbundene Variierbarkeit des Bildprogrammes.
Anmerkend sei darauf hingewiesen, daß das Verfahren der Integration älterer kirchlicher Ausstattungsstücke in neue Retabel auch zu späterer Zeit zu beobachten ist, so im 15. Jahrhundert bei der Lüneburger Goldenen Tafel[18] oder beim 1529-1533 entstandenen Hochaltaraufsatz im Xantener Dom[19]. Möglicherweise, darauf könnte auch die in beiden Fällen überlieferte Bezeichnung »Goldene Tafel«, die ein jeweils älteres kirchliches Ausstattungsstück meint, hindeuten, sind auch hier nicht die Reliquien einziger Anlaß des neugeschaffenen Ensembles[20]. Die Einbeziehung des Klosterneuburger Retabels[21] in die Überlegungen zur Frühgeschichte der Wandelaltäre zeigt, daß die Entwicklung der ersten Flügelaltäre nicht ausschließlich mit dem Reliquienkult erklärt werden kann.

Für die frühen italienischen Retabel mit szenischen Darstellungen ist es Hager[22] gelungen nachzuweisen, daß ihre Entstehung im Kreis der Franziskaner dem Bedürfnis nach erzählender Ausschmückung der Heilsgeschichte zu verdanken ist. Die auch im deutschen Raum stark rezipierte, von dem Dominikaner Jacobus de Voragine verfaßte Legenda Aurea erklärt den Altarschmuck ebenfalls mit Motiven der belehrenden und zur Andacht auffordernden Bilderzählung. Die Bedeutung des Altares wird im Kapitel über die Kirchweihe als Ort, an dem man das Sakrament des Herren opfere und der Passion gedenke, bestimmt. Das Betrachten von Bildern leistet eine mögliche Form dieser Besinnung:

[17] Röhrig 1955; zur Rekonstruktion des ursprünglichen Zustandes Doberer 1977. Als frühestes bekanntes Beispiel süddeutscher Flügelaltäre wird das Klosterneuburger Retabel ausdrücklich von Ramisch 1967, 88 gewürdigt.

[18] Zum Reliquienschatz vgl. Stuttmann 1937.

[19] Hilger 1984.

[20] Eine Zusammenstellung von Retabeln, in die ältere Teile der kirchlichen Ausstattung übernommen werden – vgl. etwa auch das Retabel mit dem Schrein aus Stablo – steht bisher aus; eine derartige Untersuchung könnte einen wichtigen Beitrag zur Frage des Einflusses veränderter Frömmigkeit auf die künstlerische Produktion leisten.

[21] Wiewohl häufig der von Nikolaus von Verdun geschaffene Ambo des ausgehenden 12. Jahrhunderts fälschlich als Klosterneuburger Altar bezeichnet wird, ist in vorliegendem Zusammenhang explizit das Retabel des 14. Jahrhunderts gemeint.

[22] Hager 1962.

»... das ist das Leiden Christi in Bildern gemalet: des Wirkung geschieht durch das Auge; denn das Bild des Gekreuzigten und die anderen Bilder in der Kirche sind gemachet, daß sie bewegen zu Gedächtnis, zu Andacht und Belehrung; und sind gleichsam die Bücher der Laien.«[23]

Sind diese Bemerkungen zwar nicht spezifisch auf Retabel bezogen, so wird dennoch in Anlehnung an eine Formulierung Gregors des Großen die Verwendung von Bildern als Illustration der Heilsgeschichte charakterisiert. Jeglicher Hinweis auf Reliquien fehlt.

Da zudem bereits vor der Entwicklung der Flügelaltäre Retabel verwendet wurden – erinnert sei hier vor allem an die französischen Steinretabel mit ihren erzählenden Darstellungszyklen[24] – muß deutlich festgehalten werden, daß diese unabhängig von den Reliquien eine Funktion in der kirchlichen Ausstattung besaßen. An vergleichbaren Retabeln mit szenischen Bildfolgen scheint die Gestaltung des Klosterneuburger Retabels orientiert gewesen zu sein. Sie wurde um die Flügel erweitert und ermöglichte somit eine Variation und Hierarchisierung von Bildfolgen[25]. Der Cismarer Altar kann ebenfalls als Veränderung des älteren flügellosen Retabeltypus charakterisiert werden. Hier kombinierte man den Flügelaltar zusätzlich mit der Möglichkeit, Reliquien aufzustellen.

Die Entstehung der Flügelaltäre kann somit – statt einer monokausalen Erklärung – als das Zusammenfügen verschiedener Traditionen beschrieben werden. Aufgenommen werden die älteren Retabel, die ebenfalls bereits früher faßbare Form des Triptychons, der Wunsch nach wandelbaren Bildprogrammen, die gleichzeitig die Hierarchisierung der einzelnen Themen ermöglichten, sowie mancherorts der Wunsch, Reliquien auf dem Altar aufzustellen. Die Möglichkeit, diese oder auch die Bildwerke dann zu verschließen oder zu verbergen, ist im Zusammenhang zu sehen mit der bezeugten Gewohnheit, auch andere Bildwerke etwa während der Fastenzeit zu verhüllen.

Daß die Flügelaltäre, nachdem sich die Wogen des Bildersturmes wieder geglättet hatten, nahezu bruchlos im lutherischen Bereich weiterverwendet wurden, sogar länger als nach der Einführung an italienischer Formensprache orientierter Architekturretabel als modern gelten konnte, belegt von anderer Seite die nicht vorhandene gleichsam automatische Verbindung zum Reliquienkult. Andernfalls wären Wandelaltäre auch für den moderaten, in der Bilderfrage eher traditionswahrenden Standpunkt Luthers[26] nicht mehr tragbar gewesen.

Zusammenfassend seien noch einmal die wichtigsten Punkte genannt:

---

[23] Legenda Aurea (Benz) 985.
»... scilicet passio Christi imaginibus figurata, et hoc habet fieri quantum ad visum. Ipsa enim crucifixi imago et aliae imagines in ecclesia fiunt propter rememorationem excitandam, devotionem et instructionem, quia sunt quasi libri laycorum.« Cap. 182 »De dedicatione ecclesiae«. Legenda Aurea, 845.

[24] »Les Fastes ...« 1981/82, beispielsweise Kat. 18, Retabel mit vier Szenen der Passion, 2. Hälfte 14. Jahrhundert, Paris Louvre; Kat. 29, Retabel aus der Zisterzienser-Abtei zu Maubuisson, um 1340, Paris Louvre; Kat. 62, Passionsretabel aus St. Denis, um 1350/60, St. Denis; vgl. Ramisch 1967, 88f.

[25] Möglicherweise wurden zwei unterschiedliche Anregungen miteinander verbunden: die erzählenden Bilderfolgen etwa der französischen Steinretabel mit den beweglichen Flügeln kleinformatiger Hausaltärchen, beispielsweise aus Elfenbein, siehe etwa die Elfenbeintriptychen in »Les Fastes ...« 1981/82, Kat. 129, 140, 143, alle 1. Drittel 14. Jahrhundert; vgl. Ramisch 1967, 88f.

[26] Vgl. die ausführliche Analyse bei Stirm 1977.

1. Retabel und die Sonderform der Wandelaltäre haben keine Funktion innerhalb der Meßzeremonie.
2. Sie gehören zur ständigen Kirchenausstattung. Sie schmücken das Gotteshaus wie Glasfenster oder Wandmalereien.
3. Aufgrund ihrer Aufstellung auf dem Altar sowie zusätzlich ihrer Veränderbarkeit gehören Flügelaltäre zur Ausschmückung von Meßfeiern, hierin vergleichbar den Antependien und Meßornaten.
4. Durch Altarstiftungen haben sie ihren festen Platz in der »Werkgerechtigkeit«. Sie sind der Frömmigkeit verbunden.

Die Kriterien, nach denen Retabelprogramme zusammengestellt wurden, sind vielfältig[27]. Reliquien üben dabei, wie eine kritische Durchsicht überlieferter Darstellungsprogramme ergibt, durchaus nicht zwingenden, das heißt gleichsam vorhersagbaren, Einfluß auf die inhaltliche Konzeption aus. Einige Beispiele mögen den offenbar vorhandenen Spielraum verdeutlichen.
Obwohl sich in Marienstatt die Ursulareliquien bildlich in den Ursulabüsten widerspiegeln, betrifft diese Korrespondenz nur einen Teilbereich des Gesamtprogrammes. Schon das Apostelkollegium zu Seiten der Marienkrönung im oberen Register kann nicht von den Reliquien abgeleitet werden. Während die mittlere Mariengruppe in Beziehung zum Patrozinium steht, dürfte das Apostelkollegium am zutreffendsten als allgemeine Bildformulierung beschrieben sein, insofern es allgemein in Verbindung steht zu kirchlichen Glaubensinhalten, aber nicht aus spezifischen Gegebenheiten hergeleitet werden kann.
Für den Cismarer Altar charakterisiert Wentzel die Programmkonzeption in direkter Abhängigkeit von der Aufstellungssituation. »Besonders ausgewogen ist das inhaltliche Programm. Ausgerichtet nach der Hauptreliquie, dem Heiligen Blut, und der Reliquie von der Dornenkrone Christi: Passionszyklus und typologische Ausdeutungen des Kreuzestodes stehen im Mittelpunkt, damit im Schrein. Die Legende des Ordensheiligen Benedikt auf dem rechten Flügel, die des Gründungsheiligen auf dem linken. Der Kirchenpatronin Maria ist die Außenseite gewidmet – um sie herum die 12 Apostel, weil das Kloster Reliquien de apostolis omnibus besaß.«[28] Diese auf den ersten Blick schlüssige Charakterisierung übersieht jedoch, daß die Kreuzigung mit zugehöriger Typologie in der Tat im Passionszyklus einen auf die Reliquie beziehbaren Schwerpunkt setzt, aber aus den Bildern allein die Verbindung zum Heiligen Blut nicht ablesbar wäre. Entsprechend hat Ehresmann eine Herleitung aus allgemeinen Glaubensinhalten vorgeschlagen: »On the contrary, the program of these subjects clearly expresses the two doctrines embodied in the Mass: the Incarnation and the Sacrifice of Christ.«[29] Das inhaltliche Programm mit Passions- und Marienzyklus sowie den Legenden der Patrone wäre auch andernorts denkbar. Von einer zwingenden Verbindung zwischen Reliquie und Darstellung kann nicht gesprochen werden, eher von einer Präferenz hinsichtlich der Themenwahl. Auch nach Aberkennung der Heiligblut-Reliquie im 15. Jahrhundert[30] konnte das Darstel-

[27] Vgl. die reiche Materialsammlung bei Braun 1924, Bd. 2, 6. Kapitel »Die Ikonographie des Retabels«, 445 ff.
[28] Wentzel 1938, 144.
[29] Ehresmann 1982, 162.
[30] 1467 durch den visitierenden Bischof Albert Krummendiek; vgl. Wentzel 1941 sowie die Ausführungen zum Heiligen Blut im folgenden Kapitel.

lungsprogramm unverändert weiterbestehen. Ebenso findet die Hostie im Creglinger Altar Riemenschneiders keine spezifische Entsprechung im Bildprogramm[31]. In Rothenburg findet sich das Abendmahl als Hauptdarstellung eines Retabels, in dem eine Heilig-blut-Reliquie aufbewahrt wird, die ebenfalls im Retabel aufbewahrte Andreasreliquie findet jedoch keine entsprechende Bildformulierung[32].

Neben der Frage nach der Korrespondenz zwischen Reliquien und Bildprogramm sind als weitere Kategorie für Retabelprogramme die Bezugnahmen auf den konkreten Aufstellungsort, auf die jeweiligen Kirchen- oder Altarpatrozinien anzusehen. Hierzu zählen etwa die Wolfgangsdarstellungen des Pacher-Altares in St. Wolfgang[33], die Martinslegende in Schwabach[34] oder oft auch die stehenden Heiligen in vielen Retabelschreinen. Diese Verbindung zwischen konkreter Situation und Retabelprogramm wird fast regelmäßig hergestellt, von einem Zwangsverhältnis darf aber auch hier wohl nicht gesprochen werden.

Unter allgemeinen Formulierungen für Retabelprogramme werden schließlich im folgenden Zyklen und Einzeldarstellungen verstanden, die allgemeine kirchliche Glaubensinhalte veranschaulichen, ohne auf den konkreten Aufstellungsort Bezug zu nehmen. Hierher gehören christologische Zyklen, etwa mittlere Kreuzigung mit Passion oder Kindheit und Jugend Jesu, oder Marienzyklen.
Eine Durchsicht an ihrem ursprünglichen Aufstellungsort erhaltener Retabel des 14. bis 16. Jahrhunderts zeigt, daß der Hauptaltar beziehungsweise der Laienaltar einer Kirche in der Regel in der Festtagswandlung ein solches Programm aufweist. Für Retabel mit gleichsam spezielleren Programmen in der Hauptansicht stehen die Seitenaltäre zur Verfügung[35].
Spezielle Bildformulierungen, die nicht aus Patrozinien erklärt werden können, etwa die Kirchenväter des Grabower Altares[36] oder Augustus und Sibylle am Bordesholmer Altar[37] bilden eine weitere Kategorie. Es handelt sich in diesen Fällen offenbar um allgemeine kirchliche Formulierungen, die aus einem konkreten programmatischen Interesse gewählt wurden. Bestimmend ist nicht die Lokalität der Aufstellung, sondern ein theoretisch entwickeltes theologisches Programm. Es hängt von den überlieferten Daten und Quellen ab, wieviel sich von einem solchen Programm rekonstruieren läßt.
Schließlich schreibt sich jedes Bildprogramm in den jeweiligen frömmigkeitsgeschicht-

---

[31] Bier 1930, 56-86. Der Schmerzensmann im Gesprenge verweist zwar auf die Eucharistie, ist jedoch, wie der Vergleich mit anderen Retabeln zeigt, kein notwendiger Hinweis auf das Vorhandensein einer eucharistischen Reliquie.

[32] Diese Feststellung muß möglicherweise auf die Hauptansicht des Retabels eingeschränkt werden, wollte man annehmen, daß die unvollendeten Flügelaußenseiten entsprechende Darstellungen erhalten sollten; siehe unten das Kapitel zum Abendmahlsaltar von Tilman Riemenschneider in Rothenburg.

[33] Rasmo 1969, 129-180.

[34] Bauer 1983.

[35] Diese hier einleitend vorgetragenen Überlegungen im Einzelnen zu belegen, müßte Thema einer eigenen Untersuchung sein. Ein Überblick über die noch rekonstruierbaren Retabelprogramme des 15. und 16. Jahrhunderts sowie eine Zusammenstellung von Angaben über Aufstellung und Auftragssituation stehen bisher aus.

[36] Zuletzt Beutler 1984.

[37] Appuhn 1983.

lichen Horizont ein, der sich aus der Kenntnis als bekannt vorauszusetzender theologischer Schriften zumindest teilweise rekonstruieren läßt[38].

Gegenstand vorliegender Untersuchung muß somit die sich historisch wandelnde Stellung des Abendmahles als Hauptthema eines Retabels in den aufgezeigten »Koordinaten« sein. Zu vermuten ist, daß das Thema nicht zwingend mit bestimmten Reliquien – Hostien- oder Blutreliquien – verbunden wird, eine mögliche Präferenz ist zu klären, gleiches gilt für Patrozinien. Zu fragen ist nach der möglichen Bevorzugung des Abendmahles durch bestimmte Auftraggeber, für Haupt- oder Seitenaltäre sowie schließlich nach dem Zeitpunkt, seit wann das Abendmahl zu den allgemeinen Formulierungen für ein Retabelprogramm gehört.

[38] Vgl. für die spätmittelalterliche sakrale Kunst beispielsweise Haussherrs Untersuchung zum Bamberger Altar von Veit Stoß (1985) oder Vetters Arbeit über den Schwabacher Hochaltar (1983); für die spätmittelalterliche Abendmahlsikonographie muß schließlich auf Collinson 1986 hingewiesen werden.

Das Eucharistieverständnis im späten Mittelalter und seine Veranschaulichung

Auf dem IV. Laterankonzil erhielt die Eucharistielehre im Jahre 1215 mit dem Transsubstantiationsdogma ihre für den hier zu behandelnden Zeitraum, in den Grundzügen sogar bis heute gültige, theologische Formulierung:

> »Es gibt aber eine einzige Kirche der Gläubigen, außerhalb derer niemand gerettet wird, in der Jesus Christus selbst Opferpriester ist, dessen Leib und Blut im Altarsakrament unter der Gestalt von Brot und Wein durch göttliche Macht verwandelt worden sind, damit wir zur Vervollkommnung des Geheimnisses der Einheit von ihm selbst erhalten, was er von uns erhalten hat. Und dieses Sakrament kann niemand vollziehen außer der Priester, der ordentlich ordiniert worden ist, gemäß den Schlüsseln der Kirche, welche er selbst, Jesus Christus den Aposteln und deren Nachfolgern zugestanden hat.«[1]

Da das Konzil jedoch keine argumentative Begründung der Transsubstantiation verfaßte – dies wurde erst während des Tridentinums geleistet –, blieb die theologische Ausformulierung des Dogmas zunächst kontrovers. Die konsequenteste Argumentation wird

[1] »Una vero est fidelium universalis Ecclesia, extra quam nullus omnino salvatur, in qua idem ipse sacerdos est sacrificium Iesus Christus, cuius corpus et sanguis in sacramento altaris sub speciebus panis et vini veraciter continentur, transsubstantiatis pane in corpus, et vino in sanguinem potestate divina: ut ad perficiendum mysterium unitatis accipiamus ipsi de suo, quod accepit ipse de nostro. Et hoc utique sacramentum nemo potest conficere, nisi sacerdos, qui rite fuerit ordinatus, secundum claves Ecclesiae, quas ipse concessit Apostolis eorumque successoribus Iesus Christus.« Denzinger 430. Deutsche Übersetzung Arwed Arnulf, Berlin.

Thomas von Aquin verdankt[2]. Die Lehre von der Transsubstantiation besagt hier kurz zusammengefaßt, daß die Elemente Brot und Wein in der Eucharistiefeier gewandelt werden. Unter Beibehaltung ihrer äußeren Erscheinung (Akzidenzien) ändert sich die Substanz; Substanz ist nach der Wandlung der wahre Leib und das wahre Blut Christi (conversio substantialis).
In der Argumentation entgegengesetzte Standpunkte vertreten unter anderen Duns Scotus, Ockham und Gabriel Biel. Sie bestreiten die conversio der Brotsubstanz in die Leibsubstanz. Die theologischen Differenzen sind in diesem Zusammenhang insofern von Interesse, als wiederholt darauf hingewiesen wird, daß die Transsubstantiation nicht aus der biblischen Überlieferung abgeleitet werden könne. »Den entstehenden fatalen Eindruck, als ob es sich bei der Transsubstantiationslehre um eine willkürliche Erfindung der Kirche handle, die erst lange nach der Einsetzung der Eucharistie durch Christus entstanden sei, versucht Biel durch den Hinweis, den er Duns Scotus entlehnt, darauf zu mildern, daß es keineswegs in der willkürlichen Macht der Kirche lag, diese schwerwiegende Transsubstantiationslehre anzunehmen und zu verifizieren, sondern in der Macht Gottes, der dieses Sakrament eingesetzt hat.«[3]. »Biel bestätigt mit diesen seinen Äußerungen nur, daß auch seiner Meinung nach die wie auch immer näher beschriebene Transsubstantiationslehre nicht mit Gewißheit aus der Schrift selbst hervorgehe, sondern nur auf der Autorität der Kirche beruhe.«[4] Die Konsekrationsworte fordern keine Transsubstantiation[5].
Ausgehend von diesen Beobachtungen wird im folgenden zu klären sein, ob das Abendmahl als Bildthema überhaupt die Komplexität katholischer Meßtheologie umfassend darzustellen vermag.

Das Dogma der Transsubstantiation legt fest, daß die eucharistischen Elemente auch extra usum als gewandelt gelten und somit anbetungswürdig sind. Gleichzeitig zeichnet sich eine Veränderung der Frömmigkeit ab, die in – wenn auch keinem ursächlichen – Zusammenhang mit der veränderten Meßtheologie steht. Gemeint ist die Ablösung der eucharistischen Frömmigkeit von der Meßfeier. »Diese Reaktion war wohl auch mitbedingt durch den fortgeschrittenen Verlust des Kontaktes der Gläubigen zur Eucharistie ... Die Vorgänge am Altar können nicht mehr eingesehen werden, denn es ist längst allgemein üblich geworden, daß der Priester zwischen den Gläubigen und dem Altar steht. Die Laien hören nicht mehr den früher laut vorgetragenen Canon Missae ... Wenn aber auf diese Weise die Bindung der Gläubigen an die Darbringung der Gaben und die Entgegennahme der Mahlspeise und der Mitvollzug der ganzen Feier sehr erschwert und auf eine weithin innere Teilnahme beschränkt ist, dann kann es nicht verwundern, daß nun der Augenblick der Wandlung zum beherrschenden Mittelpunkt der ganzen Eucharistiefeier werden kann, der alle Aufmerksamkeit auf sich lenkt und damit zum Ausgangspunkt einer eucharistischen Frömmigkeit wird, die sich zunehmend verselbständigt.«[6] Da die gewandelten Elemente Brot und Wein auch unabhängig von der Meßzeremonie verehrt werden konnten, war es möglich, sie in andere liturgische Handlungen zu integrieren, so die Einbeziehung der Eucharistie in Palmprozessionen oder die Aussetzung des Allerhei-

---

[2] Einen kurzen übersichtlichen Abriß gibt Graß in »Abendmahl II. Dogmengeschichtlich« in RGG Bd. 1, 21-34; hilfreich v.a. aber die Darstellung von Iserloh in TRE Bd. 1, »Abendmahl III/2«.
[3] Hilgenfeld 1971, 397.
[4] Hilgenfeld 1971, 398. Zu Biel vgl. auch Obermann 1965, bes. 233-261.
[5] Hilgenfeld 1971, 398.
[6] Nußbaum 1979, 120-121; zum Canon Missae vgl. die Ausführungen im folgenden.

ligsten im Ostergrab[7]. Eine deutliche Zunahme von Hostienwunderberichten ist zu verzeichnen, ebenso vermehrte Prozessionen.

Die Kanonisierung der Transsubstantiationslehre auf dem IV. Laterankonzil 1215 ließ das Bedürfnis nach einem eigens dem Sakrament gewidmeten Festtag, der Verankerung der Vorstellung von der gewandelten Hostie im Kirchenjahr, folgen. Die Entstehung des Fronleichnamsfestes datiert in das 13. Jahrhundert[8]. Anlaß ist vorgeblich eine Vision der Seligen Juliane in Lüttich, die einen Vollmond mit einem fehlenden Segment gesehen haben soll. In einer zeitgenössischen Biographie der Juliane wird ihre Vision beschrieben, die ihr von Christus selbst gedeutet worden sei. »Er eröffnete ihr, in dem Mond sei die Kirche dargestellt, die dunkle Stelle aber in der Scheibe deute an, daß noch ein Fest fehle, das er von allen Gläubigen gefeiert sehen wolle. Es sei sein Wille, daß zur Mehrung des Glaubens, der jetzt am Ende der Welt so abnehme, und zum gnadenvollen Fortschritt der Auserwählten die Einsetzung seines heiligsten Sakramentes eigens gefeiert werde, und zwar mehr als am Kardonnerstag, wo ja die Kirche nur mit der Fußwaschung und dem Gedächtnis seines Leidens beschäftigt sei.«[9] Die fromme Nonne teilte ihre Vision dem Lütticher Bischof Jacques Pantaléon mit, der seit 1261 als Papst Urban IV. regierte und 1264 mit der Bulle »Transiturus de hoc Mundo« das Fronleichnamsfest etablierte. Ebenfalls eine wichtige Rolle in der Gründungsgeschichte des Fronleichnamsfestes spielt das Meßwunder von Bolsena. Es soll einer anderen Legende zufolge der Anlaß für Papst Urban IV. gewesen sein, das Fest zu stiften. »Danach las ein braver deutscher Priester, der an der Transsubstantiation der Opfergaben zweifelte, im Jahre 1263 in Bolsena die Messe. Da sah er die Hostie als wahres, mit Blut besprengtes Fleisch, und die Blutstropfen ordneten sich auf dem Korporale so an, daß sie das blutüberflossene Antlitz des Erlösers formten. Urban IV., davon benachrichtigt, ließ ... den verehrungswürdigen Leib des Herrn nach Orvieto kommen, wo er sich aufhielt; in feierlicher Prozession ging er dem kostbaren Schatz entgegen und nahm ihn knieend in Empfang.«[10] Fest etabliert in das Kirchenjahr wird das Fronleichnamsfest erst mit einem Erlaß Papst Clemens V. 1311.
Für unseren Zusammenhang interessant ist die Terminierung des Festes, die sich offenbar nach der Evangelienlesung richtet. »Die Einstellung des Festes in das Kirchenjahr war in Lüttich und Rom verschieden. Da man dort am dritten Sonntag nach Pfingsten das Evangelium vom großen Gastmahl las (Luc. XIV 16), das zur Feier des Altarsakramentes und zur Kommunion aufzufordern schien, so legten sowohl Bischof Robert als auch Hugo von St. Cher das Fest auf den folgenden Donnerstag (proxima quinta feria post octavas Trinitatis), und im Bistum Lüttich behielt man diesen Termin bis zum Ende des 13. Jahrhunderts bei. Weil man in Rom jenes Evangelium am zweiten Sonntag nach Pfingsten las, hatte Urban IV. den darauf folgenden Donnerstag (feria quinta post octavam Pentecostes) gewählt, und diese römische Ordnung wurde dann allgemein angenommen.«[11] Zunehmend wird es darüberhinaus üblich, nicht nur zum Fronleichnamsfest, sondern wöchentlich am Donnerstag Sakramentsmessen zu lesen, denen das Formular des Fronleichnamsfestes zugrunde liegt.

---

[7] Vgl. Nußbaum 1979, 145-149.
[8] Als wichtigster Überblick kann noch immer die Untersuchung von Browe (1933) 1967 gelten.
[9] Biographie der Seligen Juliane von einem Lütticher Kleriker, hier zitiert nach Browe 1967, 71.
[10] Browe 1967, 75.
[11] Browe a.a.O. 83.

Eine besondere Rolle spielen in diesem Zusammenhang die Sakramentsbruderschaften, die sich die Sorge um die würdige Aufbewahrung der Eucharistie sowie die Ausrichtung würdiger Prozessionen zur Aufgabe machen. In diesen Bruderschaften wird die donnerstägliche Sakramentsmesse zur festen Gewohnheit. Während als Epistellesung 1. Kor. 11_{23-29} dient, wird als Evangelium Joh. 6_{13-18}, die Perikope vom Brot des Lebens, verlesen, oder aber das Gleichnis vom Großen Gastmahl[12].
Die scheinbar selbstverständliche Verbindung von Abendmahlsaltären zu Fronleichnamsbruderschaften muß somit mit einem deutlichen Fragezeichen versehen werden. Die Fronleichnamsbruderschaften widmen sich zwar besonders dem Sakrament, die Perikope des Abendmahles erhält in ihrer Liturgie jedoch keine hervorgehobene Bedeutung. Die Wahl des zentralen Abendmahles für das Retabel der Löwener Sakramentsbruderschaft kann somit nicht als gleichsam zwingende Ikonographie weder aus dem Selbstverständnis der auftraggebenden Bruderschaft noch aus der Fronleichnamsliturgie[13], deren Formular allen Sakramentsandachten zugrunde liegt, abgeleitet werden.

Im Zuge der zunehmenden eucharistischen Frömmigkeit wird es mancherorts üblich, das Sakrament ständig auf einem Altar auszustellen. Für den Rothenburger Heiligblut-Altar vom Beginn des 16. Jahrhunderts ist eine dauernde Hostienaussetzung in der Predella des Retabels bezeugt. Die ungewöhnliche Konzeption des Programmes, die lediglich mit der Figur des Schmerzensmannes ein traditionell auf die Eucharistie bezogenes Bildthema wählt, wird an späterer Stelle zu charakterisieren sein[14]. Selbst der Schmerzensmann im Gesprenge kann jedoch nicht ausschließlich mit der Eucharistieaussetzung erklärt werden, gehört doch diese Figur auch zur Ausstattung anderer großer Flügelaltäre[15].

Eine wichtige Rolle spielte im ausgehenden Mittelalter die Verehrung des Heiligen Blutes[16]. Obwohl Blutreliquien, deren Legenden sich auf den »historischen Christus« zurückführen lassen, bereits früh bezeugt und fast ebenso früh theologisch umstritten sind, ist die unabdingbare Voraussetzung für die Verehrung eucharistischen Blutes die Lehre von der Transsubstantiation. Verehrt wird dann nicht eine Reliquie, die beispielsweise als ein bei der Kreuzigung aufgefangener Blutstropfen in den Westen gekommen sein soll, sondern meist eine blutende Hostie oder konsekrierter Meßwein, die als wundertätig gelten. Unter dem Oberbegriff Heilig-Blut-Verehrung sind daher eine Vielzahl von Kulten mit recht unterschiedlichen Legenden zu finden. Ebenso uneinheitlich sind die liturgischen Gewohnheiten an den einzelnen Wallfahrtsorten, einen Festtag des Heiligen Blutes

---

[12] Lk. 14_{15-24}; Missale Romanum a.a.O. 256-259; vgl. auch Nußbaum 1979, 165.
Zu den Sakramentsbruderschaften vgl. Browe a.a.O. 141-154; zum Bruderschaftsleben im 15. Jahrhundert noch immer »Histoire .. .« Bd. 14/2, 666-693.

[13] So bei Blum 1969, vgl. unten die Ausführungen im Kapitel zum Sakramentsaltar von Dirk Bouts in Löwen.

[14] Vgl. unten im Kapitel zum Rothenburger Heiligblut-Altar.

[15] Rothenburg, Herlin-Altar (Paatz 1963, Abb. 4; Ress 1959, 147-173), Blaubeuren (Paatz 1963, Abb. 10-11; Broschek 1973, 133-150) Lautenbach (Paatz 1964, Abb. 1; Recht 1987, 219-222, 363 Nr. VI, 1-4); vgl. Osten 1935 sowie Mersmann 1952.

[16] Für die folgenden Überlegungen vgl. den von Stump/Gillen verfaßten Artikel »Heilig Blut« in: RDK, Bd. 1, 947-958, vor allem jedoch die Untersuchungen von Heuser 1948 und schließlich Brückner 1958, der ebenfalls betont, daß es »echte« Blutreliquien nicht wirklich geben kann.

hat es im Mittelalter nicht gegeben. Die teilweise wohl als spitzfindig zu bezeichnende Debatte über das Heilige Blut im 15. Jahrhundert, ob Christus bei seiner Auferstehung all sein Blut wieder bei sich gehabt und bei der Himmelfahrt mitgenommen habe, wurde 1464 von offizieller Seite unterbunden[17]. Damit blieben aber letztlich nur diejenigen Reliquien unumstritten, in denen wundertätiger gewandelter Meßwein beziehungsweise blutende Hostien verehrt werden[18].
Das frühe Retabel in Cismar reagiert – wie bereits hingewiesen – in seinem Darstellungsprogramm nicht mit einem spezifischen Bildthema, sondern mit einer Betonung der Kreuzigung auf die Heiligblut-Reliquie. Darüberhinaus beinhaltet der Passionszyklus keine Darstellung des Abendmahles. Ebenso zeigt keines der überlieferten Retabel in Wilsnack, dem am Beginn des 15. Jahrhunderts bedeutendsten Wallfahrtsort zum Heiligen Blut in Norddeutschland, ein Abendmahl[19]. Erst im 16. Jahrhundert wird in Rothenburg ob der Tauber das Abendmahl als Hauptthema für ein Retabel gewählt, das eine Heiligblut-Reliquie birgt. Zur gleichen Zeit weist die Predella des Altares zu Pulkau, wo ebenfalls das Heilige Blut verehrt wird, eine Abendmahlsdarstellung auf[20]. Diese bildet hier jedoch nicht das Zentrum des Darstellungsprogrammes. Die Rothenburger Lösung muß vielmehr als Ausnahme gelten. Für die Klosterkirche in Wienhausen hat Appuhn eine Orientierung des 1519 errichteten Retabels an der Heiligblut-Reliquie nachweisen können[21]. Das Programm zeigt keine Abendmahlsdarstellung. Von einer Bevorzugung des Abendmahlthemas an Orten, an denen eucharistische Reliquien verehrt werden, kann zusammenfassend nicht gesprochen werden.

Auf dem Konzil zu Konstanz (1414-1418), das sich neben der Beendigung des päpstlichen Schismas auch der theologischen Auseinandersetzung um die immer wieder umstrittene Transsubstantiationslehre widmet – ein Streit, der mit der Hinrichtung von Johann Hus zunächst gewaltsam endet –, wird eine wichtige liturgische Konsequenz aus dem Transsubstantiationsdogma von 1215 gezogen. 1415 wird die Abschaffung des Laienkelches verfügt[22]. Da die Transsubstantiationslehre festlegt, daß Christus nach der Wandlung in Brot und Wein leibhaftig anwesend ist, und zwar in beiden Elementen jeweils als unteilbare Substanz, ist es nur ein weiterer, imgrunde konsequenter Schritt zu der Auffassung, daß es deshalb völlig ausreichend sei, bei der Kommunion nur eines der beiden Elemente zu empfangen. Praktisch war der Gebrauch des Laienkelches bereits seit dem 12. Jahrhundert zunehmend zurückgegangen[23]. Der Beschluß des Konstanzer Konzils hatte deshalb vermutlich kaum Auswirkungen für die Gläubigen bei ihrem täglichen Meßgang. Vielmehr ist er Ausdruck dafür, daß man von kirchlicher Seite die Transsubstantiationslehre in zunehmendem Maße und somit auch liturgisch zu verankern sucht.

---

[17] Denzinger 718.

[18] Zur Debatte um die Wallfahrt nach Wilsnack vgl. Heuser 1948, v.a. aber Meier 1951. In diesen Jahren (1467) wurde auch die Reliquie in Cismar überprüft und abgelehnt, was ein Ende der Wallfahrten bedeutete; Wentzel 1941, 5.

[19] Dehio 1968, 446.

[20] Benesch-Auer 1937, Abb. 16-48 sowie die Ausführungen unten im Kapitel zum Rothenburger Heiligblut-Altar.

[21] Appuhn 1961.

[22] Denzinger 626.

[23] Vgl. Browe 1935.

Im ausgehenden 14. Jahrhundert werden mit der Gregorsmesse sowohl eine Legende als gleichermaßen ein Bildthema entwickelt, die die Transsubstantiation durch ein legendäres Ereignis historisch zu belegen suchen[24]. Obwohl das »... Problem der Entstehung der sog. Gregorsmesse ... trotz mannigfacher Bemühungen noch nicht hinreichend geklärt«[25] ist, dürfte sich gerade in der Entwicklung der Vielzahl von unterschiedlichen Bildformulierungen[26] das Bemühen abzeichnen, den Gläubigen die Transsubstantiation anschaulich zu vermitteln. Das neue Bildthema setzt sich gleichsam aus drei Darstellungselementen zusammen: der Imago pietatis, den Arma Christi und dem zelebrierenden Papst mit seinen Assistenzfiguren.

Die Legende existiert in mehreren, teilweise voneinander abweichenden Versionen. Zusammenfassend läßt sie sich etwa folgendermaßen referieren: »Bei einer Messe, die Papst Gregor I. persönlich feiert, wird einer der Anwesenden vom Glaubenszweifel befallen. Speziell bezweifelt er die tatsächliche leibliche Gegenwart von Leib und Blut Christi im Brot und im Wein nach der Wandlung. Daraufhin erscheint der Erlöser selbst als Schmerzensmann auf dem Altar.«[27] Mit dem Schmerzensmann wird ein Andachtsbild, das mit einem Ablaß verknüpft ist, in die Szene integriert – die Frage nach der Möglichkeit von Ablässen im Zusammenhang von Retabeln müßte einmal gestellt werden.

In die Grundfassung der Gregorsmesse können unterschiedliche Akzente gesetzt werden. Ergänzt wird die Szene zuweilen durch ein weiteres Legendenfragment, die Erlösung Kaiser Trajans aus dem Fegfeuer aufgrund einer Bittmesse Papst Gregors[28]. Diese Erzählung ermöglicht, die Ablaßwirkung eines Gebetes vor dem Schmerzensmann mit ins Bild zu setzen. Im Laufe des 15. Jahrhunderts wird dann auch die Erlösung nicht mehr identifizierbarer Seelen aus dem Fegfeuer dargestellt, so beispielsweise auf dem Lübecker Sakramentsaltar von 1496 *(Abb. 19b)*[29].

Seit den zwanziger Jahren des 15. Jahrhunderts erfährt das Bildthema stärkere Verbreitung. Vorbildcharakter erhält eine, wenn auch nicht unwidersprochen, dem Meister von

---

[24] Die Legende ist, wie Vetter 1972, 228, zeigen konnte, in den Jahren zwischen 1375 und 1390 entstanden. Die ältesten Darstellungen der Gregorsmesse stammen aus den letzten Jahrzehnten des 14. Jahrhunderts; Vetter 1972, 230. Zur Ikonographie der Gregorsmesse vgl. auch Kelberg 1983, hier die ältere Literatur, von der hier besonders Lorenz 1956 und Westfehling 1982 zu nennen sind.

[25] Vetter 1972, 215.

[26] Vetter 1972, 230-242; Kelberg 1983, 21-92.

[27] Westfehling 1982, 16. Daß man sich in Rom nicht einig war, ob das Wunder in der Kirche S. Croce in Gerusalemne oder in San Gregorio in Monte Celio stattfand, spielt für das Bildthema selbst keine Rolle.
Eine in einer Abschrift des 18. Jahrhunderts überlieferte Notiz des mittleren 15. Jahrhunderts zur Geschichte der Kirche S. Croce in Rom berichtet:
»Reperitur in Caeremoniis Romanorum, quod dominus noster Jesus Christus semel apparuit in species pastoris sub effigie pietatis Beato Gregorio Doctori celebrandi super Altare Hierusalem Romae in Ecclesia S. Crucis, qui devotione motus concessit omnibus poenitentibus et confessis quatuordecim millia annorum de Indulgentiis dicentibus quotidie genibus flexis quinque Pater noster et quinque Ave Maria coram Imagine Pietatis cum Orationibus infrascriptis: et mulit alii Pontifices addiderunt, quae sunt vigintiduo millia et septem anni et viginti tres dies.«
Zitiert nach Vetter 1972, 217.

[28] Diese Legende liegt der Gregorsdarstellung im Kirchenväter-Altar des Michael Pacher von 1483 (München, Alte Pinakothek) zugrunde. Daß hier die erweiterte Fassung der Gregorsmesse bekannt war, zeigt ein Detail der Darstellung, die Wiedergabe des Schmerzensmannes auf der Gewandfibel des Papstes.

[29] Wittstock 1981, Kat. 87; zu diesem Retabel vgl. die Ausführungen unten.

Flémalle zugeschriebene Bildkomposition[30]. »Im Niederknien vor der eben verwandelten Brotgestalt erfährt der erstaunte Papst die Realität des Sakraments durch die Erscheinung, deren rechte Hand die Seitenwunde umfaßt. Schon auf dem Passionsretabel des Altares wird das im Kanon vorgestellte Leiden geschildert. Die darüber aufragenden arma und die Hinweise auf die Passion bringen es in seiner Summe als ›Hintergrund‹ des geopferten Leibes zur Geltung. Mit standesgemäßer Andacht – die Handschuhe in den gefalteten Händen – ist ein Kardinal bei der heiligen Messe anwesend.«[31]
In der Graphik finden die Bildformulierungen Israhel van Meckenems Verbreitung *(Abb. 20)*. Im 16. Jahrhundert schließlich wird das altniederländische Vorbild durch eine Komposition von Dürer *(Abb. 21)* abgelöst[32].

Neben einer Vielzahl von Meßwundern, die auch Eingang in bildliche Darstellungen finden, wie etwa die Messe von Bolsena, wird die Gregorsmesse jedoch die wichtigste Bildformulierung mit der größten Verbreitung zur Veranschaulichung der Transsubstantiation. »Gregor ist durch seine Rolle als geistliche Autorität, als Erneuerer der Liturgie und als anerkannte Leitfigur der päpstlichen Führungsrolle prädestiniert, als Vorkämpfer gegen Glaubenszweifel und für eine Bestätigung der traditionellen Meßauffassung verstanden zu werden.«[33] Dieser bildliche Rekurs auf die Tradition der Kirche, der den zeitgenössischen Standpunkt legitimieren soll, ist ein gerade im 15. Jahrhundert immer wichtiger werdendes Verfahren, erinnert sei an das Entstehen der Ordensstammbäume[34].

Die Gregorsmesse vermag als Bildthema die komplexe theologische Lehre einerseits der Transsubstantiation und andererseits des Meßopfers, das das Kreuzesopfer in der liturgischen Zeremonie unblutig wiederholt, zu veranschaulichen. So kann im 16. Jahrhundert beispielsweise der Passionszyklus des Hochaltarretabels in Wienhausen die Kreuzigung durch eine Darstellung der Gregorsmesse ersetzen[35].
Mit der Gregorsmesse wird eine Bildformulierung geschaffen, die – wie wohl keine andere der spätmittelalterlichen Kunst – versucht, ein theoretisches theologisches Gedankengebäude zur Anschauung zu bringen[36]. Resultat sind Bilder, die sich über die künstlerischen Errungenschaften wie Einheit von Zeit und Handlung sowie durchgängige räumliche Evidenz und Ablesbarkeit hinwegsetzen und gemessen an der künstlerischen Entwicklung fast immer anachronistisch anmuten.

---

[30] Friedländer ENP 2, Add. 150 sowie 73 a; vgl. Vetter 1972, 240.
[31] Vetter 1972, 240.
[32] Dürer, Kupferstich von 1511, B. 142; Vetter 1972, 241.
[33] Westfehling 1982, 21.
[34] Der Stammbaum der Dominikaner, der bereits im 15. Jahrhundert in der Druckgraphik sowie Wandmalereien in Kreuzgängen und Refektorien verwendet wurde (Walz 1964), wird auf dem 1500-1501 von Holbein dem Älteren und seiner Werkstatt geschaffenen Hochaltarretabel für die Frankfurter Dominikanerkirche (Frankfurt/Main, Städelsches Kunstinstitut) erstmals in das Programm eines Retabels übernommen; vgl. unten im Kapitel über den Lübecker Fronleichnamsaltar.
[35] Entstanden in den Jahren zwischen 1519-1521; vgl. Appuhn 1961; Gmelin 1974, Kat. 152.
[36] Eine in dieser Hinsicht vergleichbare Bildformulierung wird wohl erst wieder mit den Darstellungen von »Gesetz und Gnade« im protestantischen Bereich versucht oder zumindest, wenn man die Entwicklung des Bildthemas doch von älteren Vorbildern herleitet (hierzu zuletzt Haussherr 1983) programmatisch verwendet.

Im zweiten Viertel des 15. Jahrhunderts experimentieren Auftraggeber und Künstler neben dem weit verbreiteten Bildthema der Gregorsmesse mit weiteren neuen, die Eucharistie betreffenden Bildformulierungen. Als vielleicht bekanntestes Beispiel sei an den Genter Altar der Brüder van Eyck erinnert[37]. Das Blut, das aus der Seitenwunde des Lammes in den auf dem Altar stehenden Kelch fließt, bringt die Eucharistie mit dem Opfertod Christi in Verbindung und bezeichnet somit das Altarsakrament als unblutige Wiederholung des blutigen Kreuzesopfers. Diese Ikonographie steht in deutlichem Einklang mit der zuletzt auf dem Konstanzer Konzil bestätigten katholischen Meßauffassung[38]. Der Akzent ist hier – abweichend von der Gregorsmesse, in deren Mittelpunkt die Veranschaulichung der Transsubstantiation steht – auf den sakramentalen Charakter des Meßopfers gelegt, worauf die Kombination mit dem Lebensbrunnen als Sinnbild der in der Taufe vermittelten Heilstaten zusätzlich hindeutet.
Ein weiteres, kontrovers dem frühen Jan van Eyck oder einem Nachfolger zugeschriebenes Gemälde zeigt ebenfalls eine Bilderfindung, die das Altarsakrament veranschaulicht: der Lebensbrunnen im Prado[39]. Sind die Bildformulierungen für das Altarsakrament hier zwar andere als auf dem Genter Altar, so entsprechen sich doch die Verbindung von Motiven, die die Eucharistie veranschaulichen, mit solchen, die Kreuzigungsdarstellungen entlehnt sind[40].
Beide Tafeln gehören in das Zentrum eines Retabels. Im Unterschied zur Darstellung der Gregorsmesse sind jedoch sowohl Detail-Ikonographie als auch Programmkonzeption nicht oder nur selten aufgegriffen worden. Diese Beobachtung mag ihre Begründung nicht zuletzt darin finden, daß die Gregorsmesse die theologischen Implikationen der Eucharistiefeier deutlicher zum Ausdruck bringt.

Auch für die Veranschaulichung der Eucharistie im Kontext der Sieben Sakramente wird für Retabel nicht das Abendmahl gewählt[41]. Es finden sich vielmehr Darstellungen, die die Eucharistie mit dem Kreuzesopfer in Verbindung bringen beziehungsweise, wie die Gregorsmesse, von der kirchlichen Feier ausgehen.
Als ältestes den Sieben Sakramenten gewidmetes Retabel ist der um 1450 von Rogier für den Bischof von Tournai geschaffene Sakramentsaltar erhalten *(Abb. 22)*[42]. Dem Altarsakrament ist die Mitteltafel vorbehalten. Gezeigt ist im Hintergrund die liturgische Handlung, ein Priester zeigt durch die Elevation der Hostie die vollzogene Wandlung an. Beherrscht wird die Tafel von einer Darstellung des Gekreuzigten im Vordergrund, begleitet von vier trauernden Frauen und dem Lieblingsjünger Johannes. Die einzelnen Sakramente sind von Schriftbändern, die von Engeln gehalten werden, erläutert. Der dem Priester der Meßfeier zugeordnete Engel präsentiert ein Zitat aus dem Sakramentstraktat des

[37] Dhanens 1980, 71-121, 374-381 mit der wichtigsten älteren Literatur. Vgl. auch Philip 1971 sowie die Rezension zu diesem Buch von Vetter 1976.

[38] Anders Schneider (1986, besonders 70-81), der das Bildprogramm als Gegenentwurf zum offiziellen katholischen Standpunkt deutet.

[39] Friedländer ENP 1, 64. Zur Diskussion um die Zuschreibung vgl. Dhanens 1980, 354-355, die ihrerseits das Werk etwa gegen Sterling 1976 explizit aus dem Œuvre van Eycks ausklammert.

[40] Auf dem Genter Altar wird durch die Engel mit den Arma Christi auf den Kreuzestod Christi hingewiesen, im Lebensbrunnen finden sich veränderte Darstellungen von Ecclesia und Synagoge.

[41] Die Buchmalerei folgt hier einer anderen Tradition, vgl. etwa das Stundenbuch der Katharina von Kleve; Gorissen 1973.

[42] Davies 1972, Cat. Rogier, Antwerp 2, mit der Wiedergabe aller Inschriften sowie der älteren Literatur.

Heiligen Ambrosius: »Hic panis, manu sancti spiritus formatus in virgine, Igne passionis est decoctus in cruce. Ambrosius in Sacramentis«.[43] Der Eucharistie sind entsprechend eine Darstellung der Kreuzigung sowie der Verkündigung (im Hintergrund) beigeordnet. Das Abendmahl wird nicht verwendet.

Während die einzelnen Darstellungen des Retabels nachweislich rezipiert werden, ist die Gesamtkonzeption nur in abgewandelter Form aufgegriffen worden. Entwickelt wird eine erstmals im sogenannten Altar von Cambrai[44] faßbare Konzeption mit einer zentralen Kreuzigung, meist in einem Passionsretabel, die in den Archivolten durch Darstellungen der Sieben Sakramente ergänzt wird. Das Altarsakrament wird durch eine Meßzeremonie repräsentiert.[45]

Anmerkend sei auf weitere, statistisch jedoch untergeordnete Darstellungen der Eucharistie verwiesen. Hierher gehören die Darstellung der Heiligen Mühle[46] sowie Christus in der Kelter[47]. Beide Bildthemen veranschaulichen die Heilswirkung des in der Eucharistie gefeierten Kreuzesopfers, dienen jedoch zunächst nicht der Darstellung von Meßtheologie[48]. Mit zunehmender eucharistischer Frömmigkeit nimmt die Verbreitung weiterer Bildthemen zu, die der Eucharistie gewidmet sind, wie die Messe von Bolsena, aber auch die Letzte Kommunion von Heiligen.

Für das Andachtsbild des Schmerzensmannes ist die Veranschaulichung der Transsubstantiationslehre spätestens seit dem 15. Jahrhundert nachweisbar[49]. Eine Figur des Schmerzensmannes wird häufig im Gesprenge von Retabeln verwendet und stellt somit eine allgemeine Verbindung zur am Altar zelebrierten Eucharistie her[50]. Im Laufe des

---

[43] Ambrosius, De Sacramentis (IV, 4, 14-17); Davies 1972, Cat. Rogier, Antwerp 2.

[44] Madrid, Prado. Friedländer ENP 2, 47. Das Retabel wurde lange identifiziert mit einem nur urkundlich für Rogier bezeugten Werk, das dieser für den Abt von St. Aubert zu Cambrai, Jean Robert, zwischen 1455 und 1459 geschaffen hat; vgl. Davies 1972, Cat. Rogier, Antwerp 2.

[45] Beispiele haben sich in niederländischen Exportaltären in Schweden erhalten, z.B. das Retabel in Jonsberg/Östergötland, Sculpture 1964-1980, Bd. 4, 341 und Bd. 5, 154.
Zur Ikonographie der Sakramentszyklen mit mittlerer Kreuzigung vgl. auch Baker 1935, der eine Reihe englischer Glasfensterzyklen der 2. Hälfte des 15. und des frühen 16. Jahrhunderts vorstellt. »The scheme presented by the windows is that of a central figure of Christ, either crucified, as in the northern, or displaying the Five Wounds, as in the western churches, and surrounded by representations of the Seven Sacraments, which are, as a rule, connected by thin red lines with the Wounds.« Baker a.a.O. 81. Baker (a.a.O. 82f.) weist ausdrücklich auf ein älteres spanisches Beispiel hin, das in Valencia aufbewahrte Retabel des Bonifaz Ferrer, das noch im ausgehenden 14. Jahrhundert entstanden sein dürfte.

[46] Als wohl bekanntestes Beispiel sei das Retabel in Tribsees/Pommern genannt; Braun 1924, T. 336.

[47] Thomas 1981; zuletzt Vetter 1972, 243-293, mit der älteren Literatur.

[48] So führt Braun (1924, Bd. 2, 510) explizit aus: »Die ›heilige Mühle‹ ist nach dem Gesagten ersichtlich nicht eine Darstellung der Transsubstantiation.«
Für das Bildthema Christus in der Kelter weist Thomas 1981 nach, daß eine eucharistische Bedeutung erst mit dem ausgehenden 15. Jahrhundert wichtig wird. »Gegen Ende des 15. Jahrhunderts machten die Bilder (Kelterbilder – Vf.) abermals eine Wandlung durch. Es trat in ihnen die in den Schriftwerken von je her betonte dogmatische Lehre der wahren Gegenwart Christi im Altarsakrament immer mehr in den Vordergrund. Es entstand eine veränderte Bildform, die zwar immer noch die Passion Christi als wesentlichen Inhalt hatte, zugleich aber den Glauben der Kirche an die wahre Gegenwart des Heilandes im eucharistischen Blute stärker betonte.« Thomas a.a.O. 189.

[49] Während Osten 1935, 23-24, nachzuweisen sucht, daß die eucharistische Bedeutungsebene wohl eine sekundäre ist, macht Vetter 1972 die ursprüngliche Verbindung zwischen Bild und sakramentaler Bedeutung bereits für die frühen Beispiele geltend; a.a.O. 210-214.

[50] Vgl. Mersmann 1952.

15. Jahrhunderts werden auch andere Bildthemen häufiger auf die Eucharistie bezogen, etwa die Anbetung der Heiligen Drei Könige[51]. Daß dabei die Darstellungen eines Flügelaltares Bezug auf den Altar als den Ort der Eucharistiefeier nehmen, erhöht zwar die inhaltliche Komplexität, die Verweise lösen sich aber nicht aus dem allgemeinen Rahmen katholischer Frömmigkeit. Für das Abendmahl als Retabelthema wird, das sei an dieser Stelle vorweggenommen, eine Veränderung der Detailikonographie zugunsten unmittelbarer eucharistischer Implikationen erst an der Wende zum 16. Jahrhundert greifbar. Eine Durchsicht von bildlichen Darstellungen an Tabernakeln zeigt, daß auch hier das Abendmahl höchstens eine untergeordnete Rolle spielt[52]. Altartabernakel werden erst nach dem Tridentinum wirklich gebräuchlich, allerdings gibt es seit dem 15. Jahrhundert zunehmend die Verbindung von Retabel und Tabernakel[53]. Am Kölner Klarenaltar, dem frühesten bekannten Beispiel, ist lediglich die unmittelbar vor dem Tabernakel befindliche Darstellung einem eucharistischen Bildthema, der Messe vermutlich des Heiligen Martin, vorbehalten. Das gewählte Bildthema repräsentiert wiederum eine liturgische Zeremonie[54].

Das Abendmahl veranschaulicht zwar die biblisch-historische Einsetzung des Sakramentes, kann aber im Vergleich mit der Gregorsmesse die liturgischen und theologischen Implikationen der Meßfeier kaum zum Ausdruck bringen. Für die Darstellung der Eucharistie, sofern das theologische Gedankengebäude, das der Meßfeier zugrunde liegt, veranschaulicht werden soll, wird demzufolge zunächst die Bildformulierung der Gregorsmesse und nicht das Abendmahl gewählt. Als Hauptthema eines Retabels ist das Abendmahl im 15. Jahrhundert insbesondere in der ersten Jahrhunderthälfte eine seltene Ausnahme. Die bisherigen Ausführungen lassen vermuten, daß dieser zunächst statistische Befund nicht das Resultat zufälliger Überlieferung von Retabeln ist.

Es entspricht unserer modernen, gleichermaßen durch den Protestantismus wie durch die Reformen des 2. Vatikanischen Konzils geprägten Sicht, anzunehmen, daß die Konsekrationsworte in der Meßzeremonie laut gesprochen wurden und somit den Gläubigen bekannt waren. Die Konsekrationsworte gehören zum Canon Missae. Dieser wurde durch das gesamte Mittelalter und auch nach dem Tridentinischen Konzil vom Priester allein und zwar leise gesprochen. Es war erklärte Absicht, daß die Laien den Wortlaut nicht erfahren sollten[55]. »In der lateinischen Kirche wird der Kanon still gebetet, und die Worte der Konsekration werden vor den Gläubigen geheim gehalten. Nicht die Glaubenswahrheit von der Verwandlung des Brotes und Weines in den Leib und in das Blut des Herrn wird den Laien verheimlicht, sondern nur die Form, in welcher sich dieses Geheimnis des Altares vollzieht.«[56] Damit geht einher, daß in landessprachlichen Meßerklärungen der Text des Kanons fehlt. Mancherorts werden statt dessen Gebete angegeben, die die Laien während dieser Zeit beten sollen. Erst zur Zeit der Inkunabeldrucke wird in einer anony-

---

[51] So hat Nilgen 1967 ausgehend von der in Madrid aufbewahrten Darstellung der Anbetung der Könige von Bosch gezeigt, daß diesem Thema eine eucharistische Bedeutung unterlegt wurde.

[52] Siehe die Themenübersicht bei Nußbaum 1979.

[53] Nußbaum 1979, 430.

[54] Köln, Dom (aus dem Kölner Klarenkloster); Lochner 1974, Kat. 11.

[55] Hierzu Franz 1963, das Kapitel »Die Grenzen der Volksbelehrung über die Messe«, 618-637. Jungmann 1958 Bd. 2, »Der Canon actionis«, 127-340 sowie Jungmann Bd. 1, 109 ff.

[56] Franz a.a.O. 620.

men Ausgabe die Zensur unterlaufen und ein deutscher Meßkanon ediert, der den Canon Missae enthält[57]. Dieses Werk bleibt jedoch einzige Ausnahme bis zur Reformation. Für den Gläubigen wird demzufolge der Bezug zwischen Eucharistiefeier und biblischem Abendmahl, was ja die unabdingbare Voraussetzung dafür bilden würde, daß die Darstellung des Abendmahles selbstverständlich auf das Altarsakrament bezogen werden könnte, nicht hergestellt. Die Ausführungen zum Kanongeheimnis machen vielmehr deutlich, daß der biblische Bericht des Abendmahls beziehungsweise die daraus entlehnten Einsetzungsworte der Meßfeier zunächst nicht als Grundlage einer Darstellung dienen können, die sich unmittelbar auf die Eucharistie bezieht. Die Kenntnis der im Verborgenen gesprochenen Worte des Meßkanons durch die am Gottesdienst Teilnehmenden, die ja die bildlichen Darstellungen sehen konnten und sollten, war nicht selbstverständlich.

Diese Überlegungen erfahren eine weitere Zuspitzung, wenn man sich das Verhältnis der Konsekrationsworte zur biblischen Überlieferung vor Augen führt. Die in der Meßfeier verwendete Formulierung ist, dessen ist man sich in der theologischen Diskussion durchaus bewußt, mit keiner der biblischen Fassungen der Einsetzungsworte identisch. So schreibt Thomas von Aquin: »Evangelistae non intendebant tradere formas sacramentorum . . . Sed intendebant historiam de Christo texere.«[58] Die Schwierigkeit der Legitimation wurde mit dem Hinweis auf die Identität der Sache und die Autorität kirchlicher Tradition gelöst. »Usus praeterea romanae ecclesiae formam in canone positam certissimam facit, etiamsi in scriptura non reperiretur, propter magnam consuetudinis huius ecclesiae auctoritatem.«[59] Das Verhältnis zwischen biblischer Überlieferung und Konsekrationsworten ist durch den absoluten Vorrang der liturgischen Fassung bestimmt. »Eine Veränderung der im Meßkanon enthaltenen Einsetzungsworte – etwa durch die Verwendung einer der im Neuen Testament enthaltenen Versionen – kann zwar die Wirksamkeit der Messe nicht in Zweifel ziehen, ist aber dennoch eine Todsünde, sofern sie wissend geschieht, weil dadurch der Autorität und dem Brauch der römischen Kirche nicht gehorcht wird.«[60] Der Vergleich zwischen biblischer Tradition und kirchlich-liturgischer Praxis ist gerade nicht beabsichtigt.

Für die Darstellung des Abendmahles im Retabelkontext läßt sich zusammenfassend folgern, daß es dem Gläubigen wohl als biblisch-historisches Geschehen zu Beginn der Passion bekannt war. Es wird in entsprechenden Programmzusammenhängen – ausführlich erzählten Passionszyklen – verwendet. Als Veranschaulichung des Altarsakramentes tritt es zunächst hinter andere Bildthemen zurück. Ihre Begründung findet diese Beobachtung einerseits in der liturgischen Praxis, die die Verbindung zwischen biblischem Bericht und sakramentaler Handlung durch die Divergenz zwischen liturgischen Konsekrationsworten und biblischen Einsetzungsworten und vor allem durch das Kanongeheimnis nicht öffentlich darlegt. Andererseits fordert die Komplexität der katholischen Eucharistielehre für eine bildliche Darstellung mehr als die biblische Historie. Die geringe

---

[57] Franz a.a.O. 632 f. und Reichert 1967.
[58] S. Th. III q 78; hier zitiert nach Hilgenfeld 1971, 14. Diese Zusammenhänge übersichtlich dargestellt bei Hilgenfeld 1971, 13 ff.
[59] Biel lec. 52; hier zitiert nach Hilgenfeld 1971, 15.
[60] Hilgenfeld 1971, 16.

Zahl erhaltener Abendmahlsaltäre des 15. Jahrhunderts scheint eine theologische und frömmigkeitsgeschichtliche Situation zu spiegeln, in der an so zentraler Stelle wie dem Zentrum eines Retabels eher andere Bildthemen als angemessen und repräsentativ bewertet werden.

Das Abendmahl als Retabelthema

Abendmahlsberichte

Die bisherige Forschung zur Ikonographie des Abendmahles referiert als Grundlage der bildlichen Darstellungen einseitig die biblische Überlieferung[1]. Ausgespart blieb jedoch zweierlei: die Verbindlichkeit, die die Bildtradition als einmal gewonnene Veranschaulichung eines Themas gewinnen kann, und – dem gelten einige Überlegungen in diesem Kapitel – das allgemeine Verständnis des Abendmahles in einer konkreten Zeit, hier dem ausgehenden Mittelalter. Die folgenden Ausführungen können diesen Hintergrund, der gleichermaßen für Auftraggeber, theologischen Berater, Künstler und Betrachter vorauszusetzen ist, lediglich in Ausschnitten beleuchten. Eine Rekonstrution sowohl der allgemeinen Situation in ihrer Breite wie für jedes konkrete Werk mit seiner individuellen Entstehungsgeschichte wäre ein eigenes Thema, das den dichten Dialog zwischen Kunsthistoriker, Mediaevisten und Theologen erforderte. Dennoch sei das Wagnis eingegangen, anhand einerseits der Stellung des biblischen Berichtes vom Letzten Abendmahl innerhalb der Liturgie sowie andererseits ausgehend von zwei Texten, den Meditationes Vitae Christi von Pseudo-Bonaventura und der Vita Christi des Ludolph von Sachsen, die gleichsam den »common sense« der Nacherzählungen des biblischen Berichtes repräsentieren, eine Basis zeitgenössischen Bildverständnisses zu rekonstruieren.

Die synoptischen Evangelien berichten vom Letzten Abendmahl am Beginn der Passionserzählung[2]. Christus und seine Apostel finden sich in Jerusalem ein, um gemeinsam das Passahfest zu feiern. Im Zusammenhang dieser Zeremonie spricht Jesus den Segen über Brot und Wein und setzt nach kirchlichem Verständnis das Sakrament der Eucharistie ein. Die Berichte beschreiben Vorbereitungen und Zeremonien des Passahfestes, geben die Worte und Handlungen der Sakramentseinsetzung wieder und berichten schließlich von der Kennzeichnung des Verräters Judas durch Christus[3]. In Einzelheiten diver-

---

[1] Vgl. den Forschungsbericht in der Einleitung sowie die Ausführungen im folgenden Kapitel.

[2] Die Übersetzung von Coena Domini mit Abendmahl geht auf die deutsche Bibelübersetzung von Luther im Jahre 1522 zurück; vgl. »Abendmahl« in TRE Bd. 1, 59.

[3] Ob sich die Datierung der Sakramentseinsetzung auf das Passahfest aufrecht erhalten läßt, braucht hier nicht erörtert zu werden, da bereits die synoptischen Texte das Abendmahl als Neuformulierung des jüdischen Ritus bewerten. Liturgiegeschichtlich vertritt beispielsweise Lietzmann 1955 eine Trennung beider Ereignisse. »Fast allgemein angenommen ist die Meinung, daß der Ritus des christlichen Abendmahls in dem des jüdischen Passah seine Wurzeln und sein Vorbild habe, ebenso wie auch das letzte Mahl Jesu, bei dem die Stiftung erfolgte, ein Passahmahl gewesen sei. Beide Annahmen sind falsch.« A.a.O. 211. »Aber auch das letzte Mahl Jesu, von dem Marc.

gieren die synoptischen Evangelien. Der älteste Bericht des Markusevangeliums (Mk. 14) erzählt die Sakramentseinsetzung chronologisch nach der Verratsankündigung[4], die durch das gleichzeitige Eintauchen des Brotes in die Schüssel vollzogen wird. Dieser Aufbau der Perikope ist bei Matthäus (Mt. 26) übernommen[5]. Bei Lukas (Lk. 22) wird abweichend die Eucharistieeinsetzung vor der Verratsankündigung beschrieben, eine näher charakterisierte Kennzeichnungsgeste findet sich nicht[6]. Alle drei synoptischen Evangelien geben die sogenannten Einsetzungsworte wieder, die bereits bei Paulus, 1. Korinther 11$_{23-27}$, überliefert sind und offenbar den in den urchristlichen Gemeinden geläufigen liturgischen Text aufnehmen[7].
Im Johannesevangelium findet sich weder eine Beschreibung des Passsahmahles noch der Sakramentseinsetzung. In Joh. 12 ist jedoch der in den synoptischen Evangelien fehlende Einzug in Jerusalem überliefert, in Joh. 13 die Fußwaschung. Nach der Fußwaschung schließt eine ausführliche Beschreibung der Verratsankündigung an. Hier findet sich die textliche Grundlage der Christus-Johannes-Gruppe, in Joh. 13$_{23}$ wird berichtet, daß Johannes an der Brust des Herrn geruht habe. Genau charakterisiert wird im folgenden die Geste zur Bezeichnung des Verräters, Christus taucht ein Stück Brot ein und reicht es Judas[8].

Für die Entwicklung einer Bildtradition und für das Bildverständnis im Mittelalter ist von entscheidender Bedeutung, wie der Bericht vom Letzten Abendmahl in der Liturgie verankert war. Im Ablauf des Kirchenjahres dient der Bericht des Letzten Abendmahles zunächst als Lesung am Gründonnerstag, jedoch lediglich als Epistellesung in der Fassung von 1. Kor. 11$_{20-32}$. Als Evangelium war Joh. 13$_{1-15}$, der Bericht der Fußwaschung, vorgesehen[9].
Mit der Einführung des Fronleichnamsfestes 1264 rückten erstmals Perikopen, die das Abendmahl und die Einsetzung des Sakramentes betreffen, explizit aus der Karwoche und somit aus dem unmittelbaren Passionszusammenhang heraus. Als Epistellesung wird in der Fronleichnamsliturgie ein Ausschnitt der Gründonnerstagepistel vorgeschrieben: 1. Kor. 11$_{23-29}$. Als Evangelium diente Joh. 6$_{56-59}$, das Wort vom Brot des Lebens[10]. Am Sonntag nach dem Fronleichnamsfest wurde als Epistel 1. Joh. 3$_{13-18}$ und als Evangelium

---

14$_{17-26}$ ... berichtet, ist kein Passahmahl gewesen, obwohl es schon in der synoptischen Darstellung dazu gemacht wird ...« A.a.O. 212.

4 Textzusammenhang in Mk. 14: Vers 3-9: Salbung in Bethanien, Vers 10-11: Verrat des Judas, 12-16: Vorbereitung des Passahmahles, 17-21: Verratsankündigung (Unus ex duodecim, qui intingit mecum manum in catino. 14$_{20}$), 22-25: Einsetzung, 26ff: Ölberg.

5 Textzusammenhang bei Mt. 26: 6-13: Salbung in Bethanien, 14-16: Verrat des Judas, 17-19: Vorbereitung des Passahmahles, 20-25: Verratsankündigung, 26-29: Einsetzung, 30ff: Ölberg.

6 Textzusammenhang: Lk. 22: 1-6: Todesbeschluß des Hohen Rates, 7-13: Vorbereitung des Passahmahles, 14-18: Passahmahl, 19-20: Einsetzung, 21-23: Verratsankündigung.

7 Zur neutestamentlichen Textüberlieferung vgl. Schürmann: »Abendmahl, letztes A. Jesu« in LThK Bd. 1, 26-31 sowie Schweizer: »Abendmahl, im NT« in RGG Bd. 1, 10-21. Die Entstehungsreihenfolge der neutestamentlichen Perikopen ist umstritten, vgl. Delling: »Abendmahl, II. Urchristliches Mahlverständnis« in TRE Bd. 1, 47-58, bes. 51. Hilfreich sind noch immer die Ausführungen von Lietzmann 1955 sowie die neuere Arbeit von Feld 1976.

8 Im Johannesevangelium folgen im Anschluß an diese Perikope die Abschiedsreden Jesu und die Ankündung der Verleugnung Petri, als nächste Szene in Joh. 18 die Gefangennahme.

9 Missale Romanum (London 1899) Bd. 1, 156-161.

10 Missale Romanum a.a.O. Bd. 1, 256-259.

die Perikope vom Großen Gastmahl (Lk. 14 15-24) verlesen[11]. Die Evangelienberichte von der Einsetzung des Sakramentes finden im Ablauf des Kirchenjahres durchgängig keine Verwendung.
Auch in der Liturgie der Eucharistiefeier werden die Evangelienberichte vom Letzten Abendmahl nicht verlesen. Die in der katholischen Messe gesprochenen Konsekrationsworte verwenden vielmehr eine Textformulierung, die mit keiner der biblischen Versionen, weder den synoptischen Evangelien noch dem Korintherbrief, identisch ist[12]. Die biblischen Berichte vom Letzten Abendmahl können somit in ihrem Wortlaut nicht als allgemein bekannt bewertet werden. Zum »common sense« des ausgehenden Mittelalters gehören sie nicht.

Entscheidender scheinen vielmehr die nachweislich weit verbreiteten Texte der »Meditationes Vitae Christi« des Pseudo-Bonaventura[13] einerseits und der »Vita Christi« des Ludolph von Sachsen[14] andererseits. Beide orientieren sich im Aufbau ihrer Erzählungen am biblischen Verlauf des Heilsgeschehens und berichten vom Abendmahl am Beginn der Passion. Die ausschmückende Gestaltung der Szene soll einstimmen auf den anschließenden Bericht vom Leiden des Herrn.
Der Text der Meditationes wurde im ausgehenden 13. Jahrhundert verfaßt. Seine Entstehung im Bereich franziskanischer Frömmigkeit ist lange bekannt, ebenfalls die außerordentlich große Verbreitung. Der mögliche Einfluß auf die bildende Kunst kann deshalb nicht hoch genug eingeschätzt werden.
Die Passage über das Abendmahl findet sich zu Beginn der Passionserzählung. Der Leser und Zuhörer wird aufgefordert, sich der Leidenszeit Christi anzunähern, in der dieser sich angeschickt habe, die Menschen mit seinem kostbaren Blut zu erlösen. Mit großer Aufmerksamkeit und Einfühlung solle sich der Gläubige hierfür in die folgenden Berichte vertiefen.

»Als die Zeit des Erbarmens und Mitleids des Herrn nahte und bevorstand, welche er bestimmt hatte, sein Volk heil zu machen und loszukaufen, nicht durch niederreißendes Gold und Silber, sondern durch sein höchst wertvolles Blut, wollte er ein denkwürdiges Mahl abhalten mit seinen Schülern, bevor er von ihnen durch den Tod scheiden würde,

---

[11] Missale Romanum a.a.O. Bd. 1, 259-260. Zum Fronleichnamsfest vgl. auch Browe 1967, bes. 70-88, sowie die Ausführungen im Kapitel »Das Eucharistieverständnis ...«.

[12] Bei Gabriel Biel (Sacri canonis missae brevis et interlinearis expositio, Tübingen 1500) wird der Meßkanon in folgender Formulierung wiedergegeben:
»Qui pridie quam peteretur, accepit panem in sanctas ac venerabiles manus suas, et elevatis oculis in coelum ad te Deum Patrem suum omnipotentem, tibi gratias agens, benedixit, fregit, deditque discipulis suis, dicens: Accipite et manducate ex hoc omnes. Hoc est enim corpus meum.
Simili modo postquam coenatum est accipiens et hunc praeclarum calicem in sanctas et venerabiles manus suas, item tibi gratias agens, benedixit deditque discipulis suis, dicens: Accipite et bibite ex eo omnes. Hic est calix sanguinis mei, novi et aeterni testamenti, mysterium fidei, qui pro vobis et pro multis effundetur in remissionem peccatorum. Haec quotiescumque feceritis, in mei memoriam facietis.«
Hier zitiert nach Hilgenfeld 1971, 17.

[13] Meditationes Vitae Christi, im folgenden zitiert nach der Ausgabe von S. Stallings 1965, die mit einem Kommentar versehen ist; vgl. auch die englische Übersetzung von Ragusa/Green 1961.

[14] Vita Jesu Christi e quatuor Evangeliis; zitiert nach der Ausgabe von Bolard/Rigollot/Carnandet 1865. Vgl. Baier 1977 und Châtelet 1983.

zum Zeichen der Erinnerung und auch um die Geheimnisse zu erfüllen, die übrig waren. Es war ein großes Mahl und großartig ist, was der Herr dort tat.«[15]

Der anschließende Text ist in vier Abschnitte untergliedert: 1. das leibliche Mahl, 2. die Fußwaschung, 3. die Einsetzung der Eucharistie und 4. Sermon. Pseudo-Bonaventura beschreibt ausführlich den äußeren Rahmen der Handlung. Das Abendessen sei nach vorgeblich antikem Brauch auf dem Boden sitzend eingenommen worden, der verwendete Tisch wird mit einer im Lateran aufbewahrten Reliquie identifiziert.

»Du mußt aber wissen, daß dieser Tisch sich auf der Erde befand, und nach der Art der Alten saßen sie auf der Erde beim Mahl. Es war ein viereckiger Tisch, wie man glaubt, aber aus mehreren Tafeln, den ich in Rom in der Lateranskirche sah, und ich habe ihn ausgemessen. Er mißt an einer Seite zwei Ellen und ungefähr drei Finger oder etwas mehr, so daß an jeder Seite, wie man glaubt, drei Schüler saßen, wenn auch mit Mühe, und der Herr Jesus demütig an irgendeiner Ecke, so daß alle aus einem Napf essen konnten.«[16]

Erstaunlicherweise bietet der Text im Anschluß an diese Passage eine alternative Szenenbeschreibung als weitere Meditationsmöglichkeit an. Nicht sitzend solle sich der Gläubige die Abendmahlsgemeinschaft vorstellen, sondern daß sie wie beim Passahmahl mit Stäben in der Hand stehen:

»Aber beachte, daß du hier auf zwei Arten nachsinnen kannst: auf die eine Weise, daß sie sitzen, wie ich gesagt habe; auf die andere Weise aber, daß sie aufrecht stehen mit ihren Stäben in den Händen, das Lamm verspeisen mit wildwachsendem Kopfsalat und so beachten, was im Gesetz des Herren vorgeschrieben ist.«[17]

Dieser ausführlichen Schilderung des Passahmahles folgt die Beschreibung von Verratsankündigung und Fußwaschung und erst anschließend die Sakramentseinsetzung, bei der auf szenische Ausschmückung verzichtet ist. Die Ausführungen gemahnen vielmehr an die Heilsbedeutung der Eucharistie. Sie vermitteln zur Sakramentsfrömmigkeit.

»Dies ist jene Erinnerung, die jede begnadete Seele, wenn sie es beim Verzehr oder beim gläubigen Nachsinnen selbst aufnimmt, vollständig entflammen oder trunken machen muß ... Nichts konnte nämlich größer, wertvoller, süßer oder nützlicher für uns sein, als sich selbst zu verlassen. Denn jener, den wir im Sakrament aufnehmen, ist derjenige, der, aus der Jungfrau Fleisch geworden und geboren, für dich den Tod auf sich nahm

---

[15] »Adveniente iam et imminente *tempore miseracionum* et misericordiarum Domini, quo disposuerat salvam facere plebem suam et eam redimere, *non corruptibili auro et argento, sed preciosissimo, sanguine* suo, voluit cenam facere cum discipulis suis notabilem, antequam ab eis per mortem discederet, in signum memoriale recordacionis, ac eciam ut compleret misteria que restabant. Fuit autem hec cena magnifica valde, et magnifica sunt que fecit ibi Dominus Iesus.«
Meditationes a.a.O. 87. Deutsche Übersetzung von Arwed Arnulf, Berlin.

[16] »Scire autem debes, quod ipsa mensa erat in terra, et more antiquorum in terra sederunt ad cenam. Erat autem mensa quadra, ut creditur, de pluribus tamen tabulis, quam ego vidi Rome in ecclesia Lateranensi, et eam egomet mensuravi. Est autem in uno quadro duorum bracchiorum, et trium digitorum vel plurium, vel circa: ita quod, licet arte, tamen in quolibet quadro, ut creditur, tres disciguli sedebant, et Dominus Jesus humiliter in quodam angulo; ita quod omnes in uno chatino comedere poterant.« Meditationes a.a.O. 89. Deutsche Übersetzung Arwed Arnulf, Berlin. Zu der heute nicht mehr verehrten Reliquie vgl. S. Stallings 1965, 136.

[17] »Sed attende quod dupliciter poteris hic meditari: uno modo ut sedant, sicut dixi; alio modo, ut stent recti cum *baculis in manibus, comedentes* agnum *cum lactucis agrestibus*, et ita observantes que in lege Domini mandabantur ...«
Meditationes a.a.O. 89. Deutsche Übersetzung Arwed Arnulf, Berlin.

und der auferstehend und ruhmvoll aufsteigend zur Rechten Gottes sitzt. Er ist es, der Himmel und Erde schuf und diese steuert und auch im Zaume hält. Er ist es, von dem dein Heil abhängt, in dessen Willen und Macht es liegt, dir den Ruhm des Paradieses zu geben oder nicht zu geben. Er ist es, der in der Hostie in solcher Weise dargebracht und dir dargeboten wurde. Er ist der Herr Jesus Christus, Sohn des lebendigen Gottes.«[18]

Judas ist zum Zeitpunkt der Sakramentseinsetzung noch zugegen und erhält die Kommunion.

Ludolph von Sachsen folgt im Aufbau des entsprechenden Abschnittes (Kapitel 51-56) seines etwas später, im ersten Drittel des 14. Jahrhunderts, entstandenen Textes den Meditationes[19]. Nach der Passahfeier, der der Verrat des Judas (die Vereinbarung mit den Pharisäern und Schriftgelehrten) vorangestellt ist, erfolgt die Fußwaschung. Kapitel 55 berichtet die Ankündigung des Verrates und das Weggehen des Judas, erst in Kapitel 56 schließlich folgt die Sakramentseinsetzung.

In der Schilderung der Ereignisse geht Ludolph über den Text der Meditationes kaum hinaus. So werden auch hier das Passahfest und seine Vorbereitungen ausführlich beschrieben. Das Mahl sei von Christus und den Aposteln dem jüdischen Zeremoniell entsprechend, mit Sandalen an den Füßen und Stäben in der Hand eingenommen worden[20]. Ergänzt wird jedoch ein Detail zur Ausstattung der Zeremonie: Nach Augustinus habe Lukas an zwei Kelche erinnert: der eine, im Passahmahl verheißene, für den Wein, der andere für das Blut Christi. Dieser sei silbern und habe zwei kleine Henkel[21]. In der von den Meditationes abweichenden Auffassung, Judas habe die Runde vor der Einsetzung des Sakramentes verlassen, folgt Ludolph dem entsprechenden Kapitel der Historia Scholastica des Petrus Comestor[22]. Charakteristisch für den Text der Vita Christi ist im Unterschied zu den Meditationes der stete Hinweis auf Verheißungen des Alten Testamentes, die sich erfüllen. So heißt es über die Einsetzung des Sakramentes:

»Weil der Herr den gesetzlichen Opfern ein Ende machen wollte, machte er sich selbst zum Opfer, und nach dem gesetzlichen Mahl bereitete er bald das geistige Mahl der Christen: damit er vom Gesetz zum Evangelium, vom alten und vorübergehenden Testament zum neuen und ewigen Testament, vom Abbild der Wahrheit ... voranschreite.«[23]

[18] »*Hoc* est illud *memoriale* quod animam gratam, cum ipsum suscipit manducando, vel fideliter meditando, deberet totam ignire et inebriare ... Nichil enim maius, carius, dulcius vel utilius nobis relinquere poterat quam seipsum. Ipse namque, quem in sacramento sumimus, ille idem est qui de Virgine mirabiliter incarnatus et natus pro te mortem sustinuit, et qui resurgens et gloriose ascendens sedet a dexteris Dei. Ipse est qui creavit celum et terram; et qui ea gubernat ac etiam moderatur. Ipse est a quo dependet salus tua; in cuius voluntate et potestate est tibi dare vel non dare gloriam paradisi. Ipse est qui est in hostia tali modica oblatus et tibi exhibitus. Ipse est Dominus Iesus *Christus Filius Dei vivi.*«
Meditationes a.a.O. 92-93. Deutsche Übersetzung Arwed Arnulf, Berlin.

[19] Vgl. Baier 1977, Bd. 2, 325-338. In den außerordentlich detaillierten Ausführungen untersucht Baier jedoch die Passionserzählung erst mit dem Ölberggebet beginnend. Der Bericht vom Letzten Abendmahl bleibt ausgeklammert. Zur Passionserzählung bei Ludolph vgl. auch Elze 1966.

[20] Ludolph a.a.O. 577.

[21] »Et sic secundum Augustinum, Lucas de duplice calice mentionem facit: primo, de calice vini praedicto, quoad Pascha Judaeorum; secundo, de calice Sanguinis sui, de quo infra est dicendum. Calix Domini argenteus duas hinc e inde habens ansulas ...« Ludolph a.a.O. 577. Zu dieser Passage vgl. auch Châtelet 1983, 293.

[22] Petrus Comestor: Historia Scholastica Cap. 42, PL 198, 1618.

[23] »Volens ergo Dominus Jesus finem dare legalibus sacrificiis, et Novum incipere testamentum,

Gleichermaßen wichtig ist der Hinweis auf die Transsubstantiation.

»Von daher glaubte man (es), weil der Herr sagte: *Dies ist mein Leib* und *Dies ist mein Blut*, daß er Brot und Wein in Fleisch und Blut verwandelt und dann diese Kraft jenen in späterer Zeit übertragen hat; und deshalb werden sie im canon missae gesprochen, aus ihrer Tugend geschieht die Verwandlung, weil die Worte der Konsekration bewirken, was sie darstellen.«[24]

Unterscheiden sich andere Texte zwar in der Auslegung der Szene, gehen sie jedoch in der Beschreibung des Geschehens nicht über die Angaben in den Meditationes und in der Vita Christi hinaus[25]. Hinzukommen lediglich Einzelausdeutungen erzählerischer Details. Allgemein geläufig ist beispielsweise die Interpretation des Passahlammes als Opferlamm, das den am Kreuz geopferten Christus symbolisiert. Auslegungen der Passion beschränken sich häufig auf die summarische Wiedergabe der Szene, um ausführlicher auf die Fußwaschung und die Verratsankündigung einzugehen. Sie folgen damit letztlich der Gründonnerstagsliturgie.

Das entsprechende Kapitel der Historia Scholastica des Petrus Comestor »De Eucharistia data discipulis, et non Judae«[26] verzichtet beispielsweise gleichermaßen wie der Text der Legenda Aurea[27] auf eine ausschmückende Nacherzählung des Geschehens, benannt wird vielmehr die Heilsbedeutung des von Christus eingesetzten Sakramentes.

»So werden in diesem Sakrament alle anderen Sinne getäuscht, bis auf das Gehörte, und deshalb müssen alle Gläubigen, die die Worte der Konsekration hören, fest und ehrlich glauben, daß es sich um den Körper und das Blut Christi handelt.«[28]

Für eine Deutung einzelner Abendmahlsdarstellungen wird daher neben der Herleitung aus der Bildtradition wiederholt auf die in den Texten der Meditationes und der Vita Christi greifbaren Vorstellungen zurückzukommen sein. Festzuhalten ist zunächst allerdings, daß die Berichte vom Letzten Abendmahl als Beginn der Passionsgeschichte erzählfreudig ausgeschmückt werden. Erst bei einem zweiten Mahl jedoch wird das Sakrament eingesetzt. In diesem Zusammenhang wird dann dem Gläubigen die theologische Glaubenslehre von Transsubstantiation und Meßopfer zur Meditation präsentiert.

---

seipsum nostrum facit sacrificium, et post coenam legalem, mox spiritualem coenam Christianorum praeparat: ut de Lege ad Evangelium, de Veteri et transitorio Testamento ad Novum et aeternum Testamentum, de figura ad veritatem ... transeat.«
Ludolph a.a.O. 586. Deutsche Übersetzung Arwed Arnulf, Berlin.

[24] »Unde creditur cum Dominus dixit: *Hoc est corpus meum* et: *Hic est sanguis meus*, mutasse panem et vinum in carnem et sanguinem, et tunc eamdem vim contulisse illis in posterum; et ideo cum proferuntur in Canone, ex virtute eorum fit transsubstantiatio, quia verba consecrationis efficiunt quod figurant.«
Ludolph a.a.O. 586. Deutsche Übersetzung Arwed Arnulf, Berlin.

[25] Die von Meiss/Beatson 1977 edierte französische Ausgabe der Meditationes, die im ausgehenden 14. Jahrhundert für den Duc de Berry hergestellt wurde, geht in der Ausschmückung der Erzählung nicht über den Text des 13. Jahrhunderts hinaus.

[26] Petrus Comestor: Historia Scholastica Cap. 42, PL 198, 1618.

[27] Legenda Aurea, Cap. 215 »De coena domini«, Graesse 929-931.

[28] »Sic etiam in isto sacramento omnes alii sensus decipiuntur praeter auditum et ideo omnes fideles, qui audiunt verba consecrationis, firmiter, veraciter credere debent, quod corpus Christi et sanguis ejus.«
Legenda Aurea a.a.O. 931. Deutsche Übersetzung Arwed Arnulf, Berlin.

Bereits im Neuen Testament wird das Abendmahl in einen typologischen Zusammenhang gestellt[29]. In der Kunst sowie in theologischen Schriften werden eine Vielzahl typologischer Szenen für das Abendmahl vorgeschlagen. Mit der Verbreitung der Biblia Pauperum und des Speculum Humanae Salvationis wird die Typologie vereinheitlicht, es bildet sich eine feste Gruppe von zwei beziehungsweise drei Präfigurationen heraus. Gebräuchlich werden Passahmahl, Mannalese und die Begegnung zwischen Abraham und Melchisedech. Im ausgehenden 15. Jahrhundert wird dieser Kanon um die wunderbare Speisung des Elia bereichert[30].
Bereits die Schilderung des Abendmahles im Neuen Testament stellt einen Bezug zum alten Bund her. Christus begeht mit seinen Jüngern das Passahfest, in dem traditionell der Befreiung Israels aus der ägyptischen Knechtschaft gedacht wurde (Ex. 12). Die Metapher vom Brot des Lebens im 6. Kapitel des Johannesevangeliums (Joh. 6_{35}) wird durchgängig auf die Eucharistie bezogen. In dieser Perikope wird typologisch auf die Mannalese (Joh. 6_{48-50}; Ex. 16) verwiesen. Die später hinzukommende Szene der wunderbaren Speisung des Propheten Elias 1. (3.) Kge. 17_{2-6} betont den Aspekt der göttlichen Speise und ist somit der Mannalese verwandt. Im, dem Apostel Paulus zugeschriebenen, Hebräerbrief, Hebr. 7_{1-3}, wird Christus schließlich als Priester mit Melchisedech verglichen, »Tu es sacerdos in aeternum, secundum ordinem Melchisedech« (Hebr. 5_{6}). Typus ist die Begegnung zwischen Abraham und Melchisedech (Gen. 14_{18} und Ps. 109/110). Christus ist gleichzeitig das Opfer, das er als Priester selbst darbringt:

> »Christus aber ist gekommen, daß er sei ein Hoherpriester der zukünftigen Güter ... er ist auch nicht mit der Böcke oder Kälber Blut, sondern durch sein eigen Blut ein für allemal in das Heilige eingegangen und hat eine ewige Erlösung erworben.«[31]

Der Text bietet eine Grundlage für das Priesterverständnis der katholischen Kirche und vermittelt zwischen historischem Abendmahl und kirchlicher Liturgie.

In der mittelalterlichen Meßauslegung nimmt die Typologie einen festen Platz ein[32]. Entsprechend wird sie im Fronleichnamshymnus des Thomas von Aquin[33] verwendet. In der Stellungnahme des Tridentinischen Konzils zum Altarsakrament schließlich liefert die Typologie die entscheidenden Begründungszusammenhänge für die Theologie des Meßopfers[34].

---

[29] Zur Typologie im Neuen Testament vgl. Goppelt 1966.

[30] Vgl. den Artikel »Eucharistie« von Lankheit im RDK Bd. 4, 154-254.

[31] »Christus autem assistens pontifex futurorum bonorum ... neque per sanguinem hircorum, aut vitulorum, sed per proprium sanguinem introivit semel in Sancta, aeterna redemptione inventa.« (Hebr. 9_{11-12}).

[32] Vgl. die Ausführungen bei Franz 1902 sowie bei Suntrup 1984.

[33] Missale Romanum a.a.O. Bd. 1, 256-258.

[34] Denzinger 938, 939.

Darstellungsvarianten

Die Bildtradition stellt drei Varianten für die Darstellung des Abendmahles zur Verfügung: Verratsankündigung, Sakramentseinsetzung und Apostelkommunion[1]. Alle drei Formen werden bereits seit den frühesten Abendmahlsdarstellungen im 6. Jahrhundert[2] verwendet, ohne daß eine historische Priorität auszumachen ist. Sie erzielen jedoch unterschiedliche Häufigkeit und geographische Verbreitung. Der Schwerpunkt der folgenden Ausführungen liegt auf Darstellungen, wie sie in Retabeln verwendet wurden, andere Beispiele, etwa der Buchmalerei, werden nur ergänzend hinzugezogen.
Die Verräterbezeichnung muß statistisch gesehen für die westliche Kunst als Standardformel bezeichnet werden. Sie kann durch unterschiedliche Gesten veranschaulicht werden. Gelegentlich wird die bei Markus und Matthäus beschriebene Form, das gemeinsame Eintauchen des Brotes, gewählt. Verbreiteter ist die Judaskommunion. Christus reicht Judas ein Stück Brot, entweder in die Hand, weit häufiger in den Mund. Vorlage hierfür ist der Bericht des Johannesevangeliums (Joh. 13$_{26}$). An dieser Perikope orientiert zeigen Bilder mit der Judaskommunion im Spätmittelalter fast ohne Ausnahme die Christus-Johannes-Gruppe. Grundlage für die Darstellungen bildet somit eine Zusammenfassung der synoptischen Berichte mit der Johannesperikope. Die von Dobbert und Sachs vorgenommene Einteilung, daß für die deutsche Kunst die Schilderung des Themas bei Johannes den Ausgangspunkt bilde, während den byzantinischen Darstellungen der Matthäus-

---

[1] Einen Überblick bieten die ikonographischen Nachschlagwerke; Künstle Bd. 1, 413-425; Réau 1955 Bd. 2, 406-420; Schiller Bd. 2, 35-51; LCI Bd. 1, 10-18 sowie RDK Bd. 1, 28-44; vgl. auch NCE Bd. 8, 399-401. Die Literatur verfährt jedoch für das späte Mittelalter meist recht summarisch, zuweilen einseitig an italienischer Kunst orientiert; vgl. den Forschungsbericht im einleitenden Kapitel.
Die frühen Darstellungen und die Anfänge einer Bildtradition werden eingehend untersucht von Sandberg 1929, 200-217 sowie Palli 1941. Zur Ikonographie der Apostelkommunion in der byzantinischen Kunst vgl. auch Wessel 1964, für die älteren Beispiele Loomis 1927, v.a. aber auch die ausführliche Abhandlung von Millet 1960.

[2] Das Abendmahl gehört zwar nicht zu den ältesten Bildthemen christlicher Kunst, wird jedoch vergleichsweise früh entwickelt. Die wohl älteste erhaltene Darstellung des Abendmahles ist das 520-26 entstandene Abendmahlsmosaik in S. Apollinare Nuovo zu Ravenna (Schiller Bd. 2, Abb. 67; Millet 1960, 268 und Abb. 286). Christus ist mit einem Redegestus gezeigt, gemeint scheint die Verratsankündigung.
Ebenfalls in das 6. Jahrhundert zu datieren sind die beiden Miniaturen des Codex Rossanensis (Rossano, Erzbischöfliche Bibliothek; Weitzmann 1977, 89-99; Schiller Bd. 2, Abb. 57 und 58). Die Handschrift ordnet vor der Fußwaschung eine Darstellung der Verratsankündigung an, an anderer Stelle die Apostelkommunion (in beiderlei Gestalt). Die beiden Darstellungsformen veranschaulichen unterschiedliche inhaltliche Aspekte. Auch der Rabula-Codex (Florenz, Biblioteca Medicea-Laurenziana) besitzt eine Abendmahlsdarstellung; vgl. Sandberg 1929 sowie Weitzmann 1977, 100-108.
Die offenbar früheste Abendmahlsdarstellung westlicher Kunst, die Miniatur des Augustinus-Codex, zeigt die Sakramentseinsetzung (Cambridge, Corpus-Christi-College, Ms. 286. Schiller Bd. 2, Abb. 73; vgl. Millet 1960; Weitzmann 1977, 112-115 mit Abb. 41; v.a. aber auch F. Wormald: The Miniatures in The Gospels of St. Augustine, in: Wormald 1984, 13-35, Abb. 8).
Bereits diese frühen Werke zeigen eine ikonographische Vielfalt, aus der sich zwar bestimmte Bildtypen im Laufe der Entwicklung herauskristallisieren, der Variationsreichtum bleibt jedoch bestehen.

text zugrunde liege[3], kann nicht aufrecht erhalten werden. Obwohl in der Tat eine Reihe erzählerischer Details, wie die Judaskommunion oder die Christus-Johannes-Gruppe, dem Johannesevangelium entnommen sind, fehlt hier der Gesamtzusammenhang des Abendmahls als Szene mit der Sakramentseinsetzung. Das Bildthema »Abendmahl« ist vielmehr den synoptischen Evangelien entnommen. Der hier beschriebenen Szene werden die Erzählung der Verratsankündigung mit Judaskommunion und Christus-Johannes-Gruppe aus dem Johannesevangelium eingefügt.
Zu beobachten ist in der Bildentwicklung eine zunehmende Isolierung der Judasfigur, ein Motiv, das bereits im 11. Jahrhundert nachweisbar ist, etwa auf der Aachener Goldenen Tafel[4]. Erreicht werden formal eine deutliche Exponierung des Verräters und gleichzeitig die Betonung des Erzählmomentes der Judaskommunion. Inhaltlich gehen Verräterbezeichnung und Sakramentseinsetzung ineinander über. So reicht Christus auf der entsprechenden Darstellung des Klosterneuburger Altares dem knienden Judas die Hostie und gleichzeitig Petrus den Kelch. Die Umschrift erläutert »Seht, unter zweierlei Gestalt hält Christus sich selbst in den Händen«[5]. Für das 15. Jahrhundert wird die Doppelbedeutung der Szene in einer in Berlin aufbewahrten Zeichnung belegt[6]. In den Schriftbändern sind sowohl die Worte der Verratsankündigung als auch die zentralen Einsetzungsworte wiedergegeben. Die Darstellung mit isoliertem Judas bleibt das gesamte Spätmittelalter hinduch beherrschender Bildtypus und wird noch für die italienischen Refektoriumsdarstellungen des Quattrocento, etwa von Andrea del Castagno[7], gewählt. Diese Tradition findet ihre Ablösung erst mit dem Abendmahl von Leonardo da Vinci in Mailand[8].

Eine andere Darstellungskonvention scheint ihren Ausgang von den Abendmahlskompositionen Giottos und Duccios zu nehmen. Ein erweitertes Interesse an der Verräumlichung szenischer Darstellung bezieht offenbar einzelne Details gleichsam legitimierend aus der Auseinandersetzung mit dem Text der Meditationes Vitae Christi. Dort findet sich, wie dargelegt, eine genaue Beschreibung der Sitzordnung wärend der Passahfeier, die in den bildlichen Darstellungen für die Einsetzung des Abendmahles übernommen wird. Die Meditationes ordnen Christus nicht zentral, sondern an der Seite des Tisches an und gruppieren die Apostel jeweils zu dritt. Der Text weicht hier von der geläufigen Isolation des Judas in der Bildtradition ab.
In der Abendmahlsdarstellung der Arenakapelle zeigt Giotto die Gemeinschaft um drei Seiten eines querrechteckigen Tisches sitzend, wobei Christus an der linken Schmalseite

---

[3] »Jedenfalls ist unbestreitbar, daß in der gesamten deutschen Kunst, wie es schon Dobbert für das frühe Mittelalter behauptet hat, der Johannestext durchgängig maßgebend gewesen ist. Die wenigen widersprechenden Stücke sind von der byzantinischen Kunst abhängig, in der ja umgekehrt, wie Dobbert nachgewiesen hat, Matthäus den leitenden Text geliefert hat.« Sachs 1907, 102; vgl. Dobbert 1871 und 1890-1895.

[4] Aachen um 1020. Schiller Bd. 2, Abb. 13; Schnitzler 1965, Abb. 3.

[5] »Cena Domini. Bina Christus sub specia manibus fret (=fert) ecce suis se.« Röhrig 1955, Abb. 21 mit Bildunterschrift.

[6] Kupferstichkabinett Berlin, KdZ 1204; abgebildet bei Baxandall 1984, 183 Abb. 107 (hier entsprechend der älteren Literatur als fränkisch um 1480/90); vgl. Roth 1988, Kat. 145, der das Blatt mit Fragezeichen in das Œuvre des »Meisters der Coburger Rundblätter« einordnet.

[7] Florenz, Refektorium von S. Apollonia. Zu den Refektoriumsdarstellungen in Florenz zuletzt Gilbert 1974.

[8] Einem 1961.

plaziert ist. Die Gruppierung der Apostel unterscheidet sich deutlich von der textlichen Vorlage der Meditationes, während die Wiedergabe Christi an der linken Tischseite dem Text entspricht. In München wird eine Abendmahlstafel aufbewahrt, wohl eine nach den Paduaner Fresken entstandene Werkstattarbeit[9], die die Christus-Johannes-Gruppe an der linken Schmalseite des Tisches isoliert und an der vorderen und rechten Tischseite je drei Apostel anordnet. Die Plazierung Christi an der linken Seite des Tisches geht auf eine byzantinische Bildtradition zurück[10], in der jedoch weder die Dreiergruppierung noch die Verräumlichung der Figurenanordnung vorgebildet ist. Der Text der Meditationes bietet somit am Beginn des 14. Jahrhunderts Anregung zur Veränderung einer vorgefundenen Bildtradition.

Die Abendmahlsdarstellung von der Maestà Duccios in Siena kann als andere, eigenständige bildliche Umsetzung der textlich angegebenen Apostelanordnung verstanden werden. Der Textbezug ist von der Komposition Giottos abweichend gewahrt. Christus ist entgegen der literarischen Schilderung repräsentativ in die Mitte gerückt, die Jünger hingegen sind deutlich sichtbar in Dreiergruppen zusammengefaßt[11]. Ausgehend von der gleichen textlichen Vorlage griffen beide Künstler jeweils einzelne, charakteristische Motive heraus[12]. Die bildliche Nacherzählung des Textes in all seinen Details entsprach offenbar nicht dem Verfahren der gleichsam zitierenden Veranschaulichung der Szene.

Das Bemühen um eine räumliche Anordnung der Figuren läßt sich in den Abendmahlsdarstellungen des deutschsprachigen Raumes seit dem ausgehenden 14. Jahrhundert nachweisen. Den Beispielen liegt häufig die Dreiergruppierung der Apostel zugrunde, da diese Figurenanordnung offenbar die Möglichkeit erschließt, die Szene entsprechend der allgemeinen stilistischen Entwicklung verräumlicht zu gestalten. Die Abendmahlsdarstellung des Netzer Altares zeigt noch den allein vor dem Tisch hockenden Judas[13]. Eine ähnliche Darstellungsform findet sich bei der Meister Bertram zugeschriebenen Tafel in Paris[14] oder in den geschnitzten Altären von Nöschenrode und Wernigerode[15]. Die Darstellungen des Bielefelder Altares[16] und von Konrad von Soest in Bad Wildungen[17] benutzen einen runden Tisch, um den die Apostel angeordnet werden. Judas wird hier räumlich zunächst integriert. Seine ikonographisch aber offenbar geforderte Isolierung wird erreicht, indem er als einziger nicht sitzt. In Bielefeld ist er sogar größer als die übrigen Apostel wiedergegeben[18]. Eine Sonderform, die die Bemühungen um räumliche Figurenanord-

---

[9] München, Alte Pinakothek Inv. Nr. 643; Katalog 1975, 52.

[10] Greifbar wird diese Ikonographie beispielsweise in einem Wandmosaik des 13. Jahrhunderts in San Marco, Venedig; abgebildet bei Wessel 1964, S. 67-68; vgl. Sandberg 1929, 200-217.

[11] Noch im 15. Jahrhundert ist diese Komposition in Siena geläufig, wie eine Tafel von Sassetta zeigt; Katalog Siena 1977, Nr. 167 und Abb. 287.

[12] Vgl. auch die Abendmahlsdarstellung Pietro Lorenzettis in San Francesco zu Assisi; Sandberg 1929 a.a.O. und Abb. 174.

[13] In Netze werden die Apostel jedoch nicht alle gezeigt, sondern je drei sitzen zu Seiten der Christus-Johannes-Gruppe; Stange DMG 2, Abb. 159.

[14] Meister Bertram, Paris Musée des Arts décoratifs; Stange DMG 1, Abb. 187.

[15] Die Retabel in Nöschenrode und Wernigerode besitzen frühe erhaltene geschnitzte Passionszyklen; Wildenhof 1974, Kat. 85 und 107 mit der älteren Literatur.

[16] Stange DMG 3, Abb. 50.

[17] Stange DMG 3, Abb. 13.

[18] Der ebenfalls in diese Werkgruppe gehörende Osnabrücker Altar (Köln, Wallraf-Richartz-Museum) beginnt zwar den Passionszyklus mit dem Einzug in Jerusalem, besitzt aber keine Abend-

nung einerseits und um die Isolierung des Verräters andererseits spiegelt, ist die Darstellung vom Meister des Tucher-Altares in Nürnberg. Judas ist hier in gleicher Kopfhöhe wie die Apostel neben ihm, aber außerhalb der gerundeten Sitzbank angeordnet[19].
Im ausgehenden Weichen Stil entwickelt sich als weitere Darstellungsform die völlige räumliche Integrierung des Judas, so in den Darstellungen in Kremsmünster[20], der Tafel des Raigerner Altares in Brünn[21], am Deocarus-Altar[22] oder bei der Nürnberger Terrakotta-Gruppe in St. Lorenz *(Abb. 1)*[23]. Diesen Darstellungen liegt mehr oder weniger sichtbar, auch bei rundem Tisch, noch immer die Dreiergruppierung der Apostel zugrunde.
Gleichzeitig mit der zunehmenden räumlichen Vereinheitlichung entsteht eine Vielzahl von Motiven, mit denen Judas gekennzeichnet wird, wie Personentypus, Beutel[24], Profildarstellung, fehlender oder schwarzer Nimbus, rote Haare und gelbes Gewand[25]. Die einzelnen Bildformeln lassen sich meist zurückverfolgen, neu ist jedoch die Ballung solcher Motive zur Charakterisierung des Judas seit dem 15. Jahrhundert[26]. So zeigt die Darstellung des Wildunger Altares Judas in Profilstellung, er trägt ein gelbes Gewand, deutlich sichtbar ist der Beutel über seinen Rücken gehängt, schließlich wird er als Fischdieb[27] charakterisiert. Ein besonders krasses Beispiel bietet die 1519 datierte Darstellung des Herrenberger Altares von Jörg Ratgeb *(Abb. 37)*[28]. Judas hat mit seinem Stuhl ein Gefäß mit Wein umgeworfen, möglicherweise ein Hinweis auf frevelhaftes Umgehen mit der Eucharistie. Hinzu kommen verzerrte Körperhaltung, Profilwendung, Erektion, Sandalen, modisches Gewand, Kartenspiel. Mit der Kommunion fährt ihm der Teufel als Fliege in den Mund[29].
Neben der charakterisierten Form der Verratsankündigung kann in Darstellungen des

---

mahlsdarstellung; Katalog Köln 1986, Abb. 52-53, vgl. auch »Westfälische Malerei ...« 1964, 52-55 mit den Abb. 34-42.

19 Stange DMG 9, Abb. 41-42.

20 Stange DMG 2, Abb. 86.

21 Stange DMG 9, Abb. 262.

22 Nürnberg St. Lorenz; Stange DMG 9, Abb. 25.

23 Siehe unten die Ausführungen im Kapitel zum Imhoffschen Abendmahlsaltar in Nürnberg.

24 Die Darstellung des Beutels geht vermutlich auf Joh. 13 29 zurück. Hinzukommt die Charakterisierung des Judas als Dieb in Joh. 12 6.

25 »Bei dem Überwiegen der gelben Farbe für seine Kleidung in den spätmittelalterlichen Bildern könnte dagegen die Anregung von der den Juden im Christentum und Islam aufgezwungenen Farbsymbolik eine Rolle spielen – denn einerseits wählte man auch für Judas gerne diverse jüdische Gesichtstypen, andererseits wurden sowohl Judas als auch die Juden gern in der im Mittelalter für Karikaturen bevorzugten Profilansicht gezeigt.« Dinzelbacher 1977, 25, dort auch weitere Literaturhinweise; vgl. auch Blumenkranz 1965, 27 und 48.
Dinzelbacher weist ferner darauf hin, daß es für die künstlerische Ausgestaltung des Judas keine unmittelbaren literarischen Vorlagen gibt. »Wir haben es in diesem Fall also, sehen wir vom Theater ab, mit einer ziemlichen Divergenz von schriftlichen und bildlichen Traditionen zu tun ..., was umso mehr verwundert, als ja gerade die Legenda Aurea, in die die Judas-Vita aufgenommen worden war, die Ikonographie des Spätmittelalters sonst so sehr beeinflußt hat.« Dinzelbacher 1977, 35.

26 Dinzelbacher 1977, 35.

27 Réau Bd. 2, 414f.; Dinzelbacher 1977, 30f.

28 Stuttgart, Staatsgalerie; Fränger 1972, Abb. 78; Dinzelbacher 1977, 33f.

29 Die bildliche Tradition kennt weitere Tiere, die zuweilen in unmittelbarer Umgebung des Judas dargestellt werden, zum Beispiel Hunde, die möglicherweise als Anspielung auf Matthäus 7 6 »Gebt das Heilige nicht den Hunden« zu verstehen sind; vgl. Réau Bd. 2, 415; Dinzelbacher, 1977, 31; zur Ikonographie des Judas vgl. schließlich Mellinkoff 1982.

Abendmahles der sakramentale Aspekt stärker herausgestellt werden. Seit etwa 1400 ist eine zunehmende Orientierung einzelner Erzähldetails an der Liturgie zu beobachten. Häufig wird bei der Judaskommunion eine Hostie, die Christus dem Verräter reicht, wiedergegeben[30]. Damit wird optisch Bezug genommen auf die liturgische Kommunion im ausgehenden Mittelalter, die ebenfalls die Mundkommunion vorschreibt. In vielen Beispielen steht ein großer Kelch auf dem Tisch, wie er in der Meßzeremonie verwendet wird[31], zuweilen kommt eine Patene mit Hostien hinzu[32]. Nahezu durchgängig wird auf dem Tisch eine große Schale mit dem Passahlamm gezeigt und somit der biblische Erzählzusammenhang veranschaulicht[33].

Die ikonographische Form der Sakramentseinsetzung zeigt Christus, während er den Segen über Kelch und Brot spricht. Diese Darstellungen zeigen in ihrer strengen Form keine Christus-Johannes-Gruppe, da das Motiv zunächst der Verratsankündigung angehört. In den meisten Bildbeispielen wird diese Gruppe jedoch integriert. Sie wird offenbar in der Regel als dem Abendmahl zugehörig verstanden und entgegen der historischen Richtigkeit auch in die Sakramentseinsetzung übernommen. In einigen Ausnahmefällen wird die Sakramentseinsetzung ohne Judas dargestellt, dieser hat sich entfernt oder ist gerade im Begriff wegzugehen wie auf der entsprechenden Darstellung des Volckamer-Epitaphs von Veit Stoß *(Abb. 27)*[34].
Die Ikonographie der Sakramentseinsetzung ist, mit Ausnahme spanischer Beispiele[35], bis zur Mitte des 15. Jahrhunderts in monumentalen Darstellungen ungewöhnlich. In der Buchmalerei hingegen ist sie bekannt, erinnert sei an die Darstellung im Turin-Mailänder-Stundenbuch[36]. Christus hält in seiner linken Hand den Kelch mit darüber angeordneter Hostie, während er die Rechte im Segensgestus erhoben hat. Johannes ruht an der Brust des Herrn. Auf die Verratsankündigung deutet die Geste des Judas, der, als einziger auf dem Boden sitzend, mit der Hand in die Schale mit dem Lamm greift. Ikonographisch konsequenter ist die Darstellung der Sakramentseinsetzung in einer der Werkstatt des Bedford-Meisters zugeschriebenen Miniatur gestaltet. Christus segnet die Hostie, die Christus-Johannes-Gruppe fehlt der biblischen Erzählung entsprechend[37]. Aber auch in weniger repräsentativen Retabeln wird die Sakramentseinsetzung verwendet, wie ein kleines Diptychon in Churburg belegt[38].

---

[30] So auf den Darstellungen des Bielefelder und des Wildunger Altares; Stange DMG 3, Abb. 50 und 13.
[31] Zum Beispiel auf der Pariser Tafel Meister Bertrams; Stange DMG 1, Abb. 187.
[32] So auf der Tafel von Hans Bornemann in Lüneburg; Gmelin 1974 Kat. 2.13.
[33] Möller 1937, Sp. 39-40 weist darauf hin, daß die Charakterisierung des Abendmahles als Passahfeier nicht der frühen Bildtradition angehört, sondern erst seit dem 15. Jahrhundert regelmäßig verwendet wird.
[34] Nürnberg, St. Sebald; vgl. die Ausführungen im folgenden Kapitel.
[35] So das Retabel in Villahermosa, vgl. hierzu die Ausführungen im Kapitel »Das Eucharistieretabel aus der Eremità des San Bartolomé bei Villahermosa«, aber beispielsweise auch eine Predellentafel von Jaume Serra, Palermo Museo Nazionale; Wehli 1982, Nr. 11 mit Abbildung.
[36] Fol. 90. Hulin de Loo 1911, T. 11; vgl. auch Durrieu 1902; Meiss 1967, Bd. 1,2, Abb. 47. Zur Abendmahlsikonographie der niederländischen Kunst vgl. Smits 1933, 81-83.
[37] Châteauroux, Bibl. municipale Ms. 2, fol. 113v. Meiss 1968, Abb. 101; Meiss datiert die Miniatur in die Jahre vor 1415.
[38] Schnell Kunstführer Nr. 779 von 1963 »Churburg«.

Die Darstellung der Apostelkommunion findet sich bis ins 13. Jahrhundert nur im Bereich der Ostkirche, um danach im Zuge der allgemeinen Rezeption byzantinischer Bildschemata auch vereinzelt im Westen vorzukommen[39]. Christus wird im Anschluß an den Text des Hebräerbriefes als Priester verstanden. Erst nach der Jahrhundertmitte des 15. Jahrhunderts verwendet Justus van Gent die Apostelkommunion als Hauptdarstellung für den Abendmahlsaltar der Sakramentsbruderschaft in Urbino *(Abb. 4a)*. Zwar in der Buchmalerei verwendet[40], ist die Apostelkommunion nördlich der Alpen in keinem bekannten Beispiel für eine monumentale Komposition aufgegriffen worden.

Das Abendmahl wird in aller Regel als Szene der Passion dargestellt. Der Kontext der Leidensgeschichte ist selbst in typologischen Zyklen nicht verlassen, sind doch Biblia Pauperum und Speculum Humanae Salvationis in der Erzählfolge an der Passion orientiert[41]. Für diese in der Szenenchronologie und der Auswahl der kommentierten Typen durchaus festgelegten Werke bilden sich keine verbindlichen Darstellungstypen heraus, die Illustrationen verwenden sogar beide ikonographischen Varianten, Verratsankündigung und Sakramentseinsetzung, gleichberechtigt nebeneinander[42].

---

39 Vgl. die oben genannten Ausführungen in den ikonographischen Nachschlagwerken unter dem Stichwort »Abendmahl« sowie Millet 1960 und Wessel 1964.

40 Les Très Riches Heures du Duc de Berry, f 189 v. Miniatur von Jean Colombe; Faksimile 1970, Nr. 131.

41 Zur Biblia Pauperum vgl. den Artikel »Armenbibel« von Zimmermann in: RDK Bd. 1, 1072-1084; Cornell 1925; Schmidt 1959, bes. 123; zum Speculum Humanae Salvationis v.a. Breitenbach 1930, bes. 165-168.

42 Breitenbach 1930, 165f.

Veränderungen der Abendmahlsikonographie im 15. und beginnenden 16. Jahrhundert

Zu Beginn des 15. Jahrhunderts stehen zwei Kompositionsvarianten der Judaskommunion, einerseits mit räumlich isoliertem und andererseits mit integriertem Judas, zur Verfügung. Hinzu kommt seltener die Darstellung der Sakramentseinsetzung. Die in den Meditationes beschriebene Sitzordnung wird in der Kunst um 1400 erneut aufgegriffen, offenbar nicht zuletzt deswegen, weil sie einem gesteigerten Interesse an räumlicher Darstellung entgegenkommt. Ein fester Darstellungstypus bildet sich nicht heraus, die formalen Lösungen variieren vielmehr deutlich und können sich zudem sogar mit verschiedenen Inhalten (Verratsankündigung oder Sakramentseinsetzung) verbinden. Für die stilistisch geforderte Veränderung der Bildtradition werden die neuen Darstellungsformen offenbar in der Auseinandersetzung mit den Texten der Meditationes und der Vita Christi gewonnen. Herausgegriffen werden jeweils unterschiedliche Elemente, so differiert die Anordnung der Apostel, Dreiergruppen werden jedoch nahezu durchgängig gebildet. In diesen Kompositionen ist Judas stets in die Apostelrunde integriert. Belegt wird die Auseinandersetzung mit diesen Texten im 15. Jahrhundert durch niederländische Buchillustrationen, die Christus mit den Aposteln stehend um den Tisch wiedergeben. Entsprechend dem beschriebenen Passahzeremoniell halten die dargestellten Figuren Stäbe in den Händen *(Abb. 36)*[1].

In der monumentalen niederländischen Malerei hat sich als älteste Abendmahlsdarstellung diejenige des Dirk Bouts in Löwen erhalten *(Abb. 3a)*[2]. Sie zeigt die Sakramentseinsetzung. Daß dieser Darstellung offenbar eine intensive Auseinandersetzung mit den Texten der Meditationes und der Vita Christi zugrunde liegt, muß in einem späteren Kapitel ausführlich begründet werden. Die Komposition des Dirk Bouts hat in den Niederlanden im ausgehenden 15. Jahrhundert reiche Nachfolge gefunden, sie darf als Prototyp für die Malerei der folgenden fünfzig Jahre bezeichnet werden. Aufgegriffen wird die Löwener Darstellung sowohl in der unmittelbaren Bouts-Nachfolge, bei seinem Sohn Albert *(Abb. 7)*[3] oder dem Meister der Katharinenlegende *(Abb. 6a)*[4], aber auch in den Flügelgemälden der niederländischen Exportaltäre im ersten Drittel des 16. Jahrhunderts, etwa bei Colijn de Coter[5]. Übernommen wird oft lediglich der formale Aufbau der Szene, jedoch nicht die Ikonographie der Sakramentseinsetzung. In der deutschen Malerei ist diese Komposition nicht rezipiert worden. Der Meister der Lyversbergischen Passion[6] verwendet vielmehr eine Darstellung mit der Verratsankündigung, die offenbar im Bouts-Kreis bekannt war und etwa in der älteren Miniatur des Stundenbuches der Katharina von Kleve faßbar wird *(Abb. 35)*[7]. Im ikonographischen Typus stimmt diese Darstellung mit den Beispielen der deutschen Malerei aus der ersten Hälfte des 15. Jahrhunderts überein. Sichtbar wird das Bemühen um räumliche Geschlossenheit einerseits bei gleichzeitiger Kennzeichnung des Verräters andererseits.

Selbst in der oberrheinischen Malerei wird das niederländische Vorbild nicht verwendet. Als frühestes Beispiel einer monumentalen Abendmahlsdarstellung hat sich hier die Tafel Caspar Isenmanns erhalten. Sie gehört zu einem Retabel, das 1462 vom Kapitel des Colmarer Martinsmünsters in Auftrag gegeben wurde[8]. Die Gruppe ist um einen querrechteckigen Tisch angeordnet. Christus ist von einem hölzernen Baldachin hinterfangen und herausgehoben. Judas ist zwar räumlich in die Runde integriert, besitzt aber keinen Stuhl, sondern empfängt knieend die Kommunion. Justus van Gent hat offenbar auf seiner Reise nach Italien, wie Sterling plausibel machen kann, dieses Retabel gesehen und die Judasfigur von Isenmanns Abendmahlsdarstellung für seine Apostelkommunion in Urbino transformiert *(Abb. 4a)*[9].

---

[1] Schretlen 1925, T. 62 B, eine Illustration aus Ludolphus, Levens ons Heren, Delft 1488.
[2] Friedländer ENP 2, T. 26-31 siehe unten im Kapitel zum Retabel der Löwener Sakramentsbruderschaft.
[3] Friedländer ENP 2, T. 64; siehe unten im Kapitel über die niederländischen Abendmahlsaltäre.
[4] Friedländer ENP 3, T. 51; siehe unten im Kapitel über die niederländischen Abendmahlsaltäre.
[5] Retabel aus Praust, Muzeum Narodowe Warschau, Friedländer ENP 3, T. 101, aber auch in den Flügeldarstellungenin Aurich und Schleiden; Périer d'Ieteren 1984, E62 und E63.
[6] Köln, Wallraf-Richartz-Museum, Inv. WRM 143, Katalog Köln 1986. Abb. 90-91.
[7] Pierpont Morgan Library, New York; M 945, fol. 180v. Châtelet 1981, 206; Plummer 1964, T. 20; Gorissen 1973, 490-493.
[8] 1465 aufgestellt; Bergsträsser 1941; zuletzt Heck 1979.
[9] Sterling 1971, 25 und Abb. 52, 53.

Insgesamt wird die ikonographische Vielfalt in der zweiten Jahrhunderthälfte zunächst beibehalten, zumal die frühen graphischen Passionszyklen meist keine Abendmahlsdarstellungen enthalten[10]. Die allgemein zu beobachtende Breitenwirkung von Vorlagen etwa vom Meister ES oder von Schongauer fällt für das Abendmahl somit aus.
Erst im ausgehenden 15. Jahrhundert gewinnt eine Abendmahlskomposition, die sich dem Schongauer-Kreis zuordnen läßt, einige Verbindlichkeit. Die in der Werkstatt Schongauers entstandene Darstellung des Colmarer Dominikaner-Altares[11] zeigt Christus und die Apostel um einen querrechteckigen Tisch *(Abb. 23)*. Christus, in der Mitte plaziert mit Johannes an seiner Brust ruhend, reicht Judas die Kommunion. Dieser, vorn links der Mitte, ist im Aufstehen begriffen, den Beutel hält er zwischen den zusammengelegten Händen. Die übrigen Apostel beobachten das Geschehen, teils mit aneinandergelegten Händen, teils mit Redegesten. Die Darstellung setzt einen neuen Akzent für die Verräterbezeichnung. Christus, neben dem formal links und rechts Raum gelassen ist, blickt Judas an, während dieser in bewegtem, sehr unsicheren Stand gezeigt ist. Die Begegnung zwischen Christus und Judas wird hier zum Bildthema. Sie wird psychologisch dramatisiert.
Diese Darstellung wird zunächst am Oberrhein rezipiert[12]. Mit der Passionsfolge des Monogrammisten A.G. wird die Komposition graphisch verbreitet *(Abb. 24)*[13]. Bis zur Ablösung dieses Vorlagenkreises zugunsten von Kompositionen Dürers besitzt diese Bildformulierung deutliche Verbindlichkeit, so noch für Riemenschneider *(Abb. 11b)*[14]. Sie fordert zur Auseinandersetzung mit der darin möglich gewordenen Psychologisierung des Geschehens auf.

Beide Darstellungsvarianten der Judaskommunion, erstens mit räumlich isolierter Judasfigur, zweitens mit räumlich integriertem Judas existieren im 15. Jahrhundert anfänglich nebeneinander[15]. Scheint es zunächst, als sei die räumliche Isolierung die altertümlichere, und die kunsthistorische Entwicklung fordere die Integration zugunsten räumlicher Geschlossenheit der Komposition[16], so läßt sich diese Auffassung nach genauerer Durchsicht nicht halten[17]. Für die Beispiele der deutschen Kunst kann von einem Experimentieren hinsichtlich der Vereinbarung beider Typen gesprochen werden, das in der Psychologisierung der Begegnung zwischen Christus und Judas bei gleichzeitiger räumlicher Stringenz im Schongauer-Kreis gipfelt.

---

[10] Weder die Folge vom Meister ES noch der Passionszyklus Schongauers besitzen ein Abendmahl. Gleiches gilt offenbar für die meisten vor Schongauer entstandenen graphischen Passionszyklen; vgl. Lehrs Bd. 1, 1908.
[11] Unterlinden-Museum, Colmar; Baum 1948, 52-57 und Abb. 164.
[12] Beispielsweise von Heinrich Lützelmann für seine Tafel in Alt St. Peter zu Straßburg, der jedoch in altertümlicher Form die psychologische Dramatisierung wieder zurücknimmt. Stange DMG 7, 32, jedoch ohne Abbildung.
[13] Der Passionszyklus des Monogrammisten A.G. wird in der Graphik vom Monogrammisten WAH kopiert.
[14] Siehe unten das Kapitel zum Rothenburger Heiligblut-Altar.
[15] Vgl. hierzu auch die Ausführungen im vorigen Kapitel.
[16] So meint etwa Schiller Bd. 2, 47.
[17] Für den italienischen Bereich läßt sich beispielsweise den Refektoriums-Darstellungen des Quattrocento ein fehlendes Interesse an räumlicher Darstellung nicht nachsagen; vgl. Einem 1961 und Gilbert 1974.

Die psychologisierende Darstellung der Judaskommunion bleibt im ersten Drittel des 16. Jahrhunderts eine geläufige Komposition zur Wiedergabe des Abendmahles. Eine vom Vorbild aus dem Schongauer-Kreis abweichende Komposition mit vergleichbarer inhaltlicher Aussage wurde in einer Graphik des I.A.M. van Zwolle verbreitet *(Abb. 25)*[18]. Judas ist in dieser Komposition nicht am vorderen Rand des Tisches gleichsam bildflächenparallel gezeigt, sondern seitlich in die Tiefe des Raumes gerückt. Die Frontalität der Darstellung ist zugunsten szenisch-räumlicher Bewegung verlassen. Die Apostel sind in unterschiedlichen Bewegungen und Tätigkeiten wiedergegeben, Petrus wendet sich, mit einem Zeigegestus auf Judas, fragend an Christus. Am vorderen Bildrand nagt links ein Hund an einem Knochen, wohl als genrehafter Hinweis auf den unwürdigen Empfang der Kommunion zu verstehen[19], rechts stehen ein großer Weinkrug und ein Korb mit Brot. Diese oder eine vergleichbare Komposition dürfte Jörg Ratgeb für die Abendmahlstafel des Herrenberger Altares *(Abb. 37)* bekannt gewesen sein, ebenso dem Meister des Rotterdamer Abendmahles *(Abb. 5a)*[20]. Verwendet wurde diese Ikonographie ebenfalls von Hans Raphon in seinem 1499 für das Paulaner-Kloster zu Göttingen geschaffenen Retabel[21]. Noch in der Abendmahlsdarstellung aus dem Zyklus »Sündenfall und Erlösung des Menschengeschlechts« von Altdorfer, der insgesamt bereits unter dem Einfluß von Dürers Kleiner Holzschnittpassion entstanden ist[22], verwendet der Künstler die psychologisch zugespitzte Form der Judaskommunion.
Die Abendmahlsdarstellungen niederländischer Exportaltäre, vor allem aus der Brüsseler Borman-Werkstatt, verwenden gleichfalls eine Komposition, die die Judaskommunion in dramatisierter Weise zeigt[23]. In einzelnen Retabelfragmenten ist diese ikonographische Variante gleichermaßen überliefert *(Abb. 43)*[24], ebenso in der Hauptdarstellung des verlorenen Retabels aus der Nürnberger Burgkirche *(Abb. 14b)*[25] oder einer Hans Dig zugeschriebenen Tafel in Basel[26].

Diese Kompositionen stehen untereinander in keinem nachvollziehbaren Abhängigkeitsverhältnis. Gemeinsam ist ihnen jedoch, daß die Ikonographie der Judaskommunion

---

[18] B. 2.
[19] Réau 1955, Bd. 2, 415; Dinzelbacher 1977, 31.
[20] Siehe unten im Kapitel »Der Abendmahlsaltar in Rotterdam/eh. Berlin«.
[21] Die Tafeln befinden sich heute in der Národní Galerie Prag; zuletzt Halm-Jänicke 1965.
[22] Mielke 1988, Kat. 74, das Abendmahl Nr. 74f.
[23] Zum Beispiel in Vadstena, Skepptuna, Jäder, Ljusdal; vgl. Borchgrave d'Altena 1948, Abb. 39, 45, 46, 52; hierher gehört auch das ebenfalls aus der Borman-Werkstatt stammende Güstrower Retabel; Münzenberger-Beissel Bd. 1, 77.
Die gemalten Abendmahldarstellungen solcher Exportretabel folgen einer anderen ikonographischen Tradition; vgl. Périer d'Ieteren 1984 und die Ausführungen im Kapitel über die niederländischen Abendmahlsaltäre.
[24] Eh. Sammlung Röttgen, heute im Schnütgen-Museum, Köln; vgl. Lüthgen 1914.
[25] Siehe die Ausführungen im Kapitel »Abendmahlsaltäre in der deutschen Kunst bis zur Einführung evangelischer Kirchenordnungen«.
[26] Basel, Öffentliche Kunstsammlungen. Die Abendmahlstafel gehört in einen Passionszyklus, der von Rowlands mit einem Auftrag aus dem Jahr 1516 für die Baseler Peterskirche identifiziert wird; Rowlands 1985, 23f., Kat. R13a, Abb. 220. Inwiefern für diese Komposition zusätzlich die Kenntnis italienischer Kompositionen, wie etwa der Abendmahlstafel Signorellis in den Uffizien, Florenz, vorauszusetzen ist, kann in diesem Zusammenhang nicht untersucht werden.
Als weitere Beispiele seien die die gemalten Tafeln in Klosterneustift bei Brixen (1506 datiert; Ausstellung »Gotik in Tirol« 1965, Kat. 136 c) oder eines Antwerpener Meisters in Osnabrück (in der evangelischen Marienkirche, entstanden um 1510/15; Gmelin 1974, Kat. 211) genannt.

mit deutlich betonter Figur des Verräters dargestellt wird. In einigen Beispielen, bei I.A.M. van Zwolle oder Hans Raphon, beziehen sich die übrigen Apostel fragend oder teilweise erstaunt auf das Hauptgeschehen, der dargestellte Hund im Vordergrund unterstreicht die Bedeutung des unwürdigen Kommunionsempfanges.

Eine zweite Gruppe von Darstellungen thematisiert in anderer Weise die unwürdige Kommunion des Judas. Einer der anderen Apostel reicht dem Verräter Brot oder Wein, während dieser zu entscheiden hat, ob er die Kommunion annimmt oder nicht. Die konsequenteste Ausformulierung dieser Ikonographie leistet Grünewald in seiner Predellentafel des Abendmahles *(Abb. 26)*[27]. Die Tafel entstand kurz nach 1500 und diente vermutlich ursprünglich als Predellenflügel eines nicht mehr zu rekonstruierenden Retabels. Die für die Alltagswandlung bestimmten Seiten zeigen halbfigurige Darstellungen der Hll. Dorothea und Agnes. Die Abendmahlszene ist in einem nicht näher definierten Raum wiedergegeben, die Figuren sitzen um einen querovalen Tisch. Christus ist aus der Mittelachse leicht nach links verschoben (wohl bedingt dadurch, daß es sich ursprünglich um zwei Tafeln handelte), Johannes ruht an seiner Brust. Mit seiner rechten Hand berührt Christus das Passahlamm. Vorn rechts ist ein Apostel gerade aufgestanden und reicht einem links sitzenden Jünger, gemeint ist Judas, den Kelch. Die übrigen Apostel sind im Gespräch begriffen oder beobachten das Geschehen. Thema ist weder die Sakramentseinsetzung noch die Bezeichnung des Verräters durch die Judaskommunion. Die Berührung des Passahlammes durch Christus deutet möglicherweise auf Mk. 14 »Wer mit mir in die Schüssel taucht ...«. Collinson ist es gelungen nachzuweisen, daß der aufstehende Apostel rechts als Diakon gekennzeichnet ist, der Judas die Kommunion austeilt, während dieser nun zu entscheiden hat, ob er als Unwürdiger die Kommunion annimmt oder nicht[28]. »Grünwald depicts the act of ›Communion‹ as involving three main characters: Christ, the Apostle in white and Judas. Each represents one of the three aspects of the licing celebrant's role in the Mass. The celebrant consecrates the sacrifice in the role of Christ; he offers the sacrifice as a neutral intermediary, here the Apostle in white; and he receives the sacrifice for himself and for others. His role as communicant is represented in the painting by Judas. By extension, the three figures can also be read as the three participants in the real Communion: Christ, the priest and the lay communicant.«[29]
Obwohl die Komposition Grünewalds offenbar nicht rezipiert wird, lassen sich weitere Beispiele aufzeigen, die vergleichbare Vorstellungen umsetzen, so im Brüsseler Retabel vom Meister der Grooteschen Anbetung *(Abb. 8)*[30], am Ehrenfriedersdorfer Altar *(Abb. 41)*[31] oder in der Predella des Freiberger Schmelzer-Altares[32]. »In the *Last Supper*, the worshipper was confronted with the possibility of joining with the Apostles at the table. Like the historical participants, they could receive the sacrament or betray Christ through the medium of sacrament.«[33]

[27] Sammlung Schäfer, Schweinfurt, z.Zt. als Leihgabe auf der Veste Coburg. Holz 48 x 85 cm. Die Tafel ist signiert (?) und um 1500 entstanden. Schäfer 1985, Nr. 15.
[28] Collinson 1986 (msch), im gleichen Jahr erschien ein Ausschnitt der Arbeit in der Zeitschrift für Kunstgeschichte.
[29] Collinson 1986 (msch), 58-59.
[30] Vgl. unten im Kapitel über die niederländischen Abendmahlsaltäre.
[31] Vgl. die Ausführungen im Kapitel »Die Verwendung von Abendmahlstypologie in altdeutschen Retabeln«.
[32] Freiberg, Nikolai-Kirche; Junius 1914, T. 4.
[33] Collinson 1986 (msch), 225.

Beide beschriebenen ikonographischen Varianten thematisieren die unwürdige Kommunion, jedoch mit unterschiedlichem Akzent. Diejenigen Kompositionen, für die repräsentativ die Tafel Grünewalds stehen kann, appellieren zunächst an den gläubigen Betrachter, seine eigene Haltung beim Empfang der Eucharistie zu prüfen. Gilt diese Aufforderung auch für die Darstellungen der anderen Gruppe, so ist hier doch der inhaltliche Schwerpunkt ein anderer. Das Abendmahl wird deutlicher als Szene der Passion Christi verstanden. Der Herr leidet an der unwürdigen Kommunion des Judas. Als Verrat des Judas gilt nicht nur die Auslieferung Christi an den Hohen Rat, sondern auch der Mißbrauch der Liebe, die in der Speisung mit der Eucharistie ihren Ausdruck findet.
Der Text der Großen Passion von Dürer führt aus:

> »Denn während der Herr, wie alljährlich, mit der heiligen Opferspeise dem Brauche gemäß das Ostermahl feiert, erhebt er sich, sich selbst zum Diener zu machen und den Seinen ein Beispiel seiner Liebe zu hinterlassen, und ist mit Freuden den Dienern zu Diensten: Mit Wasser und einem Tuche wäscht und trocknet er allen, die mit ihm zu Tische saßen, die Füße, nicht zuletzt auch dem schnöden Judas. Jener aber schlang die göttliche Speise im Frevel hinab und nahm so zugleich in sich auf die Furien und den stygischen Satan. Er ging weg, der Verbrecher, und verkaufte verblendet den Herrn der Welt um dreißig Silberlinge dem Rate.
> Wohl merkte der Herr die Verstellung, der ihn zum Leben berufen hatte. O, wäre doch unfruchtbar seine Mutter gewesen, und er dazu verdammt, nie sehen zu können den Tag der Geburt! Hätte er nie dieses Lichtes sanfte, Lebenskraft atmende Lüfte getrunken, verborgen in ewig lähmendem Dunkel! Ein besseres Los wäre es für den Elenden gewesen, des Lebens Besitz gar nicht zu kennen, als es zu verlieren.«[34]

Die Kleine Passion Dürers, die für Abendmahl und Fußwaschung zwei Abbildungen und entsprechend auch zwei Textabschnitte vorsieht, trennt den Hinweis auf die unwürdige Kommunion des Verräters von der Beschreibung des Liebesdienstes Christi bei der Fußwaschung. Die grundsätzliche Aussage bleibt die gleiche. Daß Dürer die inhaltliche Akzentsetzung der Texte nicht in seine Darstellungen, auf die später einzugehen sein wird, übernimmt und umsetzt[35], spielt in diesem Zusammenhang nur insofern eine Rolle, als diese Beobachtung belegt, daß die Darstellungen sich eher auf eine künstlerisch ver-

---

[34] »Annua nam sacrae celebrans per munera coenae
Pascales ex more dapes: dominusq ministrum
Se faciens: & grata suis exempla reliquens
Assurgit: samulisq libens famulatur: & vnda
Linteoloq pedes coniuis ordine cunctis
Nec non & iude foedo lauat atq retergit.
Ille autem diuis epulis non rite voratis
Coenarat furias pariter stijgiumq satana.
Atq abiens rerum dominum primoribus ipsis
Furcifer argento terdeno vendidit amens.
Nec dominum latuere doli. nasci qui fecerat illum
Atq vtinam sterili damnatus matre nequisset
Natalem sentire diem. neq luminis huius
Hiusisset placidas flabris vitalibus auras
Aeterno torpore latens. miseroq fuisset
Sors melior nescire datam q perdere vitam.«
Hier zitiert nach der Ausgabe von Appuhn 1986, 50, die Übersetzung 142f.

[35] Zur Entstehungsgeschichte der Holzschnittpassion und dem Verhältnis zwischen Abbildungen und Text vgl. Winkler 1941 sowie Kisser 1964.

mittelte Tradition beziehen, als einen vorgegebenen Text illustrierend umzusetzen. Die Texte beider Bücher können gleichwohl das Verständnis des Abendmahles zu Beginn des 16. Jahrhunderts erhellen. Im Rahmen der Passionserzählung berichtet der Abschnitt über das Letzte Abendmahl die begangene Passahzeremonie, bei der Jesus das Sakrament einsetzt. Im ausführlicheren Text der Kleinen Passion folgt der Hinweis auf die Transsubstantiation und somit auf das gültige Eucharistieverständnis. Breiten Raum nimmt schließlich die Gegenüberstellung der unermeßlichen Liebe Christi mit dem Frevel des Judas ein.

»Nur die Brust, die rein von Befleckung, ist würdig dieses Mahles. Der reine Gott wäscht seiner Tischgefährten schmutzige Füße, bevor er sie sättigt mit dem reichen Mahle, und gibt so kund sein Gebot, die sündenbefleckten Seelen mit dem Tau der Tränen zu waschen, auf daß sie würdig seien eines so großen Geschenkes.
Judas der Verräter, der, mit des Höllenflusses Wasser gewaschen, diese Gaben hinabschlang, nahm in sich auf die höllischen Geister: Von Furien wird er getrieben und gibt den Herrn den Wütenden preis ...«[36]

In der Einleitung zur Großen Passion, deren Zyklus mit dem Abendmahl beginnt, heißt es schließlich:

»So verließ Gott also selbst die seligen Geister, den Palast des Olymps und die himmlischen Hallen und kam in der Sterblichen Reich, litt unter der menschlichen Hülle Hitze und Frost und strebte, das irrende Volk zu bekehren. Dieses wollte aber den Nacken nicht beugen, das selige Joch zu tragen, und bereitete Christus Verrat und Tod.«[37]

Der Bericht des Letzten Abendmahles wird in den Jahren um 1500 – oft in ein und demselben Text – ausgedeutet auf die Passion Christi und den Kommunionsempfang der Gläubigen. Zwei weitere Texte, die als repräsentativ für die Situation am Beginn des 16. Jahrhunderts gelten dürfen, belegen diese Beobachtung. In der Ausgabe des Heilsspiegels bei Ulrich Pinder in Nürnberg 1507 wird das Letzte Abendmahl berichtet, um anschließend auf den Nutzen der Kommunion für den Gläubigen einzugehen. Dabei werden einzelne Erzähldetails allegorisch ausgedeutet[38]. Das abschließende Gebet lautet:

»O Herr Jesu Christe/ der du umb Vesper Zeit/ das leste Abendmahl mit deinen Jüngern in einem grossen gepflasterten Saal gehalten/ und mit deinem allerheilgsten Leib

---

[36] »Sordibus hac mensa dignatur pectora munda
Sola. deus mundus. conuiuarumq lutosos
Abluit ante pedes dapibus q pascat opimis.
Intendens animas lachrymarum rore lauandas
Delictis foedas. tum tanto munere dignas.
Perfidus haec iudas. styge lotus dona vorando.
Coenauit lemures, furiis agitatur. Herumq
Insanis prodit. laqueo donandus & orco.«
Kleine Holzschnittpassion hier zitiert nach Appuhn 1985 (24, die Übersetzung 97), der die bis dahin nur maschinenschriftlich vorhandene Übersetzung von Kisser 1964 ediert hat.

[37] »Ipse igitur diuos linquens & limen olympi
Aethereasq domos deus ad mortalia regna
Venit: & humana sub imagine cauma geluq
Passus: aberrantem satagens corrigere gentem
Illa sed indomita nolens ceruice beatum
Ferre iugum: Christo insidias mortemq parauit.«
Zitiert nach Appuhn 1986, 50, die Übersetzung 142.

[38] Zu diesem Verfahren vgl. die folgenden Ausführungen zur Meßauslegung.

unnd Blut sie gespeist hast/ mache auß meinem Hertzen/ den Glauben/ Hoffnung und Liebe/ vergrössere in mir die Langmüthigkeit/ Geduld unnd Demuth/ verleyhe mir/ daß mein zerknirschtes und gedemütigtes Hertz nach seiner Wenigkeit denjenigen fasse/ den Himmel und Erden nicht begreiffen können/ damit ich durch dein inwonende Gnad alles was dir gefällig/ gedencke und vollbringe/ alles was dir zuwider hasse und meyde/ unnd in solcher Verharrung biß an das End fähig werd der Geniessung deines allerheiligsten Leibs und Bluts/ Amen.«[39]

Auch die Predigten Geiler von Kaiserbergs fügen sich in dieses Bild. So predigt er 1507 am Sonntag Quinquagesimae über die Abendmahlsperikope bei Matthäus 26 und erläutert allegorisch die Heilswirksamkeit der Eucharistie[40]. In den 1517 erschienenen »Evangelia mit ußlegung«[41] sind die Ausführungen am Gründonnerstag traditionell der Fußwaschung gewidmet, die Predigt zum Fronleichnamsfest hat den Text von Johannes 6 zur Grundlage. Geiler wendet sich nach kurzem Hinweis auf die Gültigkeit der Transsubstantiationslehre der im Sakrament offenbar werdenden Liebe Gottes zu. Die Passage über die Transsubstantiation konstatiert lediglich die Gültigkeit des Dogmas, ohne sich auf eine Begründung einzulassen. Die Abweichung im Glauben wird ohne weitere Erklärung als Ketzerei bezeichnet. Thema der Predigten über Abendmahl und Eucharistie ist auch für Geiler die Heilswirksamkeit des Sakramentes für den einzelnen Gläubigen. Der Bericht des Letzten Abendmahles wird in diesen Texten, die von der Passionsfolge ausgehen, nicht zur Erklärung der dogmatischen Bedeutung des Altarsakramentes herangezogen. Gleichwohl wird er auf die Praxis der Eucharistie, die Kommunion der Gläubigen bezogen. Diese werden aufgefordert, die Passion Christi zu meditieren und sich selbst hinsichtlich ihrer Würde beim Kommunionsempfang zu prüfen.

Die Darstellungen des Abendmahles stellen für dieses Verständnis des Ereignisses zunächst zwei Varianten vor. In den Vordergrund tritt einerseits das Leiden Christi oder andererseits die Entscheidungssituation des Gläubigen. Der ersten Version dienen vorrangig Kompositionen, die die Judaskommunion in der psychologisch zugespitzten Begegnung zwischen Christus und dem Verräter zeigen. Der Appell an den Gläubigen, sich zu prüfen, ob er das Sakrament empfängt oder nicht, wird durch das Anbieten der Kommunion durch einen Apostel herausgestellt[42].

Beide Kompositionen werden als Hauptdarstellungen für Retabel gewählt. Die psychologisierende Darstellung der Judaskommunion wird im Heiligblut-Altar von Riemenschneider *(Abb. 11a)*[43] verwendet sowie im Retabel aus der Nürnberger Burgkirche *(Abb. 14a)*[44], die an die Bußfertigkeit des Gläubigen appellierende Form in dem Flügelaltar vom Meister der Grooteschen Anbetung in Brüssel *(Abb. 8)*[45].

---

[39] Ulrich Pinder: Speculum Passionis, Nürnberg 1507. Hier zitiert nach dem Faksimile der deutschen Übersetzung von 1663, Leipzig 1986.

[40] Geiler von Kaisersberg: Fragmenta passionis domini. Erschienen bei Mathias Schürer 1509; benutzt in einem Exemplar der Kunstbibliothek Berlin.

[41] Erschienen bei Grüninger 1517; benutzt in einem Exemplar der Kunstbibliothek Berlin.

[42] Die Verbindung beider ikonographischer Varianten leistet ein Holzschnitt Hans Brosamers. Judas greift nach dem Kelch, den der Apostel vorn links gerade füllt. B. 8,4.

[43] Siehe unten die Ausführungen zu diesem Retabel.

[44] Siehe unten im Kapitel »Abendmahlsaltäre in der deutschen Kunst bis zur Einführung evangelischer Kirchenordnungen«.

[45] Siehe unten im Kapitel »Niederländische Abendmahlsaltäre 1470-1520«.

Seit dem ausgehenden 15. Jahrhundert wird das Abendmahl zunehmend in Verbindung zur Eucharistie gebracht, ohne daß es die dogmatische Bestimmung des Sakramentes zu veranschaulichen vermag. Ablesbar wird ein Sakramentsverständnis, das sich gleichzeitig auch in theologischen Ausführungen zur Eucharistie nachweisen läßt[46]. »Die verkehrte Praxis war aber begründet in einer abwegigen Theologie bzw. darin, daß sie nicht auf einer soliden Theologie beruhte und von ihr durchleuchtet war. Denn im 14. und 15. Jahrhundert hat die Schultheologie die Messe überhaupt nicht behandelt, von der übrigen Eucharistielehre nur die Transsubstantiation besprochen und sich dabei auch zumeist auf die recht breite Erörterung einiger mehr naturphilosophischer Probleme wie das Verhältnis von ausgedehnter Substanz und dem Akzidenz der Quantität beschränkt.«[47]

Die um 1480 erschienene älteste deutsche Gesamtauslegung der Messe[48] ist in ihren Erläuterungen weniger um eine Darlegung des Dogmas und die Begründung der Meßopfertheologie bemüht. Sie folgt vielmehr der allegorischen Interpretationsmethode. »Der einzelne Gläubige bleibt sich selbst und seinen frommen Anmutungen überlassen und wird auch durch die ihm in der Meßauslegung angebotenen Hilfen letztlich nicht zum eucharistischen Geschehen hingeführt, sondern immer wieder von ihm abgelenkt auf irgendwelche allegorischen Gedankengänge hin.«[49] Ziel ist nicht die Vermittlung des dogmatisch gültigen Meßverständnisses. Der Gläubige wird statt dessen anläßlich der Eucharistiefeier zu einer Passionsmeditation aufgerufen. »Es ist einleuchtend, daß durch eine solche Vielzahl von außen herangetragener Deutungen die eigentliche Bedeutung der liturgischen Texte und Riten verdeckt wird; ihre Zuordnung zueinander wird überlagert, ihr Verständnis unmöglich gemacht. Der Laie bleibt im Grunde auf die Außenseite der Messe verwiesen, auf eine Anzahl religiöser Akte, die vom kultischen Geschehen mehr oder weniger unabhängig sind und die sich nur anläßlich der Messe vollziehen. Die *memoria passionis* ist ein rein intentionaler Vorgang, verlegt vom öffentlich-kultischen Geschehen in die subjektive Sphäre des einzelnen, der sich eben von der Außenseite der Messe zu solchem Gedenken ›reytzen‹ läßt, wie es bei der Deutung der Elevatio ausdrücklich heißt: ›Darmit er uns reytzen ist zu andacht und betrachtung des leydens Christi Ihesu .. .‹«[50] Gabriel Biel, einer der einflußreichsten Theologen und Prediger in der zweiten Hälfte des 15. Jahrhunderts[51], betrachtet in seinem IV. Sermo in Coena Domini sowohl die Einsetzung des Sakramentes als auch den Empfang, das Essen. Unter Sakrament ist – wie allgemein in spätmittelalterlichen Eucharistiepredigten – nicht die sakramentale Handlung, sondern der »uns vom Vater als ›bona Gratia‹ geschenkte Christus« verstanden[52]. »Chri-

---

46 Einen allgemeinen Überblick über die spätmittelalterliche und frühneuzeitliche Frömmigkeit leistet zuletzt der Aufsatz von Hamm 1977, der zudem die Möglichkeiten des wissenschaftlichen Zugriffes auf diese vergleichbar komplexe Materie erörtert. Hier auch die kritische Würdigung der älteren Literatur; ausdrücklich genannt seien die Untersuchungen von Oberman 1965, Moeller 1965 und Iserloh 1980.

47 So die lakonische Charakteristik spätmittelalterlicher Unklarheit in dogmatischen Fragen bei Iserloh 1980, 22.

48 Hrsg. Reichert 1967.

49 Reichert 1967, CXXII.

50 Ebd. CXXIII.

51 Vgl. Oberman 1965.

52 Massa 1966, 63.

stus setzte diese Speise(!) ein: erstens als Opfer; zweitens als Nahrung; drittens als Zeichen und Unterpfand seiner Liebe.«[53]

> »*Das wahre Opfer*. Schon immer hatten Menschen Opfer nötig gehabt zur Anerkennung der Oberherrschaft Gottes, zum Nachlaß der Schuld und als Dank für erhaltene Wohltaten. Diese Opfer sind alle abgetan durch das Opfer Christi, denn er ging ein für alle mal in das Allerheiligste ein, nachdem er ewige Erlösung gewirkt hatte (Hebr.). Die gleiche Opfergabe gab er uns im Sakrament, damit wir jene Opfergabe täglich darbringen, in der wir an allen Wohltaten und Früchten ihrer Darbringung am Kreuz teilnehmen können: an der Tilgung der Sünden, der Danksagung, der Befreiung vom Bösen. Diesem Sakrament muß ein offener und unversehrter Glaube, ein fester Glaube im Herzen des Empfangenen entsprechen, weil das Bekenntnis, das im Sakrament äußerlich geschieht, vergeblich wäre, wenn das Herz nicht inwendig den Glauben besäße. Welcher Glaube? Der Glaube der Kirche, daß in der Hostie Christus wahrhaft gegenwärtig ist, ungeteilt in jedem Teil, mit Leib und Blut. Die übrigen kuriosen Fragen verbrennen wir wie die Überbleibsel des Osterlammes.«[54]

Dem Prediger Gabriel Biel ist es demzufolge nicht um die Vermittlung der Transsubstantiationslehre und der theologischen Implikationen des Meßopfers zu tun. »Obwohl Biel in seinem Sentenzenkommentar die philosophischen Aspekte der Theologie der Eucharistie bespricht, wendet er sich in seinen Predigten wiederholt gegen die Neugierde, die sich mit der Quantität und Ubiquität des eucharistischen Christus befaßt. Das Geheimnis der Transsubstantiation sollte auf Grund der Zuverlässigkeit und Allmacht Gottes geglaubt werden.«[55] Die Transsubstantiation wird somit vorausgesetzt, der Glaube, daß Christus im Sakrament wahrhaft zugegen ist, gilt als unanfechtbar. Reflektiert wird das Verhältnis des einzelnen Gläubigen zu dieser Realität.

Für den Sakramentsempfang wird eine entsprechende Vorbereitung gefordert. Die Form der Hostie wird symbolisch interpretiert. »Die Hostie sagt uns, daß wir vor dem Empfang die sieben Todsünden bekämpfen müssen.«[56] Der Einsetzungsbericht im Wortlaut der Konsekrationsworte erhält in diesem Zusammenhang Vorbildcharakter für den Gläubigen.

> »Christus sagt uns aber nicht nur mit Worten, was wir tun sollen, sondern vor allem mit seinen Handlungen.
> 1. Er erhob seine Augen zum Himmel – Unser Streben soll ganz auf Gott gerichtet sein.
> 2. Er sagt Dank – Auch wir sollen Dank sagen für die große Gnade.
> 3. Er segnete und wandelte – Das Wie geht uns nichts an, der Glaube daran genügt. Auch wir müssen uns wandeln, unsern Willen dem Willen Gottes ganz angleichen.

---

[53] Massa 1966, 70.
[54] Hier zitiert in der Paraphrase bei Massa 1966, 70-71.
[55] Obermann 1965, 253f.
[56] Massa 1966, 71.
»1. Die Hostie ist klein – Die Demut muß den Hochmut besiegen.
2. Die Hostie leuchtet – Der Neid ist abzulegen.
3. Die Hostie ist unversehrt – Der Zorn muß beherrscht werden.
4. Die Hostie ist rund – Die faule Trägheit muß aufgegeben werden.
5. Die Hostie ist ungesäuert – Der Geiz ist aufzugeben.
6. Die Hostie ist rein – Die schmutzige Wollust muß besiegt werden.
7. Die Hostie trägt eine Aufschrift – Die Gaumenlust muß überwunden werden.«
Massa 1966, 71.

4. Er brach das Brot und teilte aus – Wir sollen uns brechen in echter Gewissensprüfung.
5. Er gab sich den rechten Jüngern – Wir müssen wahre Jünger sein. Wer damals in Kapharnaum wegging, weil er nicht glaubte, war kein wahrer Jünger. Zum wahren Jünger gehört der Glaube. Und wahre Jünger sind die, welche Bruderliebe haben. Das Sakrament der Liebe empfange keiner, der keine Liebe hat.«[57]

Der Gruppe eucharistischer Predigten, die wie bei Gabriel Biel die Memoria Passionis in den Mittelpunkt stellt, ist eine zweite gegenüberzustellen, die die Meßzeremonie allegorisch ausdeutet. Auch hier wird jedoch nicht die gültige Meßopfertheologie schlüssig vermittelt, bei der Analyse erkennt man vielmehr, »... wie willkürlich und eigenmächtig historische Details des Lebens Jesu bestimmten Meßriten und Zeremonien zugeordnet werden.«[59]

Im ausgehenden 15. und zu Beginn des 16. Jahrhunderts steht für das Sakramentsverständnis nicht die Vermittlung gültiger Theologie im Mittelpunkt[59]. Neben allegorischen Deutungen ist vor allem die Memoria Passionis von Bedeutung. Das Sakrament – gemeint ist nicht die sakramentale Handlung, sondern der eucharistische Leib Christi – wird auf die Passion hin meditiert. Das Heilsgeschehen wird dabei individuell auf den einzelnen Gläubigen bezogen. In diesem Kontext vermag auch der Bericht vom Letzten Abendmahl auf die Eucharistie hin ausgedeutet zu werden. Christus hat einerseits während der in den biblischen Berichten überlieferten Handlung das Sakrament eingesetzt. Die Vermittlung dieser Zeremonie zur kirchlichen Liturgie ist bei einem statischen Sakramentsverständnis (gemeint ist mit diesem Begriff eine Auffassung, die unter Sakrament nur den eucharistischen Christus versteht, nicht aber die sakramentale Handlung[60]) nicht mehr notwendig. Gleichzeitig stellt andererseits der Verrat des Judas durch den unwürdigen Kommunionsempfang eine Station der Passion Christi dar. Das Abendmahl kann somit als Szene der Passion die Eucharistie veranschaulichen. Die gewandelte Frömmigkeit, die im Sakrament vor allem das Leiden Christi reflektiert, kann die Darstellung des Letzten Abendmahles in diesem Sinne auf die Eucharistie beziehen.

Die Darlegung gültiger Meßtheologie und die gedankliche Vermittlung der Transsubstantiationslehre spielen in der spätmittelalterlichen und frühneuzeitlichen Frömmigkeit eine deutlich untergeordnete Rolle. Die Memoria Passionis ist wichtigster Ausdruck des Sakramentsverständnisses. Gleichzeitig gewinnt die biblische Einsetzung der Eucharistie an Interesse. Nicht durch die Veränderung der Ikonographie, sondern durch einen Wandel der Frömmigkeit vermag die Darstellung des Abendmahles an der Wende vom 15. zum 16. Jahrhundert das Sakramentsverständnis zu veranschaulichen.

---

[57] Massa 1966, 71-72.

[58] Massa 1966, 86.

[59] Neben der aufschlußreichen Analyse eucharistischer Predigten durch Massa 1966 sei in diesem Zusammenhang auch auf die Arbeit von Kötter 1969 verwiesen, der »Die Eucharistielehre in den katholischen Katechismen des 16. Jahrhunderts bis zum Erscheinen des Catechismus Romanus (1599)« untersucht. »Was speziell die Meßopferlehre betrifft, kann man für das Gebiet der systematischen katechetischen Verkündigung nicht schlechthin von einem Versagen sprechen ... Eher ist der Schluß erlaubt, daß die Eucharistie-Theologie der voraufgehenden Jahrhunderte nicht die rechten Voraussetzungen für eine ausgeglichene und gültige Antwort bereitgestellt hatte, so daß sie aus einem gesicherten und dogmatisch abgeklärten und abgerundeten Besitz hätte gegeben werden können.« Kötter 1969, 312; vgl. auch Hamm 1977 mit der älteren Literatur.

[60] Vgl. die Ausführungen bei Massa 1966, bes. 208f.

Daß sich die Veränderung der Eucharistie-Frömmigkeit ebenfalls auf die Darstellungen des Altarsakramentes auswirken, belegen beispielsweise die Flügelgemälde eines um 1525 für die Totenkapelle zu Niederolang/Tirol entstandenen Retabels[61]. Nicht die Gregorsmesse oder ein anderes Thema, das die Meßopfertheologie und das Transsubstantiationsdogma veranschaulicht, wird gewählt, sondern Bildthemen, die die Wirkung des Sakramentes für die Gläubigen zeigen: die Speisung der Hungrigen, eine Meßzeremonie sowie zwei Szenen, in denen die Wohltaten des Meßopfers für die Seelen Verstorbener im Fegfeuer (Engel bringen den Seelen Hostien) vorgeführt werden[62].

Die Darstellungen des Abendmahles zu Beginn des 16. Jahrhunderts lassen sich in zwei Hauptgruppen unterscheiden. Einerseits bleibt die bereits charakterisierte psychologisierende Wiedergabe der Judaskommunion in der ersten Jahrhunderthälfte gebräuchlich, seltener ist die zweite Variante dieser Gruppe, die die Entscheidung des Judas zum Bildthema erhebt. Diese Beispiele bleiben nahezu durchgängig dem spätgotischen Formenrepertoire verhaftet wie es durch die Komposition des I.A.M. van Zwolle oder derjenigen aus dem Schongauer-Kreis repräsentiert wird. Mit der zweiten Hauptgruppe wird ein Vorlagenwechsel vollzogen, maßgeblich werden die im Holzschnitt verbreiteten Bildformulierungen Dürers. Diese Darstellungen sind in der Regel – bei aller qualitativer Unterschiedlichkeit – stilistisch als moderner zu bewerten.
Ihren Ausgang nimmt die neue Ikonographie, die gleichzeitig die formale Gestaltung und die inhaltliche Interpretation des Themas verändert, von der Abendmahlskomposition des Leonardo da Vinci. Zwischen 1495 und 1498 malte Leonardo da Vinci das Abendmahl für das Refektorium des Dominikanerklosters S. Maria delle Grazie zu Mailand[63]. Das Geschehen ist in einen architektonisch klar gegliederten Raum verlegt, die Stellung der Figuren räumlich ablesbar und sinnvoll. Die Figur des Judas ist nicht isoliert, sondern in die insgesamt hinter dem Tisch befindliche Apostelgruppe integriert. Dargestellt ist, wie von Einem zeigen konnte[64], derjenige Moment der Erzählung, als die Apostel auf die verbale Verratsankündigung reagieren. Passahmahl und Einsetzung des Sakramentes gehen zeitlich voraus. Die Sakramentseinsetzung ist jedoch von Leonardo durch die Gebärden Christi in die Szene integriert, »... so erkennen wir vor Christi rechter Hand einen Becher. Wie die Linke – verhalten aber unverkennbar – auf das Brot, so deutet die Rechte auf den Wein. Nicht nur die Ankündigung des Verrates, sondern auch die Einsetzung des Sakramentes hat hier Gestalt gewonnen ... Sie müßte ... (wenn die Einheit der Zeit streng gewahrt werden sollte) bereits geschehen sein. Leonardo hebt sie aus dem zeitlichen Verlauf heraus und verleiht ihr Dauer.«[65] Für die Darstellung der Verratsankündigung ist die traditionelle Ikonographie der Judaskommunion verlassen. Die Genese der Komposition läßt sich anhand erhaltener Entwurfszeichnungen in ihren Grundzügen nachzeichnen. Leonardo löst sich schrittweise von der Bildtradition, die die Judaskom-

[61] Die Gemälde befinden sich im Tiroler Landesmuseum Innsbruck und im Pfarrhof zu Niederolang. Die Festtagseite der Flügel zeigt: Abendmahl – Himmelfahrt Christi – Pfingsten – Apostelabschied; Egg 1985, 217f. und Abb. 158.
[62] In anderer Weise wird die Wirkung der Seelenmesse im Armenseelenaltar des Siegmund Grauer, 1518 von einem Regensburger Meister geschaffen, veranschaulicht. Museen der Stadt Regensburg; vgl. »Luther ...« 1983, Nr. 443.
[63] Moeller 1952; Einem 1961; Gilbert 1974.
[64] Einem 1961.
[65] Einem 1961, 63.

munion mit der isolierten Figur des Verräters zeigt[66]. Erreicht wird in Mailand statt dessen eine psychologische Interpretation des Geschehens. Nicht mehr die äußere Handlung wird wiedergegeben, sondern die emotionale Reaktion aller Anwesenden auf die verbale Verratsankündigung.
Die Komposition Leonardos ist unmittelbar rezipiert worden und gelangte vor allem auch durch graphische Umsetzung zu großer Verbreitung[67]. Als frühester Nachstich gilt derjenige von Zoan Andrea[68], für die Auseinandersetzung mit dem Vorbild nördlich der Alpen wird darüberhinaus der Stich Marcanton Raimondis *(Abb. 28)*[69] wichtig.
In einer Abendmahlskomposition für ein Retabel ist die Komposition Leonardos, vermutlich durch den Nachstich Marcanton Raimondis vermittelt, am Beginn des 16. Jahrhunderts offenbar nur ein einziges Mal nahezu wörtlich übernommen worden: in der 1521 von Martin Schaffner gemalten Predella des Hutz-Altares im Ulmer Münster[70]. Der Vergleich zeigt jedoch wesentliche Unterschiede, so hat Martin Schaffner die traditionelle Christus-Johannes-Gruppe wieder eingeführt. Judas entfernt sich bereits vom Geschehen. Schaffner rückt den Tisch unmittelbar an die untere Bildkante und gibt die Szene in einem engeren, gerade die Figuren umschließenden Raum wieder. Die architektonische Disposition des Vorbildes mit ihrer zentralperspektivischen Ablesbarkeit ist nicht übernommen. Gleichwohl diente die Bilderfindung von Leonardo als Vorbild für eine Vielzahl künstlerischer Versuche, nicht nur die äußere Handlung der Judaskommunion zu schildern, sondern den Dialog der Abendmahlsrunde zu veranschaulichen.

1511 erschien die Kleine Holzschnittpassion Dürers, deren Kompositionen bekanntlich kaum zu überschätzende Breitenwirksamkeit erzielten[71]. Das Abendmahl *(Abb. 29)* ist nach dem Einzug in Jerusalem, der Vertreibung der Wechsler aus dem Tempel und Christi Abschied von seiner Mutter angeordnet. Dürer verbindet in seiner Komposition spätgotische Darstellungsformen der Verratsankündigung durch Judaskommunion mit an der Komposition Leonardos geschulten Neuerungen. In einem Raum, dessen Rückwand, Decke und vordere obere Abschlußkante durch einen Baldachin gebildet werden, sitzen Christus und die Apostel zum Letzten Abendmahl zusammen. Der kastenförmige Raumeindruck wird verstärkt durch die beiden blockhaften Sitzbänke vorn, die bildflächenparallel angeordnet sind. Formal kontrastierend ist der Tisch rund wiedergegeben. Den Figuren ist wenig Raum gelassen, es entsteht der Eindruck von Enge und Gedrängtheit. Die Komposition kennzeichnet deutlich Christus, der in der Mitte hinter dem Tisch sitzt und in leicht vergrößertem Figurenmaßstab gestaltet ist. Christus und Judas sind einander traditionell gegenüber sitzend angeordnet. Die Handlung der Judaskommunion ist aufgegeben. Geblieben ist jedoch die ikonographisch zugehörige Christus-Johannes-Gruppe und die formale Zuordnung von Christus und Verräter. Die rechte Hand des Herrn ist im Redegestus erhoben. Seinen Kopf neigt er leicht nach links und blickt auf den Verräter, der vorn, rechts der Mitte, am Tisch sitzt. Judas hat sich leicht gedreht und seinen linken Fuß bereits aus der Sitzbank herausgestellt. In seiner Linken hält er den Beutel, die andere

[66] Einem 1961, 50-57, vgl. auch Moeller 1952, der die erhaltenen Zeichnungen abbildet.
[67] Moeller 1952.
[68] Moeller a.a.O. 163f. und Abb. 107.
[69] B. 26; weitere Nachstiche B. 26b sowie B. 27.
[70] »Schaffner ...« 1959, Nr. 21.
[71] »Dürer ...«, 1971, Nr. 603; hier die wichtigste ältere Literatur; vgl. auch Strauss 1980. Das Abendmahl: B. 24.

Hand hat er vor sich auf den Tisch gelegt. Die übrigen Apostel sind zu Gruppen zusammengefaßt und deutlich im Gespräch miteinander gezeigt. Der Herr schaut Judas direkt an. Dieser blickt zu ihm auf. Die kompositionelle Beziehung zwischen beiden Figuren verrät die Kenntnis der oberrheinischen Abendmahlsikonographie[72]. Neu ist die Veranschaulichung der Verratsankündigung durch den Redegestus. Von dieser Darstellungsmöglichkeit dürfte Dürer durch eine graphische Wiedergabe der Bilderfindung Leonardos Kenntnis erhalten haben *(Abb. 28)*[73]. Die Gesprächsgesten sind jedoch verhaltener als im Vorbild gestaltet. Ausgehend von der spätgotischen Komposition, die die Begegnung zwischen Christus und Judas psychologisch zugespitzt wiedergibt, verändert Dürer die Ikonographie der Verratsankündigung. Sie wird nicht mehr durch die Judaskommunion veranschaulicht, sondern durch die gestische Wiedergabe der Rede Christi sowie durch die Reaktion der Zuhörenden[74].

Im Holzschnitt der Großen Passion *(Abb. 30)*[75] schlägt Dürer eine andere Formulierung der neu entwickelten Ikonographie vor. Beibehalten ist das von der italienischen Vorlage abweichende Hochformat. Die Gruppe hat sich in einem Innenraum versammelt, dessen quadratischer Grundriß aus der Gewölbeform erschlossen werden kann. Der Tisch ist rechtwinklig gestaltet. Die räumliche Disposition ist klarer formuliert. Die Zuordnung von Christus und Judas, wie sie aus der traditionellen Schilderung der Verratsankündigung durch die Judaskommunion herrührt, ist aufgegeben. Christus, in der Mitte hinter dem Tisch, um Weniges größer wiedergegeben als die übrigen Figuren, wendet sich nicht mehr dem Verräter zu. Er bezieht sich jedoch auch auf keine andere Figur. Seinen Kopf hat er nach rechts geneigt, er schaut niemanden an. Der Redegestus ist von der rechten in die linke Hand verlegt. Damit ist jede Assoziation an einen Segensgestus – die andere ikonographische Variante traditioneller Abendmahlsdarstellungen – ausgeschlossen. Judas sitzt vorn rechts der Mitte, weit vornübergebeugt. Die rechte, vor den Körper gehaltene, Hand umgreift den Beutel, die linke ist im Gespräch erhoben, Judas blickt nach rechts zu den dort sitzenden Aposteln. Die Jünger sind in heftiger Reaktion auf die Worte Christi gezeigt. Eine weitere Figur steht vorne isoliert und füllt gerade einen Becher. Die Gestik der Apostel ist deutlich am Vorbild der Komposition Leonardos orientiert. Zitiert werden Motive wie die ausladende Armgeste eines Apostels oder eine Figur, die sich hinter einer anderen entlang beugt. Judas sitzt zwar formal noch immer isoliert vor dem

---

[72] Die traditionelle Variante der Judaskommunion ist in einer nicht unwidersprochen Dürer zugeschriebenen Zeichnung des Berliner Kupferstich-Kabinettes (KdZ 11715; »Dürer ...« 1984, Nr. 4) verwendet. Die Szene ist nicht in einem Innenraum wiedergegeben, sondern in durch Wolken markierter himmlischer Umgebung. Möglicherweise handelt es sich hierbei um den Versuch, die Koinzidenz von himmlischer und irdischer Liturgie zu veranschaulichen. Diese Konzeption scheint jedoch eher ein privates Experiment des Künstlers zu dokumentieren, als den Entwurf für eine offiziellere Komposition (Graphik, Gemälde) zu bieten.

[73] Zur Vermittlung der Komposition Leonardos siehe Moeller 1952, zu den hier genannten Beispielen kommt wesentlich hinzu der Nachstich nach Raffael durch Marcanton Raimondi (B. 26). Der genaue Transfer der Invention Leonardos in das Formenrepertoire nördlich der Alpen kann in diesem Zusammenhang nicht nachgezeichnet werden. Für die Übernahme in Retabeldarstellungen spielen erst die transformierten Kompositionen, nicht jedoch die direkten Nachstiche, eine Rolle.

[74] Für die Abhängigkeit einzelner Motive wie den runden Tisch von dem 1507 datierten Holzschnitt von Schäufelein für das bei Ulrich Pinder erschienene Speculum vgl. Winkler 1941, 204 und Strauss 1980, Kat. 109.

[75] B. 5. »Dürer ...« 1971, Nr. 597.

Tisch, aber er ist, ebenfalls in bewußter Abweichung von der Tradition, nicht auf Christus bezogen. Er wird vielmehr ansatzweise in das Gespräch der Apostel integriert.
Der Holzschnitt der Großen Passion ist 1510 datiert. Er markiert eine größere Entfernung von der traditionellen Ikonographie und eine ausgeprägtere Verarbeitung von Motiven aus der italienischen Vorlage als das entsprechende Blatt der Kleinen Passion. Man wird deshalb in Ergänzung zu stilistischen Erwägungen die undatierte Abendmahlskomposition der Kleinen Passion in die Anfangszeit der Arbeit an diesem Zyklus, möglicherweise noch 1509 datieren wollen[76]. Stellt die frühere Abendmahlskomposition der Kleinen Passion die Verbindung überkommener und neuer Motive dar, markiert die entsprechende Darstellung der Großen Passion den bewußten Bruch mit der ikonographischen Tradition.

Vergleicht man die Kompositionen Dürers mit der von einem Künstler aus dem Umkreis des Bartholomäus Zeitblom geschaffenen Abendmahlstafel aus dem Ulmer Wengenkloster *(Abb. 40)*[77], so zeigt sich in beiden Fällen das Abgehen von den traditionellen Darstellungsvarianten Judaskommunion und Sakramentseinsetzung. In dem Ulmer Gemälde präsentiert Christus jedoch das Sakrament, während Dürer die Worte Christi und die innere Reaktion der Apostel darzustellen sucht und damit – in der Auseinandersetzung mit der vorbildhaften Formulierung bei Leonardo – für die nordalpine Kunst einen grundsätzlichen Entwicklungsschritt in der Wiedergabe psychologischer Vorgänge und menschlicher Interaktion vollzieht.
In Dürers Abendmahlsholzschnitt von 1523 ist diese Entwicklung fortgesetzt[78]. Die querformatige Darstellung ordnet alle Figuren hinter dem Tisch beziehungsweise an den beiden Schmalseiten an. Aufgenommen sind weiterhin aus der Vorlage Leonardos die Zäsur zur Rechten Christi, die Dreiergruppe am rechten Tischrand oder die sich vorrekkende ältere Männergestalt links. Die Ikonographie ist jedoch gegenüber den beiden besprochenen älteren Darstellungen des gleichen Themas von Dürer grundsätzlich verändert und weicht ebenfalls von der italienischen Vorlage ab. Judas hat die Runde bereits verlassen. In den Entstehungskontext dieses Holzschnittes gehört eine Zeichnung, die eine offenbar verworfene Bildformulierung wiedergibt[79]. Christus ist hier an der linken Schmalseite des Tisches plaziert. Für den Druck hat Dürer letztendlich die in strengen Bildparallelen aufgebaute und dem Formenideal Leonardos näher kommende Formulierung gewählt.
Da zur Entstehungszeit des Holzschnittes 1523 bereits Abendmahlstraktate Luthers diskutiert werden, ist in der Forschung wiederholt vorgeschlagen worden, in der Komposition die Umsetzung reformatorischen Gedankengutes zu sehen[80]. Die Bilderfindung

[76] Vgl. Strauss 1980, der das nicht datierte Blatt der Kleinen Passion um 1508/09 einordnet (Kat. 109) und aus stilistischen Gründen eine Entstehung vor der 1510 datierten Komposition der Großen Passion (Kat. 148) plausibel macht.
[77] Siehe unten im Kapitel zur Abendmahlstypologie.
[78] »Dürer ...« 1971, Kat. 396; »Luther ...« 1983, Kat. 549. B. 53; Strauss 1980, Nr. 199. Die Kupferstichpassion Dürers beginnt bekanntlich erst mit dem Gebet am Ölberg.
[79] Federzeichnung, Wien, Albertina 3178; »Dürer ...« 1971, Nr. 621.
[80] Zuletzt »Luther ...« 1983, Kat. 549 (Gottfried Seebaß): »In der Nachfolge italienischer Vorbilder, aber doch Elemente seiner eigenen früheren Darstellungen beibehaltend, hat Dürer das Abendmahl zu einem deutlich ›reformatorischen‹ Bild gestaltet ... Ob in dem Fehlen des Passah- und Opferlammes auf der Schüssel und deren Verlagerung auf den Boden eine bewußte Ablehnung des Opfergedankens der traditionellen Messe liegt (Panofsky – 1977, 295-298), muß dahingestellt blei-

Dürers von 1523 hat jedoch keine Aufnahme in Retabeldarstellungen gefunden, eine Diskussion dieser Thesen würde daher hier zu weit führen. Es sei allerdings vermerkt, daß eine Abendmahlsdarstellung ohne Judas wohl nicht die Abendmahlslehre Luthers illustriert[81]. Die Komposition verbleibt in der für Dürer charakteristischen Auseinandersetzung zwischen traditionellen Vorlagen und italienischen, das Formenideal der Renaissance repräsentierenden Neuerungen, so daß gegenüber konfessionell zuordnenden Interpretationen zunächst Zurückhaltung geboten scheint.

Die Ikonographie des Abendmahles mit nicht mehr teilnehmendem Judas ist in Nürnberg bereits früher bekannt. Auf der entsprechenden Tafel des 1499 datierten Volckamer-Epitaphs in St. Sebald von Veit Stoß *(Abb. 27)*[82] wird Judas im Hintergrund gezeigt, während er die Runde verläßt. Christus wendet sich mit einem Redegestus und wie bei der späteren Entwurfszeichnung von Dürer am linken Rand sitzend dem neben ihm sitzenden Apostel, der in seiner Hand ein Stück Brot hält, zu[83]. Die vergleichsweise seltene Ikono-

---

ben. Deutlich aber ist die herausgehobene Stellung des Kelches auf dem Tisch. In der Gabe des Kelches konzentriert sich – vor allem auch für das Volk – die stiftungsgemäße Abendmahlsfeier... Da nur beim Kelch vom Blut des neuen Bundes gesprochen wird, bestätigt dessen Herausstellung noch einmal den Gedanken des Gemeinschaftsmahles. In diesem Sinn ist von Dürer vor allen innerevangelischen Auseinandersetzungen eine grundlegende und gemeinreformatorische Darstellung geschaffen worden.« Eine solche Interpretation geht implizit von biographischen Informationen, die Dürers positive Einstellung Luther gegenüber belegen, aus. Die Darstellung allein erlaubt solche Schlüsse nicht. Auf der zugehörigen Zeichnung befindet sich neben dem Kelch ein Brotlaib. Zu einer möglichen Bedeutung dieser Details als proreformatorische Äußerungen (Forderung nach der communio sub utraque specie) vgl. die Überlegungen zum Bordesholmer Altar im Kapitel zur Abendmahlstypologie.

Dürers Darstellung stammt jedoch nicht aus dem offiziellen Kontext eines Retabels, so daß der Versuch einer Illustration aktueller theologischer Diskussion – im gleichen Jahr bitten die Pröpste beider Nürnberger Pfarrkirchen den Rat um Erlaubnis, das Abendmahl in beiderlei Gestalt austeilen zu dürfen (»Dürer...« 1971, Nr. 396 mit weiterer Literatur) – immerhin denkbar ist. Voraussetzung einer solchen Interpretation wäre jedoch, das Verhältnis der Kompositionen Dürers zur Bildtradition des Abendmahles noch einmal eingehend zu klären.

[81] Zu den unterschiedlichen Standpunkten der Reformatoren zur würdigen bzw. unwürdigen Kommunion vgl. beispielsweise die Verhandlungen zur Wittenberger Konkordie 1536, in denen diese Frage wesentlich zur Diskussion stand; Köhler 1950, 2. Bd., bes. 444-449.
Ob die Komposition Dürers die theologischen Diskussionen in Nürnberg aufgreift und etwa eine Auseinandersetzung mit Gedanken Osianders widerspiegelt, kann hier nicht geklärt werden.

[82] Vgl. den Beitrag von Rainer Kahsnitz im Katalog der Veit-Stoß-Ausstellung Nürnberg 1983, Kat. 20; zu den zugehörigen Monumentalfiguren von Schmerzensmann und trauernder Muttergottes ders. in: »Nürnberg Gotik« 1986, Nr. 89.
Der Hinweis auf das Volckamer-Epitaph als lokales Vorbild für Dürer fehlt im Text von »Dürer« 1971, Nr. 621; hier wird lediglich auf die ältere Formulierung bei Giotto verwiesen.

[83] Daß Christus hier selbst ein Stück Brot empfängt, wie Rainer Kahsnitz vermutet (»Stoß...« 1983, S. 223 und 253), scheint unwahrscheinlich. Verschiedene Indizien sprechen gegen diese Interpretation der Szene. Die Geste der rechten Hand Christi mit der nach außen gekehrten Handfläche und den unterschiedlich angewinkelten Fingern dürfte einen Redegestus meinen, als Geste des Empfangens würde man eher eine nach oben gewendete Handfläche erwarten. Ungewöhnlich ist in der Tat, daß der Christus zugeordnete Jünger das Brot in der Hand hält und nicht als Mundkommunion empfängt. Dargestellt ist jedoch nicht die traditionelle Judaskommunion, aber auch nicht die zweite traditionelle ikonographische Variante der Sakramentseinsetzung. In dem geschäftigen Treiben der Abendmahlsdarstellung wird am linken Rand eine Binnengruppe gebildet: Christus mit dem an seiner Brust ruhenden Johannes, der sich mit wehendem Mantel dem Herrn zuwendet und ihm etwas ins Ohr sagt. Christus selbst hat seinen Mund geöffnet, dargestellt scheint ein Gespräch. Eine eingehende Untersuchung des Abendmahlsreliefs vom Volckamer-Epitaph hätte die insgesamt nicht ohne Weiteres aus der ikonographischen Tradition zu erklärende

graphie des sich vom Abendmahl entfernenden Judas findet sich auch in einem Einblattholzschnitt von Matthias Gerung[84]. Hans Schäufelein verwendet ebenfalls die Ikonographie mit weggehendem Judas, so in seiner 1511 datierten Abendmahlstafel in Berlin und in der entsprechenden Darstellung von 1515 im Ulmer Münster[85].

Die Kompositionen Dürers aus der Kleinen und aus der Großen Holzschnittpassion dienten verschiedentlich als Vorlagen für Abendmahlsdarstellungen im Retabelkontext[86]. Die Art der Rezeption, flache Kopie oder Auseinandersetzung mit dem Vorbild, bezeichnen die Spanne künstlerischer Qualität. Der Holzschnitt der Kleinen Passion diente beispielsweise für einen 1528 datierten Altar in Frauenbreitungen/Thüringen als Grundlage der Abendmahlsdarstellung[87] sowie ebenfalls für den Abendmahlsaltar in Niederstetten *(Abb. 12a)*[88]. Heinrich Heisen verwendet für sein Gemälde von 1524 das entsprechende Blatt der Großen Passion[89]. Hans Brüggemanns Verknüpfung von Abendmahl und Fußwaschung aus der Kleinen Passion in der Predella des Bordesholmer Altares *(Abb. 42a-c)*[90] spiegelt ein weitergehendes Umgehen mit den modernen Vorlagen.
Statistisch gesehen häufiger aufgenommen wurde die Darstellung aus der Kleinen Passion, die gegenüber der Großen Passion der traditionellen Ikonographie stärker verhaftet bleibt. Veranschaulicht wird die verbale Verratsankündigung unter Beibehaltung der spannungsreichen Gegenüberstellung von Christus und Judas. Das aus der spätgotischen Ikonographie übernommene Thema der würdigen beziehungsweise unwürdigen Kommunion des Judas sowie des Leidens Christi an diesem Verrat wird von Dürer in eine moderne Formensprache übersetzt. Nicht mehr durch die Wiedergabe der äußeren Handlung, sondern durch die Darstellung von Gespräch und Reaktionen bleibt die Ge-

---

Darstellung – schon die Plazierung Christi an der linken Tischseite ist nicht aus der Bildtradition vor Ort im ausgehenden 15. Jahrhundert abzuleiten – auf den gemeinten zeitlichen Moment der Szene zu prüfen. Eine andere ikonographische Variante der Darstellung eines Gespräches unter Hervorhebung einer Dreiergruppe aus der Abendmahlsrunde leistet beispielsweise die Tafel aus dem Ulmer Wengenkloster; siehe unten im Kapitel zur Abendmahlstypologie.

[84] Strauss 1975, Bd. 1, T. 252-253.
Das Weggehen des Judas findet sich auch in der Passionsserie von Urs Graf (B. 2i), das Blatt zeigt jedoch vier Episoden, Verratsankündigung, Fußwaschung, Einsetzung des Sakramentes und schließlich den weggehenden Judas, der bei allen vorausgehenden Szenen noch anwesend ist. Ein zweiter Passionszyklus von Urs Graf zeigt wiederum Fußwaschung, Abendmahl (B. 3a) und den weggehenden Judas. Das Abendmahl in der Ikonographie der Sakramentseinsetzung und entsprechend ohne Christus-Johannes-Gruppe ist jedoch mit nur fünf Aposteln wiedergegeben, so daß nicht zu entscheiden ist, ob Judas noch zugegen ist oder nicht.

[85] Vgl. zuletzt Weih-Krüger 1986, 183-186 sowie die Zusammenfassung der Untersuchung 1988; durch das Ulmer Gemälde dürfte Martin Schaffner Kenntnis von dieser Ikonographie erhalten haben.

[86] Zuweilen wurde auch statt der Komposition aus der Kleinen Passion von Dürer der entsprechende Holzschnitt von Schäufelein aus dem 1507 edierten Speculum Passionis als Vorlage verwendet; Löcher 1986.

[87] Lehfeldt/Voss 1910, Abb. S. 60-61 sowie die Tafeln zwischen S. 56 und 57.

[88] Siehe die Ausführungen im Kapitel »Nachfolge des Rothenburger Heiligblut-Altares«. Ebenfalls an der Kleinen Holzschnittpassion von Dürer orientiert ist die Abendmahlstafel des 1515 datierten Wettenhauser Altares von Martin Schaffner (Bayerische Staatsgemälde-Sammlungen), der Mann mit der Kanne ist aus der entsprechenden Komposition der Großen Passion übernommen; »Schaffner ...« 1959, Nr. 12c.

[89] Die ursprünglich zu einem Marienaltar gehörige Tafel befindet sich in der ev. Marienkirche, Göttingen; Gmelin 1974, Kat. 196.

[90] Vgl. die Ausführungen im Kapitel zur Abendmahlstypologie.

genüberstellung des Herrn mit dem Verräter weiterhin beherrschendes Bildthema. So wird auch von Heinrich Heisen trotz der Orientierung an der Formulierung aus der Großen Passion die Wendung Christi zu Judas wiederhergestellt. Bei dem Wechsel der Vorlagen von den spätgotischen zu den modernen von Dürer formulierten Kompositionen wird die gewohnte inhaltliche Aussage beibehalten.

Stellung des Abendmahles im Retabelkontext

Das Abendmahl kann im Gesamtaufbau eines Retabels unterschiedlich plaziert werden. In den seltensten Fällen wird es als Hauptdarstellung gewählt.
In den frühesten Beispielen der Verwendung in Retabeln, etwa in französischen Steinretabeln des 13. Jahrhunderts, bildet das Abendmahl eine Szene des Passionszyklus[1]. Im Klosterneuburger Retabel des 14. Jahrhunderts[2] gehört das Abendmahl ebenfalls der – hier typologisch ausgeschmückten – Leidensgeschichte an. Weit häufiger umreißen die Passionszyklen der Retabel die Leidensgeschichte mit nur wenigen Darstellungen und beginnen frühestens mit dem Ölberggebet. Je nach Anordnung des ausführlicheren Passionszyklus im Flügelaltar ist das Abendmahl in den die Hauptszene begleitenden Feldern der Mitteltafel oder auf den Flügelinnenseiten angeordnet. In der ersten Wandlung umfassen Passionszyklen mitunter ebenfalls das Abendmahl, in der Alltagswandlung während des 15. und bis zu Beginn des 16. Jahrhunderts nur in Ausnahmefällen. Die geringe Anzahl der unterzubringenden Szenen fordert hier andere Themen (Gefangennahme, Geißelung, Kreuztragung, Kreuzigung).

Die statistische Verbreitung des Abendmahles als Passionsszene auf Retabelflügeln beziehungsweise als untergeordnete Szene auf der Mitteltafel durchläuft eine Entwicklung. Die Gruppe der frühen mittelrheinischen und norddeutschen Retabel[3] weist keine einzige Abendmahlsdarstellung auf. Seit dem ausgehenden 14. Jahrhundert ist das Abendmahl eine geläufige Darstellung in den Passionszyklen der westfälischen Retabel, etwa in Netze, Bielefeld und Wildungen[4], sowie im norddeutschen Raum bei Meister Bertram und seiner Nachfolge[5]. Gleiches gilt für die frühen Schnitzaltäre, beispielsweise in Werni-

---

[1] Ein Beispiel bewahrt die Skulpturengalerie in Berlin, 2. Hälfte 14. Jahrhundert, Inv. 8721 (nicht bei Demmler 1930); vgl. auch »Les Fastes ...« 1981/82, etwa das Retabel aus der Zisterzienser-Abtei Maubuisson, um 1340, Paris Louvre; Kat. 29; weitere Passionsretabel mit vergleichbarem Aufbau: Retabel mit vier Szenen der Passion, 2. Hälfte 14. Jahrhundert, Paris Louvre, Kat. 18; oder das Passionsretabel aus St. Denis, um 1350/60, St. Denis; Kat. 62.

[2] Gemeint ist das Retabel, das unter Neuverwendung der Emails des Ambos von Nikolaus von Verdun im 14. Jahrhundert geschaffen wurde; vgl. die Ausführungen im Kapitel »Retabel, Reliquien und Bildprogramme«.

[3] Zu dieser Gruppe von Retabeln vgl. Keller 1965 und Ehresmann 1982.

[4] Stange DMG 2, Abb. 159; DMG 3, Abb. 50; DMG 3, Abb. 13.

[5] Hannover, Niedersächsisches Landesmuseum; Stange DMG 2, Abb. 172-177 (Das Abendmahl nicht abgebildet). Paris, Musée des Arts décoratifs; Stange DMG 2, Abb. 187.

gerode und Nöschenrode[6]. Diese Verwendung setzt sich im Laufe des 15. Jahrhunderts, sofern die Passionszyklen entsprechend ausführlich erzählt werden, durch. Das Abendmahl wird gleichermaßen in geschnitzten Passionszyklen, etwa bei Cord Borgentrik in Köln[7] oder im Eichstädter Schnitzaltar[8], wie in gemalten, so in den Flügelgemälden aus der de-Coter-Werkstatt[9], verwendet. Zuweilen wird das Abendmahl, besonders in niederländischen Exportaltären des beginnenden 16. Jahrhunderts, als kleine Rahmenszene einer größeren Hauptdarstellung zugeordnet. Es ist dann in der Regel Bestandteil einer ausführlichen Passionserzählung, die die Hauptszene – die Retabel besitzen meist eine zentrale Kreuzigung – ergänzt[10].

Statistisch am häufigsten ist das Abendmahl im Retabelkontext in der Predella plaziert. Das Thema präsentiert sich hier an derjenigen Stelle eines Retabelprogrammes, die dem Altar als Ort der Eucharistiefeier räumlich am nächsten ist. Daß hierbei jedoch nicht selbstverständlich von einer thematischen Bezugnahme ausgegangen werden darf, ist bereits gezeigt worden.

Die als Standard geltende Anordnung des Abendmahls in der Predella setzt einen Retabeltypus mit Predella voraus, der seinerseits jedoch erst eine Entwicklung des 15. Jahrhunderts darstellt. Das offenbar früheste Beispiel einer Retabelpredella, der Grabower Altar des Meister Bertram, bietet keinen Raum für eine szenische Darstellung. Die niederländischen Retabel, gemalte wie geschnitzte, des 15. Jahrhunderts besitzen bekanntlich keine Predellen. Gleichfalls ohne Predella kommen die am niederländischen Vorbild orientierten süddeutschen Retabel der ersten Hälfte des 15. Jahrhunderts aus[11]. Erst nach der Jahrhundertmitte werden Predellen zur Norm, eine erste Gruppe von Retabeln orientiert sich dabei weiterhin an der, am Grabower Altar vorgebildeten, Reihung von Einzelfiguren[12]. Andere Flügelaltäre nutzen die Predella zur Erweiterung der Szenenfolge. Nur hier findet die Verwendung des Abendmahles als Predellendarstellung eine Möglichkeit. Die Predella birgt in Werken wie dem Kalkarer Hochaltar[13], einer Reihe niederländischer Exportaltäre[14] oder dem gemalten Hochaltar der Frankfurter Dominikanerkirche von Hans Holbein d. Ä.[15] eine Szenenfolge vom Beginn der Passion. Erst in ei-

---

[6] Wildenhof 1974, Kat. 85 und 107.

[7] Marienaltar mit Passionszyklus auf den Flügeln aus der St. Nikolaikirche in Alfeld (Niedersachsen), heute in der Minoritenkirche, Köln; Stuttmann/Osten 1940, Kat. 52.

[8] Paatz 1963, Abb. 27.

[9] Périer d'Ieteren 1984.

[10] Die meisten dieser Retabel entstanden in der Brüsseler Borman-Werkstatt und befinden sich in Schweden, ein Beispiel auch in Güstrow; Münzenberger/Beissel Bd. 1, 77. Einen in Antwerpen zu Beginn des 16. Jahrhunderts entstandenen dreiteiligen Schnitzaltar mit dem Abendmahl als Rahmenszene bei zentraler Kreuzigung bewahrt die Skulpturengalerie in Berlin; Inv. 7700, Demmler 1930, Bd. 2, 336-338; vgl. auch die Beispiele bei Borchgrave d'Altena 1948.

[11] Etwa der Wurzacher Altar von Hans Multscher (Berlin, Gemäldegalerie; Tripps 1969), aber auch die am Mittelrhein entstandenen Werke vom Meister der Darmstädter Passion (Berlin, Gemäldegalerie; zuletzt Wolfson 1989). Die frühen Schnitzaltäre in Süddeutschland (z.B. Riedener Altar, Stuttgart, Württembergisches Landesmuseum; Baum 1917, 268-271 und 280) besitzen ebenfalls keine Predella.

[12] So das halbfigurige Apostelkollegium des Rothenburger Hochaltares aus der Herlin-Werkstatt (Ress 1959, 147-173). Zum Grabower Altar zuletzt Beutler 1984.

[13] Hochaltar der Kirche St. Nicolai; Gorissen 1969, 53-87, Abb. 37-40.

[14] Vgl. die Beispiele bei Borchgrave d'Altena 1948.

[15] Hans Holbein der Ältere, 1500-1501; Frankfurt/Main als Leihgabe des Historischen Museums im Städelschen Kunstinstitut; Lieb/Stange 1960.

nem weiteren Schritt entwickeln sich Predellen, die nur eine Szene präsentieren, etwa in der Riemenschneider-Nachfolge oder am Ulmer Hutz-Altar[16]. Oft steht diese Szene noch immer im erzählerischen, nicht nur argumentativen Zusammenhang mit dem restlichen Programm. Beschrieben werden muß demzufolge der Weg der Herauslösung des Themas aus seinem zyklischen Zusammenhang. Während diese Isolierung sich für das Abendmahl als Hauptdarstellung eines Retabels im Laufe des 15. Jahrhunderts vollzieht, läßt sich dieser Schritt für die Predellendarstellungen erst um 1500 nachweisen.
Nur in Ausnahmefällen nimmt das Abendmahl in der Predella explizit Bezug auf den Altar als Ort des eucharistischen Geschehens, so in der bereits genannten Grünewald-Tafel[17], aber auch in der Umstellung der chronologisch richtigen Szenenfolge in der Predella des Frankfurter Dominikaner-Altares zugunsten einer zentralen Plazierung des Abendmahles[18]. Das Abendmahl wird hier repräsentativ in die Mitte über dem Altar gerückt, um den inhaltlichen Bezug zur kirchlichen Eucharistiefeier zu veranschaulichen. Diese Beispiele gehören insgesamt an den Beginn des 16. Jahrhunderts und folgen einer Entwicklung, in deren Verlauf auch andere Bildthemen, wie die Anbetung der Heiligen Drei Könige, auf die Eucharistie bezogen werden[19]. Eine besondere Präferenz des Abendmahles ist nicht auszumachen. In ausgesprochen seltenen Fällen wird das Abendmahl auf der Rückseite eines Retabels verwendet[20]. Die Szene wird auch hier meist im Passionskontext belassen[21].

Als Hauptthema eines Retabels ist das Abendmahl bis in die Jahre um 1500 als Ausnahme zu bezeichnen. Früheste Beispiele finden sich mit dem Imhoffschen Abendmahlsaltar und dem Eucharistieretabel in Villahermosa um 1420. Sie bleiben jedoch Einzelfälle. Erst mehr als eine Generation später werden für die Sakramentsbruderschaften in Löwen und Urbino wieder Abendmahlsaltäre geschaffen. In der Nachfolge des Löwener Sakramentsaltares von Dirk Bouts werden dann Retabel mit gemaltem Abendmahl im Zentrum in den Niederlanden verbreitet. Die frühesten Beispiele im deutschsprachigen Raum entstehen zu Beginn des 16. Jahrhunderts. Keiner der großen Schnitzaltäre des 15. Jahrhunderts zeigt ein zentrales Abendmahl. Frühestes Beispiel eines repräsentativen Retabels mit geschnitztem Abendmahl als Hauptdarstellung ist der Rothenburger Heiligblut-Altar Tilman Riemenschneiders. In den Jahren nach 1500 verliert das Abendmahl als Hauptthema eines Retabels den Status einer Ausnahme. Es ist zu einem, wenn auch nicht übermäßig weit verbreiteten, so doch geläufigen Bildthema aufgewertet.

---

16 »Schaffner ...« 1959, Nr. 21.
17 Sammlung Schäfer; vgl. Collinson 1986.
18 Die chronologisch richtige Reihenfolge (Einzug in Jerusalem – Austreibung der Wechsler – Fußwaschung – Abendmahl – Ölberggebet) wird aufgegeben (Vertauschung von Fußwaschung und Abendmahl), um das Abendmahl in das Zentrum der Predella zu rücken, wobei der Szene zusätzlich ein etwas breiteres Bildfeld zugestanden wird. Zu diesem Retabel vgl. auch die Ausführungen unten im Kapitel »Der Lübecker Fronleichnamsaltar ...«.
19 Nilgen 1967.
20 Beispiele sind der Rothenburger Hochaltar Friedrich Herlins (Ress 1959, Abb. 93) und der Münchner Franziskaner-Altar Jan Pollacks (Stange DMG 10, 87, jedoch ohne Abbildung).
21 Am Rothenburger Hochaltar sind Abendmahl und Fußwaschung mit einer Gerichtsdarstellung kombiniert. Dieses Thema scheint Bezug zu nehmen auf den Brauch, hinter dem Altar die Beichte abzunehmen. Vgl. zu dieser Gewohnheit die Ausführungen bei Collinson 1986 (msch).

Abendmahlsaltäre weisen unterschiedliche Programme auf. Während die frühesten Beispiele von der Passion ausgehen, zeigen die Retabel der Sakramentsbruderschaften entweder ein typologisches Programm oder, wie in Urbino, die Verknüpfung mit einer Hostienlegende. Seit etwa 1500 wird das Abendmahl abwechselnd als Zentrum eines Passionszyklus oder eines typologischen Programmes verwendet. In Ausnahmefällen findet sich das Abendmahl sogar begleitet von stehenden Heiligen.
Das Abendmahl wird in Flügeldarstellungen durchgängig als Verratsankündigung wiedergegeben, bei Predellendarstellungen in Ausnahmefällen auch als Sakramentseinsetzung. Die Verwendung des Abendmahles als Hauptdarstellung eines Retabels kennt beide ikonographischen Varianten, in Urbino sogar die seltene Apostelkommunion.
Der textlichen Überlieferung folgend wird das Abendmahl im Retabelkontext zunächst im Passionszusammenhang verwendet. Erst in der zweiten Hälfte des 15. Jahrhunderts ist eine Isolierung des Themas aus seinem zyklischen Zusammenhang zu verzeichnen. Erreicht wird diese Lösung in typologischen Programmen. Als eigenständiges Bildthema im Kontext eines Retabels, das etwa auch mit stehenden Heiligen kombiniert wird, kann das Abendmahl erst im 16. Jahrhundert gelten.
Von einer gleichsam mitgebrachten Prädestination des Themas für den Kontext eines Retabels, da dieses am Ort des eucharistischen Geschehens aufgestellt ist, kann dem statistischen Befund zufolge nicht zugesprochen werden. Zu beobachten ist jedoch die zunehmende inhaltliche Eigenständigkeit des Themas, das seit Beginn des 16. Jahrhunderts Darstellungen wie die Kreuzigung im Retabelzentrum zu ersetzen vermag. Die Entwicklung des Abendmahles im Retabelkontext spiegelt eine allmähliche Aufwertung des Bildthemas.

Die frühen Abendmahlsaltäre

Der Abendmahlsaltar der Familie Imhoff in Nürnberg

In der Nürnberger Lorenzkirche hat sich eine Terrakotta-Gruppe des Abendmahles aus dem späten Weichen Stil erhalten *(Abb. 1)*[1]. Sie wurde einer Neuverwendung für Wert befunden, als sie in den von der Imhoff-Familie am Anfang des 16. Jahrhunderts gestifteten Chorschwellenaltar für St. Lorenz integriert wurde[2]. Man darf deshalb annehmen, daß die Abendmahlsgruppe sich bereits im 15. Jahrhundert im Besitz der Imhoffs befand und für einen Auftrag der Familie geschaffen wurde.
Das Werk wurde für die Neuverwendung des 16. Jahrhunderts lediglich in der Fassung geringfügig überarbeitet und ist somit im nahezu originalen Zustand erhalten[3]. Die heute am rechten Rand der Gruppe sich abwendende (zweite) Judasfigur ist eine Ergänzung des 19. Jahrhunderts, ebenso die Figur in der hinteren Reihe am linken Rand[4]. Die Skulpturen sind an der Rückseite nicht ausgearbeitet, was zusammen mit der Abflachung der äußeren Figur links (die moderne Judasfigur erlaubt keine Rückschlüsse) auf eine ursprüngliche Aufstellung in einem Schrein deutet. Die Gruppe wird gewöhnlich in die Nachfolge der Nürnberger Tonapostel in St. Jakob und im Germanischen Nationalmuseum *(Abb. 31a-b)* eingeordnet und nicht weit nach 1400 datiert[5]. Diese Datierung kann nicht aufrecht erhalten werden. Sowohl stilistische Vergleiche als auch die Einbeziehung der Gruppe in die Entwicklung skulptierter Retabel erfordert eine spätere Datierung in die Jahre um 1425 sowie eine Einordnung in die mittelrheinische Skulptur.

Christus ist in der Mitte eines querrechteckigen Tisches plaziert und reicht Judas die Kommunion. Dieser ist räumlich völlig integriert und nur durch den beinah unscheinbaren Beutel am Gürtel und durch das Motiv der Kommunion gekennzeichnet. Die durchlaufende Sitzbank unterstreicht die Einbeziehung des Judas in die räumlich geschlossene Figurenanordnung. Der Ikonographie der Verratsankündigung entsprechend findet sich die Christus-Johannes-Gruppe.
Die Abendmahlsgruppe besticht durch ihre rhythmisierte Figurenanordnung, die den Blick auf jede einzelne der Figuren freigibt, ohne diese jedoch räumlich versetzt anzuord-

---

1 Kat. 1.
2 Zuletzt Vetter/Oellermann 1988.
3 Zum Erhaltungszustand vgl. das Restaurierungsprotokoll von Eike Oellermann vom 16.7.1976, das in der Lorenzgemeinde eingesehen werden kann.
4 Protokoll Oellermann 1976.
5 Wilm 1929, 48-49; zu den Tonaposteln Stafski 1965, Nr. 106-111, der in diesem Zusammenhang das Abendmahl als etwas später entstanden nennt, und zuletzt »Nürnberg Gotik« 1986, Nr. 24.

nen. So ist in der Mitte durch das leichte Auseinanderrücken der vorderen Figuren der Blick sowohl auf Christus freigegeben als auch auf den Kopf des schlafenden Johannes. Judas ist leicht schräg gewendet, seine Körperhaltung, der zurückgelegte Kopf, die auf die Tischkante gestützten Hände, der aufgestellte Fuß sowie die senkrecht verlaufenden Gewandfalten vermitteln Gespanntheit. Kontrastiert wird die ruhigere Haltung Christi, dessen Mantel in weicheren Faltenschwüngen fällt. Die Figur vorn rechts der Mitte ist leicht zurückgeneigt und bildet ein verhaltenes Pendant zur Bewegung des Judas. Haltung und Kopfdrehung sind der Mitte zugewendet. Der rechts folgende Apostel ist noch stärker gedreht und gibt so den Blick auf die Apostel gegenüber deutlich frei. Vergleichbar ist die Gruppe auf der linken Seite aufgebaut. Deutlich ist das Bemühen, die Apostel nicht gleichmäßig um den Tisch zu reihen, sondern das Abendmahl als Handlung zu komponieren. Es scheint, als habe der Künstler die Szene mit verhaltenen Mitteln und seiner Zeit entsprechend dramatisieren und die Aufmerksamkeit auf die zentrale Interaktion zwischen Christus und Judas konzentrieren wollen.
Die einzelnen Figuren sind schmal proportioniert und leicht gelängt. Die Köpfe zeigen eine einheitliche Grundform mit einer breiten hohen Stirn. Die Gesichter werden in den Wangen schmaler und laufen in den Bärten mehr oder weniger spitz zu. Das Gesichtsfeld ist relativ schmal und langgestreckt. Am Scheitelansatz fällt eine kleine Locke in die Stirn. Die Gesichter sind vergleichsweise glatt und ebenmäßig modelliert.

Die Tonapostel (St. Jakob/Germanisches Nationalmuseum; *Abb. 31a-b)* wurden als Reihe von Einzelfiguren für eine andere Funktion, möglicherweise für eine Lettnerbrüstung geschaffen[6]. Vergleichbar scheinen in der Tat einzelne Faltenmotive. Bei genauerer Betrachtung wird man das Umlegen der Gewandfalten bei den Rückenansichten der Tonapostel jedoch als runder und weicher charakterisieren müssen. Die Falten der Abendmahlsapostel knicken über der Sitzbank stärker und bilden deutliche Winkel. Kontrastiert werden diese Motive im Abendmahl mit den gleichmäßig schwingenden Faltenkaskaden, die bei Christus oder etwa dem zweiten Apostel vorn links von der Schulter herab verlaufen. Dabei wird jedoch die grundsätzliche vertikale Gestaltung der Figuren nicht durch eine Auswölbung der Gewänder in die Breite gestört. Die Tonapostel sind hingegen insgesamt breiter proportioniert. Sie sind in sich bewegt gestaltet und weisen dabei ausladendere Gesten auf als die Figuren des Abendmahles. Während die Nürnberger Tonapostel als Einzelfiguren konzipiert sind, ergaben sich für die künstlerische Gestaltung einer Szene andere Probleme. Vergleichbar sind zwar einzelne Details, die einfachere Gestaltung der Abendmahlsapostel wird hier jedoch, im Unterschied etwa zu Wilm[7], nicht als Qualitätsabfall gewertet, sondern als verändertes Darstellungsinteresse.

Der Versuch, die Gruppe zu datieren, verweist zunächst auf das Desiderat einer genauen Chronologie Nürnberger Skulptur zu Beginn des 15. Jahrhunderts. Seit den Arbeiten von Höhn und Wilm[8] scheinen die Eckdaten festzustehen. Dabei wird jedoch übersehen, daß mit der bereits 1965 vorgenommenen Neudatierung der Lorcher Kreuztragung *(Abb. 32)* und des Tondoerffer-Epitaphs durch Schädler[9] auch die übrigen Daten einer

---

[6] Vgl. zuletzt die Ausführungen im Katalog »Nürnberg Gotik« 1986, Nr. 24.
[7] Wilm 1929, 49.
[8] Höhn 1922 und Wilm 1929.
[9] Schädler 1954.

Überprüfung bedürfen. Symptomatisch scheinen die Ausführungen im Katalog der Nürnberger Ausstellung von 1986, die die Tonapostel und das Tondoerffer-Epitaph, trotz korrekter Wiedergabe der Einzeldaten, als »gleichzeitig« bezeichnen[10].
Die Lorcher Kreuztragung ist seit Back mit einer Urkunde aus dem Jahr 1404 in Verbindung gebracht worden[11]. Entsprechend wurde die Entstehung des Tondoerffer-Epitaphs gleichzeitig mit den Nürnberger Tonaposteln angesetzt. Die Zuordnung der Urkunde über die Stiftung eines Kreuzaltares in der Pfarrkirche St. Martin zu Lorch am Rhein zu der plastischen Kreuztragung konnte von Schädler jedoch plausibel abgelehnt werden. Einer stilistisch sinnvollen Datierung in die Jahre um 1425 stand nichts mehr entgegen.[12]
Lokalisiert man die Abendmahlsgruppe nach Nürnberg, sind die Tonapostel dennoch in der Tat die nächsten Vergleichsstücke. Dabei bleibt jedoch außer acht, daß für Nürnberg keine weitere szenische Terrakotta-Gruppe überliefert ist. Die entsprechenden Werke finden sich vielmehr in den Jahren nach 1420 in der mittelrheinischen Produktion. Stilistisch bieten sich allgemeine Vergleiche mit dem Werk Madern Gerthners an. So finden sich in der Figur des Heiligen Martin vom um 1425 geschaffenen Mainzer Memorienportal[13] jene langen schmalen Falten, die von einem Gürtel zusammengenommen sind, am Untergewand verbunden mit einem weicheren Schwung des Mantels, der sich am Boden ähnlich wie bei den Abendmahls-Aposteln umlegt. Auch Gerthner verwendet die gleichmäßige Gestaltung von Physiognomien heiliger Personen. Ohne die Nürnberger Gruppe Madern Gerthner selbst zuschreiben zu wollen, muß gefragt werden, ob nicht ihre Entstehung in einer mittelrheinischen Werkstatt zu vermuten ist. Zeitlich machen bereits diese Vergleiche eine Datierung in die Jahre um 1425 plausibel.
Hinzu kommt die Frage nach der ursprünglichen Verwendung der Imhoffschen Abendmahlsgruppe. Die Aufstellung in einer Retabelpredella scheidet als Möglichkeit aus, da für die erste Hälfte des 15. Jahrhunderts keine Predellen mit szenischer Skulpturengruppe bezeugt sind[14]. Für die entsprechenden mittelrheinischen Werke ist die ursprüngliche Verwendung als Hauptgruppen für Retabel gesichert. Gedacht ist an die Reihe mittelrheinischer Terrakottaretabel wie den Bingener Altar[15], die Lorcher Kreuztragung *(Abb. 32)*[16], den Kardener Dreikönigsaltar *(Abb. 33)*[17] bis hin zum Frankfurter Mariaschlafaltar[18]. Ehresmann, der die Nürnberger Gruppe jedoch übersieht, ist es gelungen, diese Werke in eine Chronologie einzuordnen, die nicht nur die stilistische Entwicklung, sondern auch die Veränderungen der Retabelkonzeption beschreibt[19]. Die Reihe beginnt mit

---

10 Zum Tondoerffer-Epitaph schreibt Kahsnitz: »In der gleichzeitig entstandenen Nürnberger Tonplastik, vertreten etwa durch die große Serie der Tonapostel mit ihrer schwerblütigen Untersetztheit und ihrem massigen Volumen, steht die Sensibilität der Figuren und ihrer Oberflächengestaltung in größtem Gegensatz.« – »Nürnberg Gotik« 1986, 151.

11 Back 1910, 26ff.

12 Schädler 1954.

13 »Kunst um 1400 am Mittelrhein ...« 1975, 49ff. Abb. 37 sowie Kat. 24.

14 Rasmussen 1974, 76 hatte die Terrakotta-Gruppe für die Predellengruppe eines Retabels des 15. Jahrhunderts gehalten.

15 »Kunst um 1400 am Mittelrhein ...« 1975, Abb. 68.

16 »Kunst um 1400 am Mittelrhein ...« 1975, Abb. 76, 77.

17 »Kunst um 1400 am Mittelrhein ...« 1975, Abb. 78.

18 »Kunst um 1400 am Mittelrhein ...« 1975, Kat. 106.

19 Zur Chronologie im Œuvre des Meisters der Lorcher Kreuztragung noch immer Schädler 1954; zur mittelrheinischen Terrakotta-Skulptur vgl. auch Paatz 1956, 52-54.

dem von ihm rekonstruierten Bingener Altar aus den Jahren um 1420[20]. Einer mittleren Kreuzigung sind links und rechts je zwei stehende Heiligenfiguren zugeordnet. Bei dem 1425/30 entstandenen Kardener Altar[21] bleibt das hieratische Konzept grundsätzlich noch erhalten, die Mittelgruppe ist jedoch stärker als in Bingen szenisch aufgefaßt. Die Seitenfiguren werden auf das Mittelgeschehen bezogen.
Ein entscheidender Entwicklungsschritt wird mit der Lorcher Kreuztragung vollzogen[22]. Die Kreuztragung wird in ihrer Bewegung von links nach rechts erzählt. Hinzu kommt ein gesteigertes Interesse an Binnenräumlichkeit und psychologischem Erfassen des Geschehens. Als Abschluß dieser Entwicklung wird die Dernbacher Beweinung angesehen[23]. Hier wird der szenische Charakter beibehalten, das Geschehen jedoch innerhalb der Figurengruppe zentriert. »Although no physical compartmentization of the figures of the Lorch Altar exists, the figures are still seen in a step-like fashion following the physical and psychological relationships from one figure to another in a single direction from left to right. This method of seeing the figures is abandoned in the Dernbach Lamentation. The figures are seen in a more radial manner. The figure of Christ is the center from which the eye moves to view the seated figures of Mary and St. John and the Magdalen and then the standing figures of Joseph of Arimathia and Nicodemus, and last the two thieves on their crosses.«[24] Die Unterschiede der szenischen Präsentation zwischen der Lorcher Kreuztragung und der Dernbacher Beweinung mag man gegen Ehresmann eher für thematisch bedingt halten[25]. Gemeinsam ist beiden Werken, ebenso wie dem Nürnberger Abendmahl, die Aufgabe der hieratischen Darstellung zugunsten einer durchgängigen Erzählung.
Dem Umkreis des Meisters der Lorcher Kreuztragung gehören zwei weitere erhaltene Terrakotta-Altäre an, der wohl um 1430 entstandene Verkündigungsaltar im Kölner Diözesanmuseum[26] sowie der etwa 1435 entstandene Marientod-Altar in Kronberg/Obertaunus[27]. In beiden Retabeln ist eine szenische Konzeption verwirklicht. »With the Kronberg Altar the end of the development of the terra cotta figural altar shrine ist reached. The development from the strict hieratic, compartmentized shrine to the illusionistic narrative shrine ist completed.«[28] »Marienverkündigung und Marientod besitzen nicht den künstlerischen Rang der Dernbacher Beweinung und der Lorcher Kreuztragung. Sie sind kleiner und kleinteiliger, sie suchen die neuen Forderungen der Zeit – etwa die Füllung eines in die Tiefe gestaffelten Raumes – in reizvoller Weise, aber letztlich mit unangemessenen

---

[20] Ehresmann 1966, 278-286, die Rekonstruktionszeichnung 285, Fig. 1; Wilm 1929, Abb. 93-96.
[21] »Kunst um 1400 am Mittelrhein ...« 1975, Abb. 78.
[22] Skulpturengalerie Berlin; Inv.Nr. 8499, maximale Höhe 62cm; gebrannter Ton. Im 2. Weltkrieg beschädigt und teilweise zerstört. Eine ursprüngliche Aufstellung in einem Schrein ist wahrscheinlich zu machen. Eine Reproduktion des 19. Jahrhunderts überliefert einen älteren Zustand in einem Schrein mit Maßwerk; Müller 1837, 24f. und T. 14. Für Hinweise danke ich Hartmut Krohm, Berlin, der eine Veröffentlichung über die Gruppe vorbereitet. Vgl. auch Ehresmann 1966, 293-306; Schädler 1954.
[23] »Kunst um 1400 am Mittelrhein ...« 1975, Kat. 84.
[24] Ehresmann 1966, 317.
[25] Ehresmann ordnet die Dernbacher Beweinung am Ende der künstlerischen Entwicklung des Meisters an (1966, 317), während Schädler sie aus stilistischen Gründen an den Anfang setzt (1954, 86f.). Die Entwicklung der Retabel wird von Schädler nicht berücksichtigt.
[26] »Kunst um 1400 am Mittelrhein ...« 1975, Kat. 88; vgl. auch Bloch 1973, bes. 385.
[27] »Kunst um 1400 am Mittelrhein ...« 1975, Kat. 105; vgl. auch Bloch 1973, bes. 387.
[28] Ehresmann 1966, 332.

Mitteln zu bewältigen ... Und so stehen die Altäre in Köln und Kronberg nicht nur am Ende des Weichen Stils, sondern auch am Ende einer mittelrheinischen Tonplastik.«[29]
Die Nürnberger Abendmahlsgruppe ordnet sich in diese Entwicklung mittelrheinischer Terrakotta-Retabel ein. Sie dürfte etwa gleichzeitig mit der Lorcher Kreuztragung entstanden sein.
Das Geschehen des Abendmahles ist zentriert auf die Interaktion zwischen Christus und Judas. Die übrigen Apostel wenden sich diesem Zentrum zu. Stilistisch finden sich die gelängten Figuren, deren Gewänder in langen senkrechten, eckig umgelegten Falten fallen und an den Mantelsäumen in weich schwingende Faltenkaskaden drapiert sind, in der Nachfolge des Meisters der Hallgartener Madonna sowie bei den Figuren des Kardener Altares und bei den trauernden Frauen der Lorcher Kreuztragung. Von diesen Künstlern unterscheidet sich der Meister der Nürnberger Abendmahlsgruppe durch einen geringeren Formenreichtum. Der Meister der Lorcher Kreuztragung verwendet beispielsweise eine vielfältigere Zahl von Kopftypen und erzielt einen größeren Reichtum in der Gestaltung des menschlichen Ausdruckes. Ohne sie einem der herausragenden Meister zuschreiben zu wollen, darf die Nürnberger Abendmahlsgruppe in die mittelrheinische Kunst nach 1425 eingeordnet werden.
In diesem Zusammenhang ist eine weitere Beobachtung von Interesse. Unbestritten ist die Zuschreibung des für die Nürnberger Lorenzkirche geschaffenen Tondoerffer-Epitaphs an den Meister der Lorcher Kreuztragung. Während Schädler das Werk für ein Importstück aus der mittelrheinischen Werkstatt hält[30], versucht Ehresmann nachzuweisen, daß die Ikonographie mit Schmerzensmann, Gregorsmesse und die Epitaphkonzeption mit großem Schriftfeld am Mittelrhein in keinem Beispiel nachweisbar sind, wohl aber im Nürnberger Raum. Diese komplexe Ikonographie sei nicht schriftlich an die mittelrheinische Werkstatt vermittelt worden, der Meister der Lorcher Kreuztragung habe vielmehr in Nürnberg geweilt, um diesen Auftrag auszuführen[31]. Da weder das Abendmahl noch das Tondoerffer-Epitaph in der Nürnberger Kunst Nachfolge gefunden haben, wird man den Import der Werke für wahrscheinlicher halten. Unabhängig jedoch, für welche Erklärung man sich entscheidet, muß in den Jahren um 1425/30 Kontakt zwischen Nürnberg und der Werkstatt des Meisters der Lorcher Kreuztragung bestanden haben. Schädler weist für die zweite Hälfte des 15. Jahrhunderts auf personelle Verflechtungen der Geistlichkeit zwischen Nürnberg und Mainz hin, die Aufträge Nürnberger Bürger in mittelrheinischen Werkstätten durchaus plausibel scheinen lassen[32].
Welches Mitglied der Imhoff-Familie die Abendmahlsgruppe in Auftrag gegeben hat, ist nicht mehr mit Sicherheit zu entscheiden. Möglicherweise handelt es sich um Konrad (Kunz) Imhoff, den Stifter des sogenannten Imhoff-Altares[33].
Die ursprüngliche Aufstellung des Retabels ist ebenfalls nicht mehr zu rekonstruieren. Man wird jedoch annehmen dürfen, daß das Retabel bis zur Neuverwendung der Abendmahlsgruppe zu Beginn des 16. Jahrhunderts nicht in St. Lorenz aufgestellt war[34]. Es

---

[29] Bloch 1973, 387-388.
[30] Schädler 1954.
[31] Ehresmann 1966, 306-313, besonders 312f.
[32] Schädler 1954, 84 mit Anm. 18.
[33] Der Imhoff-Altar wurde von Kunz Imhoff (gest. 1449) zwischen 1418 und 1422 gestiftet; Stange DMG 9, Abb. 9, 10; Katalog Nürnberg 1937, Nr. 116; »Nürnberg Gotik« 1986, Kat. 29.
[34] Haas 1977.

scheint sich vielmehr um ein kleines Retabel für eine eher privat ausgerichtete Andacht gehandelt zu haben[35].

Die Anordnung der Apostel in Dreiergruppen entspricht der zu Beginn des 15. Jahrhunderts beobachteten Gruppierung der Apostel[36]. Die Gestaltung der Abendmahlsszene mit der vorn durchlaufenden Sitzbank ist zu Beginn des 15. Jahrhunderts nicht sehr gebräuchlich[37]. So wird auf dem wenige Jahre später entstandenen Deokarusaltar die vordere Sitzbank zweigeteilt. Judas wird leicht aus der Runde herausgedreht und erhält räumlich die Möglichkeit fortzugehen[38]. Verwandt ist jedoch eine Alabasterdarstellung des Abendmahles, die sich in der Skulpturengalerie Berlin befindet[39]. Die ursprüngliche Verwendung dieser Relieftafel, möglicherweise Teil eines Passionszyklus für ein Retabel, ist nicht gesichert. Swarzenski weist auf das Fragment einer wohl etwas späteren Abendmahlsdarstellung mit offenbar vergleichbarer Ikonographie hin[40]. Die Komposition mit der vorn durchlaufenden Sitzbank ist somit nicht auf das geringe Können des Künstlers zurückzuführen, wie Wilm bewertet[41], sondern hat ihren Platz in der zeitgenössischen Ikonographie. Sie gibt der Darstellung eine gleichmäßige vordere Abschlußkante und ermöglicht somit die Wiedergabe einer räumlich geschlossenen Figurengruppe, wie sie für die Hauptgruppe eines Retabels unabdingbar ist.

Die Imhoffs lassen sich mit dem Abendmahlsaltar ein Retabel schaffen, das offenbar erstmals nördlich der Alpen das Abendmahl in das Zentrum eines Retabels rückt. Das Werk reflektiert die modernste Entwicklung der Terrakotta-Altäre und ist in die Jahre um 1425 zu datieren. Beauftragt wird ein Künstler, der mit der mittelrheinischen Retabelentwicklung unmittelbar vertraut ist. Da der Aufenthalt des Meisters der Lorcher Kreuztragung keine weiteren Reflexe in der Nürnberger Kunst hinterlassen hat, scheidet eine Zuschreibung an einen Nürnberger Künstler aus. Man wird daher davon ausgehen müssen, daß das Werk vom Mittelrhein importiert ist.
Der Vergleich mit den erhaltenen mittelrheinischen Terrakotta-Altären erlaubt eine Rekonstruktion des Nürnberger Retabels. Die Abendmahlsgruppe bildete den figürlichen Schmuck des Retabels. Sie war in einem Holzschrein aufgestellt. Am oberen Rand war Terrakotta-Maßwerk angebracht. Der Schrein besaß Holzflügel, die vermutlich mit Malereien versehen waren, die entweder weitere Szenen oder eher noch ornamentalen

---

[35] Ebenfalls eine private Verwendung vermutet Schädler für die Lorcher Kreuztragung, jedoch innerhalb der Kirche, a.a.O. 86.
[36] Siehe oben die Ausführungen zur Ikonographie des Abendmahles.
[37] Vorgebildet ist diese Komposition in der italienischen Kunst, etwa bei dem Abendmahlsgemälde Duccios an der Sieneser Maestà.
[38] Nürnberg St. Lorenz; Stange DMG 9, Abb. 25.
Eine vergleichbare Lösung findet sich annähernd gleichzeitig auf einer Retabelpredella in der Danziger Marienkirche; Drost 1963, Abb. 72a.
[39] Inv. 8019, Höhe insgesamt 20 cm, Breite 20 cm; Demmler 1930, 318-319.
[40] Swarzenski 1921, 199 führt drei Alabastertafeln des Abendmahles auf. Nr. 1 ist die erwähnte Berliner Tafel, Nr. 2 ein Fragment im Nationalmuseum, München (außer Katalog), um 1440, westfälisch, Abb. 71; Nr. 3 ist eine hier nicht interessierende spätere Tafel. Das Fragment in München zeigt bewegtere Apostel als das Berliner Relief. Daß die vordere Sitzbank ursprünglich durchgehend war, kann nur vermutet werden.
[41] »Abgesehen von allem anderen müßte man dem Meister (der Tonapostel – Vf.) doch eine glücklichere Lösung der im Vordergrund des Abendmahles verwendeten Bank zutrauen.« Wilm 1929, 49.

Schmuck zeigten. Die Abendmahlsgruppe reiht sich ein in die Reihe der mittelrheinischen Terrakotta-Altäre der Jahre nach 1425, die das hieratische Darstellungskonzept aufgeben und das Retabelzentrum mit einer Szene ausgestalten. Die bekannten Beispiele zeigen entweder eine Szene aus der Passion oder aus dem Marienleben.
Der Imhoffsche Abendmahlsaltar des 15. Jahrhunderts rückt somit das Abendmahl als Passionsszene in den Mittelpunkt des Retabels. Auf Aspekte der Eucharistie verweisen weder die erhaltene Darstellung noch die rekonstruierbaren Flügelgemälde. Die Gegenüberstellung von Christus und Judas, das Zentrieren der Darstellung auf die Judaskommunion läßt vielmehr an eine Meditation über den Beginn der Passion, Christi Leiden am Verräter, denken. Das Abendmahl des Imhoffschen Altares ist zwar formal, nicht jedoch gedanklich aus dem Zusammenhang der Passion isoliert.

Das Eucharistieretabel aus der Eremità des San Bartolomé bei Villahermosa

Die um 1425 entstandene Terrakotta-Gruppe der Familie Imhoff repräsentiert den einzigen bekannten Abendmahlsaltar aus der ersten Hälfte des 15. Jahrhunderts nördlich der Alpen. Zum Vergleich muß deshalb auf ein Beispiel aus der spanischen Kunst, deren Verbindungen zu den Niederlanden im 15. Jahrhundert nachweislich bekannt ist, zurückgegriffen werden. Die folgenden Ausführungen bleiben jedoch knapp gehalten und auf eine Charakteristik von Hauptmerkmalen beschränkt, ohne auf die konkrete Entstehungssituation des Werkes einzugehen.
In der Pfarrkirche zu Villahermosa del Rio (Castellon) wird ein gemaltes, der Eucharistie gewidmetes Retabel aufbewahrt *(Abb. 2a-b)*[1]. Die Malereien entstanden um 1415 vermutlich in Valencia, möglicherweise in der Werkstatt von F. Serra II[2]. Das Werk besteht aus einer einzelnen Altartafel mit Predella. Die Haupttafel ist in acht Bildfelder unterteilt. Zentrale Darstellung ist das Abendmahl, das mit einer darüber angeordneten Kreuzigung das Mittelregister des Aufbaues bildet. Links und rechts flankieren jeweils drei übereinander angeordnete Szenen die Hauptachse. Links oben findet sich die Verkündigung, rechts oben die Geburt Christi. Die übrigen vier Szenen gehören zu einer Hostienlegende. In der Mitte links beginnt die Erzählung mit einer Meßfeier, es folgt links unten die Austeilung der Kommunion sowie die Entwendung der Hostie. Rechts unten wird die Hostienschändung gezeigt und schließlich darüber die Prozession mit der geretteten Hostie. Die zunächst unsystematisch erscheinende Leseordnung der Szenen aus der Hostienlegende wird durch eine eingehendere Analyse erklärbar. Die Predella zeigt in der Mitte ein Bild des Schmerzensmannes, ganzfigurig vor dem leeren Sarkophag, flankiert von den trauernden Figuren der Maria und des Johannes und hinterfangen von den Arma Christi. Zu

---

[1] Kat. 2.
[2] Zuletzt Sobré 1989, 211, Abb. 136. Vgl. auch Post 1930, Bd. 3, 124-127, Abb. 299; Trens 1952, Abb. 47-48; Wehli 1982, Nr. 19.

den Seiten schließen sich je vier Bildfelder mit halbfigurigen Heiligen an, die zumindest teilweise später überarbeitet sind[3].
Die Hauptdarstellung *(Abb. 2b)* gruppiert Christus mit den Aposteln um einen in Verkürzung wiedergegebenen quadratischen Tisch. Die Vorderseite ist dem aus der Gemeinschaft isolierten Judas vorbehalten. Die übrigen Apostel sind in einem Halbkreis um drei Seiten des Tisches angeordnet. Christus, in leicht vergrößertem Figurenmaßstab, ist in der Mitte hinter dem Tisch gezeigt. An seiner Brust ruht der Lieblingsjünger Johannes. Darstellungsmoment ist die Einsetzung der Eucharistie. In der Linken hält Christus den Kelch, über dem eine Hostie zu schweben scheint, in der Rechten eine zweite Hostie. Diese Hostien sind durch die farbliche Helligkeit, ihre Größe und die Tatsache, daß sie unüberschnitten gezeigt sind, hervorgehoben und bilden somit ein eigenes thematisches Zentrum. Ein Teil der Apostel ist diesem Geschehen in Gebetshaltung zugewandt, zwei nehmen Brot zu sich, zwei andere trinken aus einem Kelch, der Apostel vorn links ist im Begriff, sich eine Scheibe Brot abzuschneiden. Es werden somit neben andächtigen und hieratischen Elementen erzählerische Motive verwendet. Letztere lassen sich unterteilen in solche, die die Kommunionshandlung veranschaulichen, und solche, die die biblische Szene genrehaft ausschmücken. Judas schließlich ist auf einer niedrigeren Sitzbank angeordnet, er ist ohne Heiligenschein wiedergegeben und ist im strengen Profil gezeigt. Die Hände hält er wie in einem Redegestus erhoben. Auf dem Tisch sind neben der Schale mit dem Passahlamm eine Reihe von Gegenständen, etwa Kannen und Brote, ausgebreitet.
Hauptthema der Darstellung ist die Einsetzung der Eucharistie. Die Christus-Johannes-Gruppe sowie die Isolierung des Judas, der die Hände im Redegestus erhoben hat, gehören jedoch zur Verratsankündigung. Eine vergleichbare Verknüpfung beider ikonographischer Varianten, Sakramentseinsetzung und Judaskommunion, findet sich in der älteren, in Palermo aufbewahrten Tafel des Jaume Serra[4]. In Villahermosa ist diese ikonographische Doppeldeutigkeit jedoch weder ausreichend als motivische Übernahme noch als fehlende Stringenz der Erzählung zu deuten. Die Abendmahlsdarstellung ist vielmehr nicht nur als Thema, sondern bis in die formale Komposition in den programmatischen Aufbau integriert. Verknüpft werden im Gesamtaufbau zwei Bereiche: biblische Historie und Legende. Aus dem Heilsgeschehen sind mit den vier Szenen, Verkündigung, Geburt, Abendmahl und Kreuzigung diejenigen Ereignisse ausgewählt, die der kirchlichen Eucharistielehre zugrunde liegen. Verkündigung und Geburt veranschaulichen die Inkarnation, die Fleischwerdung der göttlichen Substanz, das Abendmahl zeigt die Einsetzung des eucharistischen Ritus, die Kreuzigung schließlich das Opfer Christi, das in jeder Meßfeier unblutig wiederholt wird.

Während Post die Szenen allgemein als »Jewish profanations of the Host, acts of reparation, and miracles of the Sacrament« bezeichnet[5], charakterisiert Wehli die dargestellte Messe als Gregorsmesse und die Prozession als Fronleichnamsprozession. »Das ikonographische Programm der Altartafel wurde aus der Legende des Hl. Gregor des Großen, dem der tote Christus während der Messe erschien, und christologischen Szenen zusam-

---

[3] Eine genaue Zustandsbeschreibung, die die Ergebnisse der jüngsten Restaurierung miteinzubeziehen hätte, ist m.W. bisher nicht publiziert; Sobré 1989 geht auf den Erhaltungszustand nicht ein.
[4] Palermo, Museo Nazionale; Wehli 1982, Nr. 11.
[5] Post 1930, Bd. 3, 126.

mengestellt.«[6] Der zelebrierende Priester ist jedoch nicht als Papst gekennzeichnet, die Erscheinung des Schmerzensmannes fehlt zudem. Trens identifiziert die Szenen – ebenfalls irrtümlich – als »Misa di San Martín; Processíon eucarística; Milagros eucarísticos«[7]. Die zutreffende Identifizierung durch Post als jüdische Hostienschändung – die dargestellten Juden werden durch Abzeichen an ihrer Kleidung deutlich gekennzeichnet – kann durch die Identifizierung des an seiner Tiara erkennbaren Papst Bonifaz VIII. in der Prozessionsszene präzisiert werden[8].
Von dieser Figur ausgehend ist es gelungen, die dargestellte Legende zu benennen. Es handelt sich um eine andere Szenenauswahl der gleichen Legende, die in der Predella des Corpus-Christi-Altares in Urbino *(Abb. 4b-g)* dargestellt ist[9]. Erzählt wird ein Hostienwunder, das sich 1290 in Paris ereignet haben soll und dessen literarische Ausformulierung sich offenbar größerer Verbreitung erfreute. In der Grundfassung der Legende wird berichtet, daß ein in Paris lebender Jude sich von seinem christlichen Dienstmädchen eine konsekrierte Hostie besorgen ließ und ihr diese abkaufte. Zusammen mit anderen Juden verhöhnte er die Hostie, traktierte sie mit Messern und anderen Werkzeugen, um sie zu zerstören. Die Hostie zersprang in drei Teile und begann zu bluten. Als die Juden dieses Wunder sahen, wechselten viele von ihnen zum christlichen Glauben über. Der Anstifter warf die Hostie in kochendes Wasser, wo sie sich zu Fleisch und Blut wandelte. Jetzt konvertierte auch er mit seiner Familie zum katholischen Glauben. In diesem Zusammenhang ist eine weitere Variante von Bedeutung. Hier ist der Jude ein Pfandleiher, von dem eine christliche Frau Geld geliehen hat. Als Pfand hat sie ihr Festtagsgewand hinterlassen. Als sie sich zum Ostergottesdienst zurecht machen will, benötigt sie eben jenes Gewand. Da sie kein Geld hat, um das Pfand auszulösen, bietet ihr der Jude einen anderen Handel an. Er verlangt eine konsekrierte Hostie. Papst Bonifaz VIII. bestätigte 1295 das Wunder zu Paris und stimmte dem Bau einer Kapelle über dem Haus des Juden zu. Sein Auftreten, erkennbar an der Form seiner Tiara, in der bildlichen Fassung in Villahermosa sichert die Identifizierung der Szenenfolge.
Die Bilderzählung beginnt im mittleren Bildfeld links. Während einer Meßzeremonie, der die Gemeine andächtig knieend beiwohnt, zeigt der Priester mit der Elevation der Hostie die vollzogene Transsubstantiation an. Das Bildfeld unten links ist in drei Szenen unterteilt. Links reicht der Priester einer Frau die Kommunion. In der Mitte tauscht die Frau die erhaltene Hostie beim Pfandleiher gegen ihr Kleid aus. Rechts traktieren der Jude und seine Familie die Hostie. Die Erzählung wird rechts unten in drei Szenen fortgesetzt. Der Jude schlägt im Beisein der Familie mit dem Hammer auf die Hostie, die in der Mitte blutend auf einem Tisch von den Juden betrachtet wird. Rechts schließlich wird die Hostie in kochendes Wasser geworfen. Ihren Abschluß findet die Erzählung im Bildfeld rechts/mitte mit einer Prozession, in der Papst Bonifaz VIII. die Hostie in einer Monstranz durch die Stadt trägt. Ausgespart sind diejenigen Szenen der Legende, die die Konversion oder Bestrafung der Juden betreffen. Der Akzent ist vielmehr auf die Bestätigung der Transsubstantionslehre gelegt.

---

[6] Wehli 1982, Nr. 19.
[7] Trens 1952, 60.
[8] Zu diesem Papst und seinen Darstellungen vgl. Lavin 1967, 7, der jedoch das Werk in Villahermosa entgangen ist.
[9] Zur Legende und Textüberlieferung vgl. die Untersuchungen zum Abendmahlsaltar in Urbino von Lavin 1967 und Francastel 1952.

Die vier Legenden-Bildfelder sind in ihrer Anordnung formal auf das Abendmahl bezogen. Die Felderbegrenzung wird aufgenommen von der Tischkante im Abendmahl. Christus und die »guten Apostel« gehören der oberen Region an. Die Juden, die eine ungläubige Haltung verkörpern, sind der Bildzone mit Judas zugeordnet. Korrespondieren Meßzeremonie und Prozession mit der von Christus eingesetzten Form des Sakramentes, so sind Judas und Unglauben formal aufeinander bezogen. Unglauben meint konkret das Nichtanerkennen der Transsubstantiation. Aus dieser inhaltlichen Zuordnung erklärt sich die zunächst eigentümliche Leseanordnung der Legende.
Im Programm des Retabels von Villahermosa werden Szenen aus der Heilsgeschichte mit einer die Transsubstantiation veranschaulichenden Legende verknüpft. Die Verbindung wird durch korrespondierende Bildelemente hergestellt. In die Abendmahlsdarstellung selbst werden dabei keinerlei Motive integriert, die über die Wiedergabe biblischer Historie hinausgehen und Meßtheologie bildlich umsetzen. Im Unterschied zum Nürnberger Retabel wird jedoch durch begleitende Szenen auf die Eucharistie Bezug genommen. Das Prinzip, nach dem das Programm organisiert ist, läßt sich beschreiben als wechselseitig erläuternde Verknüpfung von biblischem Bericht und einer Legende, die fungiert als historischer Beweis für die Gültigkeit der kirchlichen Lehre des Transsubstantiationsdogmas. Die Verbindung ist eine argumentative.
Das zentrale Einfügen des Abendmahles in ein Bildprogramm, das gleichzeitig die Transsubstantiation thematisiert, ist in Villahermosa erstmals greifbar. Da sich auch andere Bildthemen, die dieses Dogma veranschaulichen, wie die Gregorsmesse, erst seit etwa 1415 nachweisen lassen, darf man davon ausgehen, daß für das Retabelprogramm in Villahermosa, wenn überhaupt, keine wesentlich früheren Vorläufer existiert haben. Nördlich der Alpen ist kein vergleichbares Bildprogramm, das eine konkrete Hostienlegende veranschaulicht und in ihrer theologischen Bedeutung durch die entsprechenden Szenen aus dem Leben Jesu erläutert und begründet, in der ersten Hälfte des 15. Jahrhunderts nachweisbar. Aus dem Bereich der niederländischen und deutschen Kunst der ersten Hälfte des 15. Jahrhunderts ist neben dem Nürnberger Terrakotta-Altar kein zweites Beispiel eines Retabels mit dem Abendmahl als Hauptdarstellung bekannt. Man darf nach den bisherigen Überlegungen durchaus für möglich halten, daß das Fehlen solcher Ikonographie nicht nur auf lückenhafte Überlieferung zurückzuführen ist. Vergegenwärtigt man sich den formalen Aufbau der wenigen erhaltenen niederländischen Schnitzretabel zu Beginn des 15. Jahrhunderts, etwa den Altar in Hakendover oder in der Dortmunder Reinoldikirche, so ist in geschnitzten repräsentativen Retabeln wohl keine verlorengegangene szenische Darstellung zu erwarten. Ebensowenig können wir mit einem verlorengegangenen Abendmahl in Retabeln, wie sie beispielsweise Hans von Judenburg oder schließlich Multscher schufen, rechnen. Gleiches gilt für die gemalten Retabel des beginnenden 15. Jahrhunderts, für die Werke von Jan van Eyck und Petrus Christus einerseits oder etwa vom Meister der Darmstädter Passion andererseits. Die Retabel in Villahermosa und Nürnberg müssen somit als Einzelbeispiele angesehen werden, eine Tradition repräsentieren sie nicht.

Retabel für Sakramentsbruderschaften

Der Sakramentsaltar von Dirk Bouts in Löwen

Das Retabel, das Dirk Bouts 1464-68 für die Sakramentsbruderschaft zu Löwen malte *(Abb. 3a-f)*[1], hat aus einer Reihe von Gründen wiederholt die Beachtung der Forschung gefunden. Die Haupttafel des Flügelaltares gilt zurecht als das früheste Beispiel einer Darstellung des Abendmahles in der niederländischen Tafelmalerei. Sie wird ergänzt durch vier typologische Szenen. Irrtümlich ist jedoch die Bewertung des Retabels als frühestes Beispiel eines Abendmahlsaltars. Das Werk muß im Zentrum jeder stilgeschichtlichen Annäherung an den Künstler stehen, handelt es sich doch um eines der beiden für Dirk Bouts gesicherten Werke. Dirk Bouts hat zudem in der Abendmahlsdarstellung eine der ersten zentralperspektivischen Konstruktionen in der niederländischen Malerei verwirklicht. Überliefert sind schließlich eine Reihe historischer Daten: Neben Künstler und Auftraggeber sowie genauer Entstehungszeit kennen wir den ursprünglichen Aufstellungsort, die zweite nördliche Chorumgangskapelle der Stiftskirche St. Peter zu Löwen, wo sich das Retabel heute wieder befindet. Bekannt ist auch der Vertrag, der das Programm schriftlich fixierte[2]. Diese historischen Quellen sind von der Forschung jedoch noch nicht hinreichend ausgewertet worden. Die bisherige Forschungsliteratur läßt sich vielmehr in vier Gruppen einteilen: lokalgeschichtliche Literatur, stilgeschichtliche Untersuchungen, drittens ikonographische Überlegungen und schließlich Versuche, für die altniederländische Malerei das Verhältnis zwischen Auftraggebern und Darstellungsprogrammen zu bestimmen.

Für die lokalgeschichtliche Literatur ist vor allem Even zu nennen, der erstmals die überlieferten Quellen publizierte und damit die Grundlage weiterer historischer Forschung bildet[3]. Da das Sakramentsretabel, neben den für das Löwener Rathaus bestimmten Gerechtigkeitsbildern Kaiser Ottos, als gesichertes Werk den Ausgangspunkt zur

---

1 Kat. 3.

2 Der Vertrag wurde von Even 1898 entdeckt und publiziert, bei Schöne 1938 abgedruckt im Wortlaut (Dok. 85) und Übersetzung (S. 89). Die Urkunde ist jedoch entweder im ersten oder im zweiten Weltkrieg vernichtet worden (Nach einem Brand des Kirchenarchives von St. Peter zu Löwen wurden die erhaltenen Dokumente in die Löwener Universität überführt, die 1940 abbrannte. Welchem der beiden Kriegsereignisse der Vertrag zum Opfer fiel, ist offenbar nicht mehr zu rekonstruieren.); vgl. Flanders 1960, Nr. 17. Für eine Beschäftigung mit dem Retabel ergibt sich aus dieser Überlieferungslage, daß Archivforschung nicht mehr möglich ist und keine weiteren Aufschlüsse durch Quellenfunde erwartet werden können.

3 Even 1870 und 1898.
Als lokalgeschichtlich werden etwa auch die Arbeiten von Schretlen, Amsterdam o.J. angesehen, der versuchte, Dirk Bouts als Holländer in Anspruch zu nehmen, oder auch Francotte 1951/52.

Zusammenstellung des Œuvres bilden muß, werden an seiner Beschreibung die künstlerischen Charakteristika des Dirk Bouts erarbeitet. Entsprechend breiter Raum ist dem Werk in den Untersuchungen Friedländers[4], Panofskys[5] und in der grundlegenden Monographie Wolfgang Schönes[6] gewidmet. Der Quellenanhang macht die Publikation Schönes zum unverzichtbaren Ausgangspunkt jeder weiteren Beschäftigung mit den Werken von Dirk Bouts. Eine neuere Monographie über den Künstler steht jedoch aus. Ebenfalls nicht geleistet wurde eine Einordnung der Darstellungen in die Bildtradition, die über das auflistende Benennen von möglichen Vorbildern hinausgeht. Bekanntlich haben weder Robert Campin noch Jan van Eyck ein Abendmahl hinterlassen, noch ist von Rogier van der Weyden eine als Vorbild aufgegriffene Komposition geschaffen worden. Die detaillierte Analyse des Löwener Abendmahles wird daher klären müssen, inwiefern hier eine ältere Darstellung anderer Funktion, etwa ein Beispiel aus der Buchmalerei rezipiert wurde oder ob für eine neuartige Aufgabe eine neue Komposition entworfen wurde.

»The Last Supper as an act of consecration was portrayed even less frequently. One of the earliest works receiving this liturgical theme is Bouts' altarpiece in which Christ does not break the bread but blesses the host.«[7] »It portrays a nonhistorical, ritualistic interpretation of the institution of the Eucharist.«[8] Diese Deutungen aus der neueren Forschung zum Sakramentsaltar des Dirk Bouts in der Löwener Peterskirche gelangen über eine jeweils unterschiedliche Argumentation zu einer Interpretation des Retabels, die vor allem die Zeitlosigkeit des dargestellten Geschehens hervorhebt. Aus dem historischen Kontext der biblischen Erzählung herausgelöst sei das Abendmahl als liturgische Handlung ins Bild gesetzt. Die Abendmahlsdarstellung wird als Veranschaulichung der Meßliturgie und des Transsubstantiationsdogmas interpretiert. Daß die Löwener Sakramentsbruderschaft ein solches Bildthema gefordert habe, scheint ihrem Selbstverständnis angemessen und entsprechend folgerichtig. Da von beiden Autorinnen zur Begründung ihrer Ergebnisse weder eine Analyse der ikonographischen Vorläufer noch der älteren Bildthemen, die die Transsubstantiation veranschaulichen, vorgenommen wird, muß allerdings fraglich scheinen, ob hier wirklich die Aussage des Retabels rekonstruiert wird, oder ob mit unterschiedlichem methodischen Habitus ein Vorurteil, das in seinen Grundzügen bereits in der älteren Literatur angelegt ist, bestätigt wird[9].

[4] Friedländer ENP 3, Kat. 18.

[5] Panofsky 1971, 318f.

[6] Schöne 1938, Kat. 8.

[7] Blum 1969, 62.
Am Rande angemerkt sei, daß die gängige Ikonographie die Judasikonographie veranschaulicht, nicht das Brotbrechen.

[8] Lane 1984, 112.

[9] Die Zeitlosigkeit des dargestellten Geschehens ist beispielsweise von Schöne anhand der formalen Beschreibung des Abendmahles charakterisiert worden:
»Durch die äußerste Bestimmtheit jeder Figur und jedes Gegenstandes im Raum ist die Zeit ausgeschaltet; Vergangenheit und Zukunft sind in ewiger Gegenwart vereint. Dieses Räumliche bestimmt auch die Gemeinsamkeit der Figuren; sie gehören demselben Raume an, dessen Mitte Christus bildet. Zugleich bestimmt es, durch seine feste Ordnung, aber auch die innere menschliche Vereinzelung jeder Figur, welche den Ernst des Bildes so ergreifend macht. Im Mittel des Raumes ist der göttliche Bereich unmittelbar an den menschlichen Bereich geknüpft.« Schöne 1938, 9.
Und Friedländer schreibt 1924 in der deutschen Ausgabe der Altniederländischen Malerei Bd. 3, 24: »Bouts dachte nicht so entschieden an eine Begebenheit im Leben des Heilands, an die Wende seines Geschicks, an seinen Abschied von den Jüngern, wie vielmehr an die Einsetzung des Sakramentes, in der die christliche Lehre den Sinn des letzten Abendmahls erblickte.«

Soweit die Literatur auf das Retabelprogramm eingeht, findet sich durchgängig die Auffassung, es handele sich um das erste Retabelprogramm mit dem Abendmahl als Hauptdarstellung. Die bereits vorgestellten Retabel aus Villahermosa und Nürnberg widerlegen diese These. Gleichwohl kann eine Abhängigkeit des Löwener Programmes von älteren Beispielen nicht angenommen werden, die Ergebnisse der Analyse unterstreichen vielmehr das Bemühen um eine neuartige Konzeption.

Die auftraggebende Löwener Sakramentsbruderschaft wurde 1432 gegründet[10]. Seit 1433 gehörten ihr zwei Kapellen sowie das zugehörige Chorumgangsjoch der Kirche St. Peter. Entgangen ist bisher die Beobachtung, daß damit als Lokalität der Aktivitäten nicht die Augustinerkirche zu Löwen gewählt wurde, wo man eine wundertätige Hostie aufbewahrte[11], sondern eine Kirche, die nachweislich enge Beziehungen zur ebenfalls 1432 gegründeten theologischen Fakultät der Löwener Universität pflegte[12].
Nach 1450 nahm die Bruderschaft die Ausstattung der ihr in der Peterskirche zur Verfügung stehenden Räume in Angriff. Als erstes wurde das im Chorumgangsjoch aufgestellte Sakramentshaus in Auftrag gegeben. Damit wurde ein würdiger Aufbewahrungsort für das Heilige Sakrament gestiftet. Das 1450 von Matthew van Layen geschaffene Werk zeigt in acht Flachreliefs die Passion Christi. »An imposing piece of sculpture, it was designed to venerate the host and thus purpose similar to that of the painting of the ›Blessed Sacrament‹.«[13] Eine derartige, analoge Argumentation ist sicher insofern zutreffend, als die Fronleichnamsbruderschaft ihre Stiftungen unter das Thema ihrer Bestimmung gestellt haben wird. Der Reliefzyklus besitzt jedoch erstens keine Abendmahlsdarstellung, und zweitens ist die Passion als historischer Zyklus aufgefaßt, aus dessen Kontext keine einzelne Darstellung herausgelöst wird[14]. Von dieser Konzeption führt kein direkter Weg zu dem Programm des Sakramentsretabels.
Der Altar, für den das Sakramentsretabel in Auftrag gegeben wurde, scheint zunächst über 30 Jahre lang kein Retabel besessen zu haben: ein Vorgängerretabel ist nicht bezeugt und wenig wahrscheinlich. Der Versuch, die späte Ausstattung mit finanziellen Engpässen der Bruderschaft zu erklären[15], entbehrt aufgrund fehlender Rechnungsbücher für die Jahre zwischen 1433 und 1465 einer historischen Grundlage[16]. Blum schlägt vor, das Auf-

[10] Gleichzeitig ist darauf hinzuweisen, daß in diesen Jahren auch andernorts eine Reihe von Sakramentsbruderschaften entstanden; vgl. Browe 1967. Die über die Löwener Bruderschaft bekannten Daten wurden auch schon bisher von der Forschung miteinbezogen. Sie sind deshalb nur kurz zusammengefaßt.
Grundlegend bleibt die Arbeit von Even 1870. Von Schöne 1938 wurden darüberhinaus noch Angaben aus den Rechnungsbüchern miteinbezogen.

[11] Molanus 1861, caput VII. 366ff.

[12] So wurden die Pfarrer der Peterskirche immer aus den Reihen der Universitätstheologen gestellt. Die Universität selbst war erst 1425 gegründet worden; vgl. Post 1957, 205-207.

[13] Blum 1969, 63.

[14] Zu dem Sakramentshaus, das einen der frühesten Tabernakeltürme repräsentiert, vgl. auch Maffei 1942, der referiert, daß die Sakramentsbruderschaft auch hier – wie für den Sakramentsaltar – für die Ausgestaltung offenbar Theologen zu Rate zog; »C'est ainsi qu'à Louvain le curé de Saint Pierre, Jean van der Phalisen, et le docteur en théologie Jacques Schelwaert, de l'Ordre de Saint Dominique, étaient les conseillers écclésiastique du fameaux Mathieu de Layens; ce qui leur valait à l'occasion une gratification en vin.« Maffei 1942, 96.

[15] Erstmals Even 1870.

[16] Schöne gibt diese Informationen unter Dok. 56. So finden sich auch die ersten Belege für Stiftungen zum Sakramentsretabel erst 1466, ohne daß man deshalb schließen dürfte, es habe zuvor keine gegeben.

tragsdatum mit dem 200jährigen Jubiläum des Fronleichnamsfestes (1264-1464) in Verbindung zu sehen[17]. So bestechend diese These ist, geben doch die Quellen – auch der Vertrag nennt das Jubiläum nicht – keinen Hinweis, der einen solchen Schluß erlauben könnte. So wurde das Fest zwar im Jahre 1264 mit der Bulle »Transiturus de hoc Mundo« im Kirchenjahr etabliert, durchgesetzt wurde dieser Erlaß jedoch erst 1311 unter Papst Clemens, nachdem sich die Vision der Seligen Juliane bereits um 1230 ereignet hatte. Im Bistum Lüttich, zu dem Löwen gehört, wird das Fronleichnamsfest nachweislich schon seit 1247 begangen. Welches Datum hätte somit von der Löwener Bruderschaft sinnvoll begangen werden sollen? Der 1464 zweihundert Jahre zurückliegende, lediglich formale Erlaß der Bulle, scheint wohl nur aus heutiger Sicht das entscheidende historische Datum. Wir dürfen annehmen, daß die Bruderschaft, entsprechend den andernorts nachweisbaren liturgischen Gewohnheiten, wöchentliche, möglicherweise tägliche Sakramentsandachten und -messen zelebrierte. Browe referiert für den deutschsprachigen Raum den Brauch, das Sakrament in einer Prozession vom Aufbewahrungstabernakel auf den Altar, an dem die Sakramentsmesse zelebriert wurde, zu begleiten, um dort die Andachten zu verrichten[18]. Ob derartige Aussetzungsmessen in Löwen stattfanden, ist nicht sicher zu rekonstruieren. Post weist jedoch für andere niederländische Orte während des 15. Jahrhunderts Sakramentsmessen nach[19]. Sicher anzunehmen sind aber wöchentliche Andachten, in denen Hymnen zu Ehren des Heiligen Sakramentes gesungen wurden, wahrscheinlich auch Meßfeiern. Für den Corpus-Christi-Altar wurde, als zweites Ausstattungsstück der Bruderschaft, in den Jahren zwischen 1464 und 1468 ein Retabel geschaffen, das – wie auszuführen sein wird – bis zu seiner endgültigen Fertigstellung 1486 noch Veränderungen erfuhr. Für die andere Form der zum Bruderschaftsleben gehörenden Messen, die Gedenkmessen für verstorbene Mitglieder[20], scheint der Altar in der zweiten Kapelle gedient zu haben. Das hierfür bestimmte Retabel wurde offenbar unmittelbar im Anschluß an den Abendmahlsaltar ebenfalls bei Dirk Bouts in Auftrag gegeben[21]. Der Erasmus-Altar *(Abb. 34)*, heute ebenfalls in der Löwener Peterskirche, dürfte entgegen älteren Datierungsvorschlägen (1466) 1468 entstanden sein, scheint doch die auf dem Rahmen des 19. Jahrhunderts angebrachte Jahreszahl auf eine zuverlässige Überlieferung zurückzugehen. Dirk Bouts war zudem dem Vertragstext zufolge nicht befugt, wäh-

---

[17] Blum 1969, 62.

[18] Browe 1967, 141-161. Browe (a.a.O. 45) kann für die Niederlande keine Aussetzungsmessen nachweisen. Die Löwener Sakramentsbruderschaft war jedoch gleichzeitig Stifterin des Sakramentshauses und der Kapelle mit dem Sakramentsretabel, so daß eine Einbeziehung beider Ausstattungsstücke in ihre Liturgie durchaus nicht unwahrscheinlich ist.
Die Sakramentsbruderschaften pflegten seit dem ausgehenden 14. Jahrhundert zumindest im deutschsprachigen Raum derartige Aussetzungsmessen abhalten zu lassen.
»Diese Messen wurden nur ganz ausnahmsweise am Hauptaltar gelesen, in den meisten Fällen hatten die Gilden einen eigenen Altar in einer Seitenkapelle der Kirche, auf dem dann dieser Gottesdienst stattfand.« Browe a.a.O. 148.

[19] »De broedershappen van het heilig sacrament stelden de verlangde plechtigheden te ere van de Eucharistie, bij voorkeur op de donderdag, de dag waarop het sacrament werd ingesteld. Vaak bestonden deze plechtigheden uit een gezogen hoogmis en een lof, hier elke donderdag, elders elke eerste donderdag van de maand ...« Post 1957, Bd. 2, 299.

[20] Browe a.a.O. 147.

[21] Zur Argumentation vgl. den Ausstellungskatalog »Bouts ...« 1957/58. Zu dem Erasmus-Altar zuletzt Blum 1969, 71-76. Dirk Bouts hat nachweislich auch andere Arbeiten für die Sakramentsbruderschaft ausgeführt; vgl. Even 1870.

rend der Arbeiten am Sakramentsretabel einen weiteren Auftrag anzunehmen[22]. Das Rechnungsbuch der Bruderschaft teilt mit, daß in den Jahren zwischen 1466 und 1521 ausgehend von einer Stiftung des Bruderschaftsmitgliedes Gheert de Smet jährlich Messen zu Ehren der Heiligen Hieronymus, Bernhard und Erasmus gelesen wurden. Man hat seit Even in dem 1469 verstorbenen Gheert de Smet gerne den Stifter des Retabels sehen wollen. Im 16. Jahrhundert war das Retabel jedoch nachweislich im Besitz der Bruderschaft[23] und nicht der Familie des vorgeblichen Stifters, so daß eher anzunehmen ist, daß Gheert de Smet zwar Messen, nicht jedoch das Retabel stiftete. Da die Rechnungsbücher der Bruderschaft erst seit 1466 überliefert sind, ist über das Datum der Meßstiftung keine Aussage möglich. Das Retabel wurde offenbar zu einem Zeitpunkt aufgestellt, als die Heiligenmessen seit mindestens zwei Jahren zelebriert wurden. Die drei für das 15. Jahrhundert bezeugten Stiftungen der Bruderschaft in St. Peter zu Löwen folgen offenbar der Wichtigkeit der liturgischen Aufgaben. Zunächst gab man 1450 das Sakramentshaus in Auftrag. Es folgte das Retabel für denjenigen Altar, an dem die Sakramentsliturgie zelebriert wurde, und abschließend der Erasmus-Altar für die Kapelle, in der man der verstorbenen Mitglieder gedachte.

Der Vertrag für das Sakramentsretabel wurde am 15. 3. 1464 abgeschlossen zwischen den vier Vorstehern der Löwener Fronleichnamsbruderschaft[24] und Dirk Bouts. Neben den Modalitäten für Lieferung und Bezahlung sowie der Verpflichtung, daß Dirk Bouts für die Dauer der Arbeit keinen anderen Auftrag annehmen dürfe, wird die inhaltliche Konzeption des Retabels festgelegt. Dirk Bouts wird im Vertrag weiterhin vorgeschrieben, für die Ausgestaltung der Szenen zwei Löwener Theologen, Johannes Vaerenacker und Aegidius Bailluwel, zu konsultieren. Unter dem Titel »Szenen aus der Geschichte des Sakramentes« werden die Themen festgelegt:

> »Auf dieser Tafel sollen in der Mitte das Abendmahl unseres lieben Herrn mit seinen zwölf Aposteln und auf den Flügeln innen je 2 Bilder aus dem Alten Testament dargestellt sein: 1. das Bild mit dem himmlischen Brote 2. das Bild mit Melchisedech 3. das Bild mit Elias 4. das Bild mit dem Passahmahl, wie es im Alten Testament steht.«[25]

Die ausgeführten Gemälde stimmen mit dem Vertrag überein. Gefordert sind jedoch weiterhin zwei Darstellungen für die Flügelaußenseiten, von denen bei Vertragsabschluß lediglich eine Szene feststand:

> »Ebenso soll auf jedem Flügel auch außen ein Bild gemalt sein: auf dem einen die Scene mit den zwölf Broten, die man allein den Priestern zu essen gab, und auf dem anderen ... (Lücke).«[26]

[22] Demnach entstand das Erasmus-Retabel 1468, also nach Abschluß der Arbeiten am Sakramentsaltar und vor den Gerechtigkeitsbildern; Katalog »Bouts ...« 1957/58, Nr. 6; vgl. zu diesem Retabel auch Blum 1969, 71-76.

[23] Quelle von 1535; »Bouts ...« 1957/58, Nr. 6.

[24] Erasmus van Baussele, Laurentius van Winghe, Reyner Stoep und Eustachius Roelofs. Der Vertrag wurde von Even 1898 erstmals publiziert. Er findet sich vollständig, in originalem Wortlaut und in Übersetzung bei Schöne 1938, Dok. 85, Übersetzung auf S. 89.

[25] »In welker tafelen binnen staen sal den avontmaeltyt ons liefs/heren met syne XII apostelen Item eker dueren binnen twe figueren uuten ouden testamente Die eenen vanden hehelscen/brod Die andere van melchisedch die derde van helyas ende vierde vande etene des paeschlams in de/oude wet.« Schöne 1938, Dok. 55. – Schöne a.a.O. 89.

[26] »Item op elc van desen dueren sal buyten staen een figuere Op die eene die figuere vanden XII broden diemen alleene den priesters teten gaf ende op die andere ...« Schöne 1938, Dok. 55. – Schöne a.a.O. 89, siehe auch ebd. 91; gemeint ist Lev. 24,5-9.

Für den Nachtrag des zweiten Themas ist im Text eine Lücke belassen. Die inhaltliche Konzeption des Retabels stand zum Zeitpunkt des Vertragsabschlusses, am 15. 3. 1464, offenbar nicht vollständig fest.
Kurz nach dem 9. 2. 1468 bestätigte Dirk Bouts die Schlußzahlung[27], die entsprechend der vertraglichen Regelung spätestens ein Jahr nach der Fertigstellung der Gemälde erfolgen mußte. Mit einer Vollendung des Retabels ist deshalb bereits 1467 zu rechnen, nachweislich aufgestellt war es seit 1468[28]. Die weitere, für die ikonographische Konzeption aufschlußreiche Geschichte des Retabels im 15. Jahrhundert ist von der Forschung bisher zwar als Dokumentation aufgelistet worden, Schlußfolgerungen wurden jedoch nicht gezogen. In den Jahren nach 1468 erfuhr das Retabel zunächst Ergänzungen, die nicht in den Zuständigkeitsbereich eines Malers fielen. 1470 wurde es mit Ornamentwerk versehen[29] und 1478 mit einer Nische bekrönt, in der eine Marienfigur aufgestellt wurde[30]. Das Retabel dürfte in seinem Typus den zuweilen auf Gemälden gezeigten Flügelaltären mit bekrönenden Figurennischen entsprochen haben *(Abb. 22)*[31]. Ob diese Nische mit Flügeln versehen war, kann nach der Quellenlage nicht mehr entschieden werden. Die in Gemälden des 15. Jahrhunderts wiedergegebenen Retabel mit bekrönenden Figurennischen sind insgesamt geschnitzt, die Nischen besitzen hier Flügel. Unabhängig von der genauen Rekonstruktion kann festgehalten werden, daß den Sakramentsszenen eine weitere inhaltliche Bedeutungsebene, die Marienfigur, hinzugefügt wird. Mit dieser Figur wird das Programm des Sakramentsaltares über den Vertrag hinaus erweitert und um den mariologischen Bedeutungsaspekt bereichert.

1486 wurden in einem weiteren Schritt die Außenseiten der Flügel vergoldet[32]. Damit wurde auf ihre szenische Bemalung verzichtet. Da sich unter der Vergoldung dem technischen Befund zufolge offenbar keine Reste einer Bemalung erhalten haben[33], war demzufolge das Retabel zum Zeitpunkt seiner Aufstellung 1467/68 unvollendet. Dirk Bouts erhielt jedoch nachweislich eine Schlußabrechnung. Es muß somit eine Konzeptionsänderung gegeben haben, die ihn von den beiden Gemälden der Flügelaußenseiten suspendierte. Für die auftraggebende Bruderschaft hatte dieser Umstand zur Folge, daß man zwischen 1467/68 und 1486 ein Retabel mit nur einer Schauseite besaß, das jedoch nicht sinnvoll wandelbar war. Erst mit der Ergänzung der Marienfigur 1478 und der Vergoldung der Flügelaußenseiten 1486 wurde eine zweite Wandlung, die neben dem kostbaren Gold die Marienfigur zeigte, ermöglicht. Eingeführt wurde eine ausschließlich mariologische Ansicht des Retabels.
Zu unterscheiden sind demnach vier Konzeptionsstufen für das Retabel: das im Vertrag

---

[27] Schöne a.a.O. Dok. 59.
[28] Schöne a.a.O. Dok. 60.
[29] Schöne a.a.O. Dok. 61: »Hendrik van Henegauwe aus Mecheln versieht den Abendmahlsaltar mit Ornamenten aus gegossenem Kupfer.«
[30] Schöne a.a.O. Dok. 62: »Der Abendmahlsaltar wird durch eine Nische bekrönt, die von einem durchbrochenen Turmhelm bedeckt wird und eine Marienfigur enthält ...«
[31] So auf Rogiers Sakramentsaltar in Antwerpen oder auf dem Männlichen Bildnis des Meisters von St. Guldan, eh. in Dessau, heute im Metropolitan Museum in New York; vgl. Schöne 90 Anm. 1. Das Porträt abgebildet bei Friedländer ENP 3, 77.
[32] Schöne 1938, Dok. 63, durch Dirk Bouts den Jüngeren und Albert Bouts.
[33] Vgl. Schöne a.a.O., der auch die Vergoldung als Hinweis auf die nicht ausgeführte Malerei versteht, was durch den Restaurierungsbefund (vgl. Levève/Molle 1960) bestätigt wurde. Friedländer ENP 3, 15, hingegen hielt noch eine vorhergehende Malerei für denkbar.

vorgesehene, noch nicht vollständig feststehende Programm – der von Dirk Bouts gemalte Flügelaltar mit lediglich einer Ansicht – die Erweiterung des Programmes durch die Marienfigur – und schließlich der Verzicht auf eine szenische Bemalung der Flügelaußenseiten zu Gunsten einer mariologischen Alltagswandlung des Retabels.
Das Programm der Hauptseite des Sakramentsretabels verbindet das Abendmahl als Zentralthema mit vier typologischen Darstellungen. Diese Anordnung verläßt sowohl das Schema der Biblia Pauperum, die jeder Szene zwei Typen zuordnet, als auch das Schema des Speculum Humanae Salvationis, wo jeweils drei Szenen ergänzt werden. Während die Darstellung der Begegnung zwischen Abraham und Melchisedech, das Passahmahl und die Mannalese durchaus geläufige Typen des Abendmahls sind, ist die Speisung des Elia in der Wüste als ungewöhnlich zu bezeichnen[34]. Offenbar war man in Löwen, darauf deutet die im Vertrag vorgesehene Alltagswandlung mit weiteren Abendmahlstypen, an einer Vielzahl von Szenen interessiert, hätte doch die geläufigere Retabelkonzeption mit nicht unterteilten Bildfeldern auf den Flügeln die Übernahme des in der Biblia Pauperum vorgeprägten Schemas ermöglicht. Der Fronleichnamshymnus »Lauda, Sion« nennt ebenfalls drei, von der Zusammenstellung in Löwen jedoch abweichende Präfigurationen:

»Längst im Bild war's vorbereitet:
Isaak, der zum Opfer schreitet,
Osterlamm zum Mahl bereitet,
Manna nach der Väter Sinn.«[35]

Die vorgegebenen Zusammenstellungen der Abendmahlstypologie sind jedoch nach der Jahrhundertmitte des 15. Jahrhunderts nicht derart verpflichtend, daß nicht Variationen im Ermessensspielraum der Auftraggeber beziehungsweise ihrer theologischen Berater lagen[36]. Die Zuordnung der wunderbaren Speisung des Elia zum Abendmahl findet sich ebenfalls in einem 1465 datierten St. Gallener Manuskript der Biblia Pauperum[37], das sicher in keinem Abhängigkeitsverhältnis zum Löwener Programm steht. Van Puyvelde folgert weitergehend, daß die typologischen Reihen im 15. Jahrhundert dergestalt geläufig gewesen seien, daß man das Löwener Programm nicht eigens auf die Biblia Pauperum oder das Speculum zurückzuführen brauche[38]. In diesen Schriften nicht vorgebildet ist die Isolierung einer einzelnen Szene aus dem zyklischen Zusammenhang der Passionserzäh-

---

[34] Vgl. oben die Ausführungen zur Ikonographie des Abendmahles.
[35] Schott 605.
»In figuris praesignatur,
Cum Isaac immolatur
Agnus paschae deputatur:
Datur manna patribus.«
Missale Romanum a.a.O. Bd. 1, 258.
[36] Lankheit Artikel »Eucharistie« in: RDK Bd. 4, 154-254.
[37] Ebenso in dem von diesem Manuskript abhängigen Holzschnitt 50 der Biblia Pauperum von 1470. Hinweis bei Baudouin im Katalog »Bouts ...« 1957/58, 52 mit weiteren Beispielen.
[38] Puyvelde (in: »Bouts ...« 1957/58, 43-45), der die Illustrationen eines in den Niederlanden entstandenen Speculum (Bibliothek Florenz) Dirk Bouts zuschreiben möchte, folgert aus der Divergenz der Typologie, daß die Biblia und das Speculum grundsätzlich nicht sinnvoll als Vorbilder für Retabel herangezogen werden könnten. Die beratenden Theologen hätten Evangelienkonkordanzen angefertigt, die Zusammenstellung der Szenen sei ihnen auch ohne solche Manuskripte geläufig gewesen.

lung. Für ein Retabelprogramm, das eine neutestamentliche Szene aus dem Erzählzusammenhang herauslöst und ihr alttestamentliche Typen auf den Flügeln zuordnet, konnte man auf keine direkten Vorläufer zurückgreifen.

Frühestes Beispiel eines Retabels mit typologischer Schauseite ist der Klosterneuburger Altar des 14. Jahrhunderts, der in strenger Anordnung den Szenen eines Leben-Jesu-Zyklus je einen Typus ante legem und sub lege zuordnet[39]. Die im 14. Jahrhundert nicht wieder aufgegriffene Konzeption ist hier offenbar auf die Wiederverwendung der älteren Emails zurückzuführen[40]. Erst im 15. Jahrhundert werden vereinzelt typologische Retabelprogramme entworfen. Die Hauptansicht des in den 1430er Jahren entstandenen Heilsspiegelaltares von Konrad Witz ordnet einer nicht mehr bekannten Mitteldarstellung Szenen aus dem Alten Testament zu, deren Auswahl auf das Speculum zurückgeführt werden kann[41]. Dabei fungiert das zentrale Thema jedoch nicht wie in Löwen als gemeinsamer Antitypus. Am nächsten kommt dem Löwener Retabel ein Werk Jan van Eycks, der Van-Maelbeke-Altar[42]. Der stehenden Maria mit Stifter sind auf den Flügelinnenseiten alttestamentliche Szenen zugeordnet, die die Jungfräulichkeit der Gottesmutter thematisieren, links Moses am brennenden Dornbusch, rechts der Garten des Ezekiel und Aaron. Zentrales Thema ist hier jedoch nicht eine neutestamentliche Szene, die auf den Flügeldarstellungen durch Typologie ergänzt wird. Ein anderes Verfahren wird von Rogier van der Weyden eingeführt, der beispielsweise in den Gemälden des Miraflores-Altares alttestamentliche Präfigurationen als Figurenschmuck der Kapitelle in das neutestamentliche Bildprogramm integriert[43]. Lediglich in der deutschen Kunst des mittleren 15. Jahrhunderts findet sich mit dem Nothelfer-Altar aus Kornburg ein Beispiel, das die Typologie, Abendmahl mit dem Opfer des Melchisedech und der Mannalese, allerdings auf den Flügelaußenseiten anordnet *(Abb. 39)*[44]. Auch von einer solchen Konzeption läßt sich das Löwener Programm jedoch nicht ableiten. Diese sicher noch um vereinzelte Beispiele zu erweiternde Reihe belegt einerseits, daß man seit dem 2. Drittel des 15. Jahrhunderts beginnt, Typologie in die Gestaltung von Retabelprogrammen zu integrieren. Gleichzeitig kann andererseits das Löwener Programm, das sich durch die einzelne neutestamentliche Szene im Zentrum, auf die alle vier Flügeldarstellungen als alttestamentliche Präfigurationen bezogen sind, auszeichnet, nicht auf Vorläufer zurückgeführt werden. Die Programmkonzeption in Löwen ist innovativ.

Der Vertrag sah darüberhinaus weitere Präfigurationen des Abendmahles auf den Flügelaußenseiten vor. Diese hätten sich auf das in der Alltagswandlung nicht sichtbare Mittelbild bezogen. In der ersten Konzeption war somit ein ausführliches typologisches Programm angelegt, das zu einem späteren Zeitpunkt offenbar verworfen wurde. Von hier ließe sich erklären, daß man zunächst auf die Bemalung der Flügelaußenseiten durch Bouts verzichtete und sich in einem zweiten Schritt zu der Ansicht mit der Marienfigur entschied. Die sich hier widerspiegelnde Unsicherheit im inhaltlichen Entwurf mag ihre Ursache nicht zuletzt darin finden, daß man, ohne auf Vorbilder zurückgreifen zu können, eine neuartige Konzeption umzusetzen suchte.

---

[39] Röhrig 1955.

[40] Vgl. oben im Kapitel »Retabel, Reliquien und Bildprogramme«.

[41] Barrucand 1972.

[42] Warwick Castle; Friedländer ENP 1, Abb. 58-59.

[43] Berlin, Gemäldegalerie; vgl. Grosshans 1981.

[44] Nothelfer-Altar aus Kornburg. Entstanden in Nürnberg um 1450. Germanisches Nationalmuseum Nürnberg; Katalog der Gemälde 1937, Bd. 1, 123, Bd. 2 Abb. 23-26; Stange KV Bd. 3, Nr. 94; vgl. unten im Kapitel »Die Verwendung von Abendmahlstypologie in altdeutschen Retabeln«.

Die Abendmahlsdarstellung in Löwen *(Abb. 3b)* ist ausgezeichnet durch strenge, beinah starre Anordnung der Figuren um den Tisch. Betont wird die Feierlichkeit des dargestellten Geschehens und gewährleistet möglicherweise die für eine Retabeldarstellung unerläßliche Repräsentativität. Auf erzählerische Binnenbewegungen und genrehafte Motive ist verzichtet. Die Darstellung besticht durch die den Kompositionen des Dirk Bouts häufig eigene Ruhe, die von den Figuren mit verhaltenen kaum den Körperkontur verlassenden Gesten vermittelt wird. Die schmale, jedoch nicht überlängte, Figurenproportionierung sowie die ebenmäßig modellierten Physiognomien unterstreichen diesen Eindruck.

In einem durch seine architektonische Gestalt als zeitgenössisch ausgewiesenen Raum sitzen Christus und die Apostel beim Letzten Abendmahl zusammen. Christus, um ein Weniges größer als die übrigen Figuren wiedergegeben und frontal aus dem Bild blickend, segnet mit der erhobenen Rechten die Hostie, die er in der linken Hand über dem Kelch hält. Er setzt das Sakrament ein. Konsequenterweise fehlt die Christus-Johannes-Gruppe. Der an seiner jugendlichen Physiognomie erkennbare Johannes sitzt nicht an der Brust des Herrn ruhend, jedoch ihm deutlich zugewendet zur Linken Christi. Der Platz zur Rechten Christi ist Petrus zugewiesen. Die Kennzeichnung des Judas ist zurückhaltend. Der Ikonographie der Sakramentseinsetzung untergeordnet sind die zur Verräterbezeichnung gehörenden Motive, die hier auf das strenge Profil sowie die Verschattung des Gesichtes reduziert werden.

Die mit den Mitteln der Zentralperspektive wiedergegebene Architektur wird in ihrem Eindruck bestimmt durch den einfachen Fliesenfußboden und die Balkendecke. Links geben zwei Maßwerkfenster den Blick auf einen städtischen Platz frei, rechts trennt eine Bogenstellung einen Anraum ab. Man blickt hinten durch eine Türöffnung, deren Bogenfeld mit einer Statue des Moses geschmückt ist, durch einen Gang in den von einer Mauer eingefaßten Garten. Aus dem seitlich angrenzenden Raum führt eine angelehnte Tür ebenfalls ins Freie. Die Rückwand des Raumes wird beherrscht durch einen großen Kamin, dessen innere Holzverkleidung ein Kreuz hinter Christi Kopf bildet. Diese Darstellung des Kaminkreuzes hinter Christi Haupt mag als Hinweis auf das Kreuz verstanden werden. Wie bei dem Ofenschirm des Londoner Marienbildes Robert Campins[45] handelt es sich um einen mit der Suggestion plausibler Realität dargestellten Heiligenschein (Kreuznimbus). Diese Form der Gestaltung liegt ausschließlich im Bereich künstlerischer Möglichkeiten. Sie hat sicher die Billigung der Auftraggeber erfahren, von ihnen initiiert ist sie kaum[46].

Der Eindruck von Feierlichkeit wird unterstrichen durch eine Gliederung der Bildfläche, die die Orthogonalen betont. Christus ist auf der senkrechten Mittelachse angeordnet. Die imaginäre Linie ist fortgesetzt in der Kaminvertäfelung, dem Leuchter sowie der mittleren Deckenleiste. Auf der Mittelachse angeordnet sind der Kopf Christi, die segnende Rechte, die Hostie, der Kelch sowie die Schale für das Passahlamm, deren Rundung von der über das Tischtuch gelegten Serviette aufgenommen wird, wodurch der Blick in das Bedeutungszentrum zurückverwiesen ist. Der Fluchtpunkt der perspektivischen Konstruktion liegt ebenfalls auf der senkrechten Mittelachse am unteren Rand des Ka-

---

[45] Davies 1972, Kat. London 2.

[46] Diesem künstlerischen Detail eine theologisch fundierte Bedeutung zu unterlegen, ist nicht haltbar, wie Lane versucht hat, die das Kaminkreuz als Hinweis auf alttestamentliche Brandopfer, die das Opfer Christi präfigurieren, interpretiert; Lane 1984, 114.

mingesimses. Die waagrechte Mittelachse verläuft durch die Köpfe der mittleren, an der Längsseite plazierten Apostel und durch die segnende Hand Christi. Hier befindet sich das Zentrum der Komposition. Die formale Ordnung der Bildfläche ist somit genau auf die Ikonographie des Abendmahles, die Sakramentseinsetzung, abgestimmt.
Scheinbar nebensächliche Details wie die große Schale des Passahmahles auf dem Tisch, die hier aber bereits leer ist, sowie die Stäbe, die unter den Fensterbänken lehnen, unterstreichen – wie die folgenden Ausführungen zu zeigen haben – diese bewußte inhaltlich und künstlerisch aufeinander abgestimmte Aussage. Vier zeitgenössische Porträts sind in die Darstellung als Beobachter integriert. Sie werden kontrovers identifiziert, die meiste Plausibilität besitzt die Deutung als Darstellungen der vier im Vertrag genannten Bruderschaftsmitglieder[47].
Inhaltlich wie formal weisen die alttestamentlichen Szenen auf verschiedene Aspekte des biblischen Abendmahles hin. Die Begegnung zwischen Abraham und Melchisedech *(Abb. 3c)*[48] rückt das formal auf der senkrechten Mittelachse angeordnete Brot sowie das Gefäß mit Wein, das mit seiner oberen Spitze die waagrechte Mittellinie berührt, in das Zentrum der Komposition. Auf der vorderen Ebene einer Landschaft angeordnet überbringt der von links kommende Melchisedech Abraham Brot und Wein. Deutlich zurückgesetzt beobachten rechts eine, links drei Figuren das Geschehen. Die hinteren beiden Personen aus der Gruppe hinter Melchisedech sind in zeitgenössischer Mode wiedergegeben und wiederholt mit den im Vertrag genannten Theologen identifiziert worden[49]. Von hinten nähert sich durch die den Vordergrund abschirmenden Hügel das Gefolge Abrahams. Die Bewegungsrichtung, betont durch den anführenden jungen Mann, lenkt den Blick wieder zur Übergabe von Brot und Wein.
Die Mannalese *(Abb. 3e)*[50] findet in einer nächtlichen Landschaft statt. Im Vordergrund knien drei Figuren, um das Manna aufzusammeln, eine Frau mit Kind steht beobachtend dabei. Zwischen ihnen auf dem Boden steht ein kostbares Gefäß, das das himmlische Brot aufnehmen soll. Die senkrechte Achse findet ihren Abschluß in der Erscheinung Gottes. Die aus dem Mittelgrund nahenden Figuren führen den Betrachterblick zurück zu dem in kostbaren Gefäßen gesammelten Manna, dem von Gott geschenkten himmlischen Brot.
Das Passahfest *(Abb. 3d)*[51] als Mahlfeier des Alten Bundes weist auf das von Christus eingesetzte Sakrament des Neuen Testamentes. Dieser Zusammenhang ist besonders eng,

---

[47] Die Figuren werden seit Even identifiziert, der jedoch in der Person, die rechts hinter der Abendmahlsgemeinschaft steht, ein Selbstporträt des Künstlers sieht. Als Vergleichsbasis dient ein Stich des 16. Jahrhunderts (Lapsonius, Pictorum aliquot effigies. 1572 bei Hier. Cock in Antwerpen gedruckt). Friedländer folgt dieser Interpretation und versucht von hier aus Alter und mögliches Geburtsdatum des Dirk Bouts zu erschließen (ENP 3, 13). Sind in der Mitteltafel jedoch die vier Vorsteher der Bruderschaft wiedergegeben, so ist für ein Porträt des Künstlers kein Platz mehr, worauf Blum zurecht hingewiesen hat (Blum 1969, 64). Die Wiedergabe zeitgenössischer Personen in den Gemälden des Sakramentsaltares ist als solche durchaus wahrscheinlich. Für die Gerechtigkeitsbilder Kaiser Ottos ist sie bezeugt. 1471 wird der Löwener Theologe Jan van Haeght dafür bezahlt, daß er die Themen der Gemälde sowie die darzustellenden Personen ausgewählt habe (Schöne 1938, Dok. 70). Da der Vertrag für die Gerechtigkeitsbilder jedoch nur indirekt überliefert ist (Schöne 1938, Dok. 64), können Rückschlüsse für den Sakramentsaltar nur bedingt gezogen werden.
[48] Gen. 14.
[49] Peeters 1929, 15. Der ältere sei Varenacker, der jüngere Balluwel. Diese Identifizierung hat sich durchgesetzt.
[50] Ex. 16.
[51] Ex. 12.

ist der historische Zeitpunkt der Sakramentseinsetzung doch das von Christus mit seinen Aposteln gefeierte Passahfest. Den Mittelpunkt der Komposition bildet hier das Opfertier, das auf eine Schale gelegt ist, die derjenigen auf der Mitteltafel entspricht. Zwischen beiden Themen wird so durch bildnerische Mittel eine Verbindung hergestellt. Die Figuren umstehen den Tisch mit dem Passahlamm, das in diesem Fall leicht aus den orthogonalen Achsen verschoben ist. Eine weitere Figur nähert sich durch den Garten, der Weg führt den Blick wiederum zur Hauptgruppe. Die mittlere Person zerlegt das Lamm, während die übrigen Personen mit verhaltenen Gesten an dem Mahl teilnehmen. Sie halten in ihren Händen die zum Zeremoniell gehörenden Stäbe.
Die Eliaszene *(Abb. 3f)*[52], die inhaltlich zunächst der Mannalese vergleichbar die von Gott geschenkte Speise thematisiert, setzt den Akzent auf die verheißene Stärkung durch den Genuß dieses Mahles, auf das Abendmahl bezogen auf die Wirkung des Sakramentes. Im Zentrum der Komposition sind nicht Brot und Wein angeordnet, die auf der Bodenwelle neben dem Kopf des Propheten als Speise für ihn bereit stehen. Mittelpunkt ist vielmehr die Berührung durch den Engel, der dem lebensmüden Elia die Gaben bringt und ihm neue Kraft verheißt. Wir sehen den Propheten deshalb auch ein zweites Mal, wie er, nachdem er sich gestärkt hatte, mit wehendem Mantel in Richtung Bildtiefe seine Wanderschaft wieder aufgenommen hat.
Auswahl wie formale Gestaltung der alttestamentlichen Szenen spiegeln eine bewußte Konzeption, die von Dirk Bouts aufgenommen und mit künstlerischen Mitteln visuell umgesetzt ist. Die Gestaltung des Abendmahles deutet bereits vor jeder vergleichenden Analyse durch die genaue Abstimmung des formalen Bildaufbaues mit dem inhaltlichen Thema der Sakramentseinsetzung auf eine genuine Komposition. Derartige Beobachtungen entbinden jedoch nicht von der Frage nach ikonographischen Vorläufern. Die nähere Bestimmung zugrunde liegender Bildformen kann vielmehr den Einflußbereich der Theologen auf eine besondere inhaltliche Konzeption einerseits und die Innovation von Dirk Bouts andererseits herausstellen.
Dirk Bouts verwirklichte in der Löwener Abendmahlsdarstellung eine der ersten zentralperspektivischen Kompositionen mit einem Fluchtpunkt in der niederländischen Malerei. Als ältere Beispiele sind lediglich erhalten die 1452 datierte Verkündigung von Petrus Christus in Berlin, sowie vom gleichen Künstler die Thronende Maria und Kind mit stehenden Heiligen im Frankfurter Städel von 1457[53]. Diese Beobachtung ist als Indiz dafür zu werten, daß der Künstler bei der Abendmahlskomposition nicht eine heute nicht mehr bekannte Vorlage gleichsam wörtlich aufgriff, sondern die Komposition selbst entwarf. Die Auftragssituation ermöglichte offenbar, sich dem künstlerischen Problem der perspektivischen Darstellung zu widmen.
Die formale Anlage des Abendmahles ist allerdings in einer Vorlage aus der nordniederländischen Malerei vorgebildet. Überliefert ist der Darstellungstypus in einer Miniatur des um 1440 in Utrecht entstandenen Stundenbuches der Katharina von Kleve *(Abb. 35)*[54]. Dirk Bouts konnte von hier die grundsätzliche Raumanlage übernehmen. Es finden

---

[52] Kg. 20I-8.

[53] Zuletzt Collier 1984. Hier findet sich auch eine perspektivische Durchzeichnung des Abendmahls. Collier weist jedoch darauf hin, daß die Konstruktion bei Dirk Bouts anders als bei Petrus Christus organisiert ist. »Unlike Christus, Bouts understood the proper placement of transversal intervals, as a diagonal drawn through the angles of the square tiles of the floor proves.« A.a.O. 50.

[54] New York, Pierpont Morgan Library, M. 945, fol. 180v.; Plummer 1964, T. 20; Gorissen 1973, 490-493; Châtelet 1981, 206; der Vergleich findet sich erstmals bei Hoogewerff Bd. 2, 452-456.

sich der geflieste Fußboden, die Holzbalkendecke, die schräg angeschnittenen Seitenwände, die Bögen links und rechts. Im Stundenbuch ist allerdings die Rückwand durch ein Fenster geöffnet, dessen Fensterkreuz den Ausgangspunkt für die kreuzförmige Täfelung des Kamins in Löwen gebildet haben mag. Die Verschiebung der Ausblicke an die Seite bei Dirk Bouts erklärt sich durch den zeitlichen und stilistischen Abstand. Bereits im Stundenbuch ist eine zusätzliche stehende Figur gezeigt. Übereinstimmend ist zudem die Beleuchtung, die von links einfallend die rechte Wand erhellt, die Rückwand im Halbschatten beläßt, während die linke Wand deutlich verschattet ist. Die Formulierung der Figuren und vor allem die Gesamtikonographie unterscheiden sich, zeigt doch die Miniatur die Verratsankündigung durch die Judaskommunion. Konnte Dirk Bouts zwar das Stundenbuch der Katharina von Kleve wohl nicht kennen, so scheint ihm jedoch das Muster der dort verwendeten Abendmahlskomposition vertraut gewesen zu sein. Diesem Vorbild ist die grundsätzliche Disposition des Löwener Abendmahles entlehnt. Die Raumanlage dürfte zum Motivrepertoire des Künstlers gehören, eine Annahme, die mit der Biographie von Dirk Bouts, der dem Bericht van Manders zufolge in Haarlem geboren wurde und der seine erste Ausbildung möglicherweise in den nördlichen Niederlanden erfahren hat, bevor er sich 1447 in Löwen niederließ, zusammengeht. Entscheidender ist jedoch, daß die räumliche Disposition die inhaltliche Aussage nicht dergestalt berührt, daß die theologischen Berater hierauf hätten Einfluß nehmen müssen. Die Ikonographie der Sakramentseinsetzung werden sie hingegen explizit gefordert haben.
Für die Sakramentseinsetzung als Bildthema lassen sich ebenfalls ältere Beispiele der altniederländischen Kunst nennen, beispielsweise im Turin-Mailänder-Stundenbuch in einer der frühen Miniaturen[55]. In ihrem formalen Aufbau weicht diese Komposition deutlich von der Löwener ab. Die Gruppe ist um einen runden Tisch versammelt. Judas ist isoliert, indem er am Boden sitzt. Die Ikonographie der Sakramentseinsetzung ist darüberhinaus in zahlreichen Speculum-Illustrationen greifbar[56], aber auch in der franko-flämischen Buchmalerei[57]. Dem Künstler muß für die von seiner grundsätzlichen Kompositionsvorlage abweichende Ikonographie nicht zwingend eine eigene bildliche Darstellung, die das Abendmahl als Sakramentseinsetzung zeigt, vorgelegen haben. Ein solcher Inhalt ist als theoretisches Anliegen verbal vermittelbar. In eine vorliegende Abendmahlskomposition ist der Typus des segnenden Christus zu integrieren, der in der altniederländischen Malerei aus Darstellungen mit anderen Themen, wie dem Braque-Triptychon von Rogier van der Weyden[58], bekannt war.
Barbara Lane weist auf Zusammenhänge zwischen der Wahl des Abendmahlsthemas mit der Ikonographie der Sakramentseinsetzung für das Retabel in Löwen und Buchillustration für Corpus-Christi-Messen hin, die als Thema neben Meß- und Hostienszenen

Baudouin (im Katalog »Bouts ...« 1957/58, 47) lehnt diese Herleitung mit dem Hinweis auf die unterschiedliche Ikonographie ab.
Der Versuch Mâles (1904, 289f.), die Ausgestaltung der Szene aus Mysterienspielen abzuleiten, ist durchgängig abgelehnt worden.

[55] Folio 19r. Hulin de Loo 1911, Tafel 11. Hulin de Loo schreibt diese Miniatur der sog. Hand C zu und datiert sie um 1410/20. Die Bas-de-Page wurde nachträglich, um 1445/50 hinzugefügt. Sie zeigt die Beichte und die Austeilung der Kommunion. Meiss 1967, Bd. 1,2 schreibt die Miniatur dem »Baptist-Master« zu und datiert entsprechend früher um 1380/85.

[56] Breitenbach 1930, 165f.

[57] So in einer der Werkstatt des Bedford-Meisters zugeschriebenen Miniatur; Châteatroux Bibl. municipale M. 2, fol. 113v; vgl. Meiss 1968, Abb. 101; Parshall 1972.

[58] Paris Louvre; Davies 1972, Cat. Rogier, Paris 1.

sowie Christus als Priester auch das Abendmahl zeigen. »The frequent use of this theme to illustrate the Corpus Christi Mass, however, suggests that Bouts was familiar with this tradition. His altarpiece continues the sacramental interpretations of the Last Supper that appear in miniatures associated with the very feast to which it was dedicated.«[59] Die genannten Beispiele sind jedoch insgesamt später als das Löwener Triptychon entstanden. Wird man darüberhinaus die ikonographische Kenntnis eher den Theologen als dem Künstler zusprechen wollen, vermag vor allem der Hinweis auf mögliche Vorläufer in Buchillustrationen zudem noch nicht die neuartige Verwendung des Themas als Hauptthema eines Retabels erklären.

Die Dreiergruppierung der Apostel an den Querseiten des Tisches verweist auf die Beschreibung in den Meditationes Vitae Christi. Als einzelnes Motiv könnte sie ohne den direkten Rekurs auf den Text durch die Formalisierung älterer Darstellungen erreicht worden sein. Sie steht jedoch nicht isoliert. Die Löwener Darstellung zeigt die vierte der fünf im Text genannten Episoden: die Einsetzung des Sakramentes[60]. Zusätzlich sind die drei vorausgehenden Szenen durch Einzelmotive ins Bild gesetzt. An die Fußwaschung erinnert die Schale mit dem Tuch rechts. Judas ist, wenn auch lediglich mit malerischen Mitteln bereits als Verräter gekennzeichnet. Wichtiger ist die Ausführlichkeit, mit der auf die Passahfeier Bezug genommen ist. Die Schale auf dem Tisch zeigt lediglich noch Reste des Passahlammes[61]. Diese Feier ist bereits abgeschlossen, als Christus das Sakrament einsetzt. Für das Zeremoniell des Alten Bundes werden der textlichen Überlieferung zufolge – und auf der Flügeldarstellung vor Augen geführt – Wanderstäbe benötigt. Sie sind, nach Beendigung der Zeremonie nicht mehr benötigt, unter die Fensterbänke gelehnt.

Daß man sich in der zweiten Hälfte des 15. Jahrhunderts den Ablauf des Passahfestes, an dem Jesus in Jerusalem teilnahm, derart vorstellte, belegen zwei etwas jüngere Darstellungen. In einem nordniederländischen Gebetbuch der Zeit um 1475[62] feiert Christus das Abendmahl mit seinen Aposteln um den Tisch stehend und mit den Wanderstäben in der Hand. Eine 1488 in Delft gedruckte Ausgabe des Ludolph zeigt die gleiche Komposition *(Abb. 36)*[63]. Im Unterschied zu der Darstellung in Löwen ist in den beiden Buchillustrationen jedoch das Abendmahl im zeremoniellen Habitus der Passahfeier gezeigt. Auf dem

---

[59] Lane 1984, 113. Hier finden sich die Angaben zu Beispielen aus der Buchmalerei. Richtigstellend ist jedoch anzumerken, daß das Retabel nicht dem Fest des Fronleichnam geweiht ist, sondern dem Fronleichnam selbst.

[60] Die Meditationes gliedern den Text, wie bereits oben dargelegt, in fünf Abschnitte, das leibliche Mahl, gemeint ist die Passahzeremonie, die Fußwaschung, die Verratsankündigung, schließlich die Einsetzung des Sakramentes und fünftens den Sermon.
Châtelet 1983 weist auf Zusammenhänge zwischen der Darstellung des Dirk Bouts und den Texten des Ludolph von Sachsen hin. Ihm ist jedoch ausschließlich um den Nachweis der Verbindlichkeit des Ludolph für die spätmittelalterliche Ikonographie zu tun, auswertende Schlußfolgerungen für die einzelnen Beispiele werden nicht gezogen.

[61] Erstmals gesehen von Lane 1984, 112, allerdings mit anderen Schlußfolgerungen. Lane bewertet die Nichtübereinstimmung mit dem biblischen Bericht als »non historical and ritualistic« (112) und kommt zu einer liturgischen Deutung der Darstellung. »The paschal plate alludes to the paten on which the Host will rest; it is empty because the historical sacrifice has not yet occured. A liturgical niche with a laver, visible through the doorway, contributes to the identification of the space as a sanctuary.« A.a.O. 113.

[62] London, British Museum Add. 15525, fol. 48; vgl. Byvanck/Hoogewerff 1925, Bd. 2, 196, Tafel 196 A. Das Abendmahl ist Teil des Passionszyklus.

[63] Ludolphus: Leven ons Heren. Antwerpen 1488. Schretlen Tafel 45 A; im gleichen Jahr auch in Delft, Schretlen Tafel 62 B.

Gemälde des Dirk Bouts hingegen wird der historisch spätere Moment der Sakramentseinsetzung veranschaulicht und gleichzeitig durch Requisiten auf eine vorangegangene Handlung angespielt. Die in den Meditationes und bei Ludolph vorgebildete Aufteilung in aufeinanderfolgende Einzelszenen erklärt auch das Fehlen der Christus-Johannes-Gruppe. Diese gehört in den Handlungszusammenhang der Verratsankündigung. Gerade das Fehlen der Christus-Johannes-Gruppe, die in allen heranzuziehenden ikonographischen Vorlagen fester Bestandteil des Abendmahles ist, belegt, daß man sich in Löwen an der Erzählung mit szenisch unterschiedlicher Figurenanordnung orientierte, um die Sakramentseinsetzung zu veranschaulichen.

Die wichtigsten der für die Löwener Abendmahlsdarstellung charakteristischen Bildelemente finden sich in einer Predigt zum Fest des Heiligen Sakramentes von Johannes Gerson. Es heißt dort:

> »C'est ycy le pain de vie qui se doibt mangier a la semblance de l'agnel de Pasques, quar il signifie nostre pelerinage et trespassement. C'est le pain qui se doit mangier a la table de sobresse, sur la nappe blanche de purte, les mains lavees par innocence ou par bonne repentance en la voix d'exultacion et confession. C'est le pain des angenz qui fut fait pestrix ou precieux ventre de la Vierge glorieuse, et cuit en la fournaise ardente de dilection sur l'arbre de la croix. L'aignel de doit manger avecque le baston d'esperance, avecques la chaussure de bon exemple, avec les larmes dignes de bonne repentance, hastivement en remembrance de nostre fin, en une maison par unite, entierement par vraye creance, rosti par la feu de charite. Et in fine tenetur quilibet dicere; Domine adjuva incredulitatem meam. Credo firmitur.«[64]

Der Text spiegelt die Ausdeutung einzelner Bildelemente in der spätmittelalterlichen Frömmigkeit wider. Der Gläubige wird durch eine Reihe von Details auf seine eigene religiöse Existenz als Pilger verwiesen, erwähnt werden das weiße Tischtuch, das jedoch auch in der Bildtradition vorgegeben ist, Passahlamm, Brotstücke und schließlich die Wanderstäbe. Die bei Gerson als Utensil der rituellen Händewaschung ausgedeutete Schale scheint in der Löwener Darstellung der gängigen Bildtradition folgend auf die Fußwaschung anzuspielen. Entsprechend der für die Sakramentsandachten charakterisierten Andachtsformen folgt der Hinweis auf die Muttergottes. Abweichend vom Löwener Bildprogramm ist jedoch die Bezugnahme auf das Kreuzesopfer[65]. Die Ausführungen der Predigt erklären nicht, warum die Stäbe unter der Fensterbank lehnen und die Schale des Passahlammes bereits leer ist. Bei Gerson nicht vorgebildet ist die Historisierung des Abendmahles.

Ausdeutend auf das Löwener Programm können auch Passagen des zur Liturgie der Sakramentsbruderschaft gehörenden Fronleichnamshymnus bezogen werden:

> »Denn das Fest wird heut begangen,
> Von des Tages Glanz umfangen
> Der uns dieses Pfand vertraut.
>
> Neuen Königs Tafelrunde
> Neues Lamm im Neuen Bunde
> Hat des Alten End' gebracht.

---

[64] Jean Gerson VII 2 (1971), 709.

[65] Gerson folgt den im Zusammenhang mit dem Antwerperner Sakramentsaltar von Rogier bereits genannten Ausführungen des Ambrosius.

...

Sieh, das Brot der Engel Gabe,
Wird den Pilgern hier zur Labe,
Wahrhaft ist's der Kinder Habe,
Nicht den Hunden werft es hin.«[66]

Die für den Hymnus wichtigen Hinweise auf die Transsubstantiationslehre sind jedoch nicht in das Bildprogramm übernommen.
Ausgehend von der Aufteilung des biblischen Berichtes in einzelne Erzählsituationen, wie sie aus den Texten der Meditationes und des Ludolph bekannt ist, wird die Sakramentseinsetzung dargestellt. Nach der zum Alten Bund gehörenden Passahzeremonie und nach der Fußwaschung setzte Christus das eucharistische Sakrament ein. Dieser Akt bildet den Ausgangspunkt der kirchlichen Feier. Im Zentrum der Aussage steht jedoch nicht primär die zeitlose Gültigkeit des Geschehens, sondern die präzise Charakterisierung des biblisch-historischen Momentes. Erläutert wird die Hauptdarstellung durch vier typologische Szenen, die – jeweils einen anderen Aspekt herausstellend – diese neutestamentliche Begebenheit als Erfüllung der alttestamentlichen Verheißungen, als Antitypus, bestätigen.
Im Unterschied zu dem Imhoffschen Terrakotta-Retabel löst sich das Abendmahl in Löwen aus dem gedanklichen Zusammenhang der Passion. Es wird als Szene für sich in seiner heilsgeschichtlichen Bedeutung (durch die Typologie) alleiniges Thema des Retabels. Grundsätzlich unterschieden ist die Löwener Konzeption ebenfalls von dem Programm in Villahermosa. Dort war das Abendmahl erstens mit weiteren Szenen aus dem Leben Christi, vor allem der Kreuzigung (Opfer), in einen heilsgeschichtlich argumentierenden Zusammenhang gebracht und zweitens durch die Hostienlegende mit einem historischen Beleg der Transsubstantiationslehre.
Auf theologisch argumentierende Zusammenhänge, die den biblischen Kontext verlassen und weitergehende theologische Lehrmeinung miteinbeziehen, ist in Löwen konsequent verzichtet. Das Programm hält sich vollständig im biblisch-heilsgeschichtlichen Rahmen. Dieses Anliegen ist bis in die Ikonographie der Abendmahlsdarstellung verfolgt. Mit den Erzähldetails, die auf das Passahmahl als vorausgegangene Handlung deuten, ist die Szene explizit historisiert. Die inhaltlich motivierten Details müssen auf die im Vertrag namentlich genannten theologischen Berater zurückgehen. Sie forderten von Dirk Bouts konkrete, das Konzept der biblischen Historie visualisierende Bildelemente.

---

[66] Schott 606-607.
»Dies enim solemnis agitur,
In qua mensae prima recolitur
Hujus institutio.
In hac mensa novi Regis,
Novum Pascha novae legis
Phase vetus terminat.
...
Ecce panis Angelorum,
Factus cibus viatorum:
Vere panis filiorum,
Non mittendus canibus.«
Missale Romanum a.a.O. Bd. 1, 256-258.

Aufgabe und wohl Herausforderung für den Künstler war die aus diesen speziellen Erfordernissen notwendig, aber auch möglich gewordene genuine Bildkomposition.

Die Forschung ist erstaunlicherweise diesen beiden Theologen bisher nicht nachgegangen. Aegidius Balluwel stammte offenbar aus Lille, bevor er an die Löwener Universität berufen wurde. Er starb 1482. Johannes Varenacker (gestorben 1475) war Doktor der Theologie in Löwen und gleichzeitig Kanonikus und Pfarrer an der Peterskirche[67]. Die Universität zu Löwen war erst 1425 gegründet, die theologische Fakultät 1432 eingerichtet worden. Wissenschaftliches Niveau und Lehrbetrieb werden für das 15. Jahrhundert als geradezu langweilig charakterisiert[68]. Seit den 1440er Jahren wurde zwischen den Theologen an der theologischen Fakultät und denen an der Fakultät der Artes liberales ein Streit über den Begriff der Kontingenz (Querelles des futurs contingents) geführt[69]. Die Auseinandersetzungen schienen um 1460 beendet. Sie wurden jedoch ein Jahr, nachdem das Retabel in Auftrag gegeben war, wieder aufgenommen, wobei der Streit selbst keine Auswirkungen auf die inhaltliche Gestaltung des Retabelprogrammes gehabt haben dürfte. Die beiden im Vertrag genannten Theologen gehörten jedoch in dieser offenbar nicht nur mit wissenschaftlichen Mitteln geführten Kontroverse jeder einer anderen Partei an. 1465 dürfte die Konzeption der Schauseite des Retabels abgeschlossen gewesen sein und Dirk Bouts bereits mit der malerischen Arbeit begonnen haben. Offenbar nicht fertiggestellt war die Konzeption der Flügelaußenseiten. Es fehlte entweder noch die zweite zu bestimmende typologische Szene sowie Anweisungen für die Akzentsetzung innerhalb der malerischen Umsetzung, oder man hatte eine Wandlung mit Typologie, deren neutestamentlicher Bezugspunkt aber nicht sichtbar ist, als unsinnig verworfen und hätte eine gänzlich neue Konzeption entwerfen müssen. Daß die Querelle die beiden Theologen hiervon abgehalten habe, ist eine mögliche Erklärung. Die Vergoldung der Außenseiten, die auf die szenische Komplettierung des Programmes verzichtet, wurde erst nach dem Tod beider Theologen vorgenommen.

Für eine Geschichte der Abendmahlsaltäre entscheidend ist die Beobachtung, daß in Löwen offenbar nicht auf eine Vorgängerkonzeption zurückgegriffen, sondern eine genuine Konzeption entwickelt wurde, mit der man es sich nachweislich nicht leicht machte.
1478, noch vor der Vergoldung der Flügelaußenseiten, ergänzte man das Programm durch eine Marienfigur. Die auf den ersten Blick ungewöhnliche Ikonographie erklärt sich nicht durch ein Altar- oder Kirchenpatrozinium, sondern vermutlich durch die im Laufe des 15. Jahrhunderts, gerade bei den Sakramentsbruderschaften, üblich gewordenen allabendlichen Marienvespern[70]. Die offenbar nachträglich in die Programmkonzeption aufgenommene Marienfigur bezieht diese inhaltliche Bedeutung mit ein, nach der Vergoldung der Flügelaußenseiten besaß das Retabel eine eigene mariologische Wandlung. Damit nimmt die Alltagswandlung des Retabels erkennbaren Bezug auf die an diesem Altar zelebrierte Liturgie. Daß das Retabel für jede Sakramentsfeier geöffnet wurde,

---

[67] Molanus 1851, 504-505.
[68] Post 1957, Bd. 2, 206.
[69] Vgl. hierzu Baudry 1950, bes. 7-48, der – neben der inhaltlichen und historischen Analyse der Querelle – die Zugehörigkeit der Löwener Theologen zu den einzelnen Parteien aufschlüsselt.
[70] Browe 1967, 157-159.

um das Abendmahl als historische Einsetzung des Sakramentes in seiner heilsgeschichtlichen Erfüllung alttestamentarischer Präfigurationen vorzuführen, scheint möglich. Wahrscheinlich blieb diese Wandlung jedoch höheren Festen vorbehalten, während die regelmäßigen Andachten vor geschlossenem Retabel mit kostbarem Gold und Marienfigur stattfanden. Auf letztere Verwendung deutet die ursprüngliche Konzeption des Programmes, die auch für die Flügelaußenseiten »Szenen aus der Geschichte des Sakramentes« vorsah.

Das Retabel für die Sakramentsbruderschaft zu Urbino

Nahezu gleichzeitig mit der Löwener Sakramentsbruderschaft gab die Sakramentsbruderschaft zu Urbino ein Retabel für den Hauptaltar ihrer Kirche in Auftrag *(Abb. 4a-g)*[1]. Als zentrale Darstellung wurde ebenfalls das Abendmahl gewählt, allerdings in der Ikonographie der Apostelkommunion. Das gesamte Retabelprogramm unterscheidet sich jedoch grundlegend, zeigt doch die Predella in Urbino sechs Szenen einer Hostienlegende. Während diese Tafeln von einem italienischen Künstler, Paolo Uccello, gemalt wurden, wird die Hauptdarstellung plausibel Justus van Gent zugeschrieben. Sie wurde somit von einem Künstler geschaffen, der seine Ausbildung in den Niederlanden erhalten hatte, vermutlich sogar – wie zu zeigen sein wird – den Löwener Sakramentsalter von Dirk Bouts vor seiner Abreise nach Italien gesehen haben dürfte. Vom Künstler mitgebrachte Darstellungsgewohnheiten oder -möglichkeiten einerseits und ikonographische Erwartung des Auftraggebers andererseits dürften auf den ersten Blick selten so weit auseinander liegen.

Die – gerade auch stilistisch heterogene – Entstehungsgeschichte des Retabels hat in der Kunstgeschichtsschreibung eine fast durchgängig getrennte Betrachtung von Predella und Hauptbild zur Folge[2]. Erst 1967 legt Lavin eine eingehende Analyse des gesamten Retabels vor[3].

Auffallenderweise wurde für das Retabel der Sakramentsbruderschaft zu Urbino zuerst die Predella, nicht die Haupttafel, geschaffen. Die überlieferten Daten erlauben jedoch nicht, die erste Gesamtkonzeption der Jahre um 1465 zu rekonstruieren. In den Jahren zwischen 1465 und 1467 schuf Paolo Uccello die Predella mit sechs Szenen einer Hostienlegende *(Abb. 4b-g)*[4], die Francastel[5] überzeugend mit dem Pariser Hostienwunder von 1290 identifiziert hat. Lavin[6] präzisiert diese Überlegungen, indem sie eine in Italien zur

---

[1] Kat. 4.

[2] Als Ausnahme zu nennen ist Lavalleye 1936, der die Tafeln Uccellos in seine Monographie über Justus van Gent einbezieht.

[3] Lavin 1967.

[4] Paolo Uccello war seit 1465 für die Bruderschaft beschäftigt, in den Jahren 1467/68 erhielt er Zahlungen; siehe zuletzt Lavin 1967, 2.

[5] Francastel 1952.

[6] Lavin 1967.

Entstehungszeit des Retabels greifbare Fassung der Legende zu ermitteln sucht, um hiervon einzelne spezifische Abweichungen im Bild abzugrenzen. Sie geht jedoch irrtümlich davon aus, das Pariser Hostienwunder sei in Urbino erstmals Thema monumentaler Malerei. Dargestellt ist in Urbino, ebenfalls in Verbindung mit einem Abendmahl, die gleiche Legende wie in Villahermosa *(Abb. 2a)*[7]. Während in Villahermosa die Erzählung mit zwei Szenen einer Messe, der die Wandlung anzeigenden Elevation und der Kommunion beginnt, fehlen in Urbino diese Elemente, die die Verbindung von Sakramentsfrömmigkeit und Messe veranschaulichen.

Die Erzählung beginnt vielmehr im Haus eines jüdischen Pfandleihers, dem eine Frau eine Hostie bringt. Die zweite Szene zeigt den Pfandleiher, der in seinem Haus zusammen mit Frau und zwei Kindern vor der auf dem Feuer in einer Pfanne geschändeten Hostie zurückgewichen ist, während christliche Soldaten von außen die Tür des Hauses aufzubrechen versuchen. Handelt es sich in Villahermosa um eine Gruppe von Juden, wird in Urbino ein einzelner Jude mit seiner Familie gezeigt. Die Übergabe der Hostie an den Pfandleiher ist in beiden Fassungen wiedergegeben, die Hostienschändung ist in Villahermosa erzählfreudiger ausgeschmückt, die christlichen Soldaten fehlen in dem spanischen Beispiel jedoch. Die Prozession schließlich, die in Villahermosa die Erzählung abschließt, markiert in Urbino erst die Mitte der Szenenfolge. Die vierte Szene ist der christlichen Frau, die die Hostie dem Pfandleiher verkauft hatte, gewidmet. Schon zur Hinrichtung vor die Stadt gebracht wird sie von Thomas von Aquin, der in Gestalt eines Engels mit Heiligenschein eingreift und den Henkern Einhalt gebietet, gerettet. Die folgende Szene zeigt die Hinrichtung der jüdischen Familie. Den Abschluß bildet die Sterbeszene der christlichen Frau. Der Teufel ist gegen das von zwei Engeln gereichte Sterbesakrament machtlos.

Einige dieser Abweichungen finden sich in der von Lavin vorgeschlagenen Textvorlage, einem geistlichen Schauspiel »Un miracolo del Corpo di Cristo«, das in einer um 1498 gedruckten Ausgabe greifbar wird[8]. Dieses Rappresentazione stellt die Legende bezeichnenderweise in Beziehung zum Fronleichnamsfest. »From our point of view, the most important innovation of the *rappresentazione* is that in the relationship of the story to the cult of Corpus Domini is made overt. The prologue describes the historical and theological circumstances that brought about the foundation of the feast. The hymn sung in the processional sequence, *Pane lingua gloriosa,* ist the opening hymn of the Office of the Feast of Corpus Christi, written by St. Thomas Aquinas. These references, plus the apparition of St. Thomas himself as the agent of salvation, tie the piece unequivocally to the Feast of Corpus Domini, and we may believe that it was on this occasion that the *rappresentazione* was meant to be performed.«[9] Über die Gemeinsamkeiten hinaus weist die Malerei jedoch beträchtliche Abweichungen von der textlichen Fassung auf, die Lavin in ihrer detaillierten Analyse herausarbeitet. Lediglich die wichtigsten seien hier referiert. Ist im Rappresentazione ein Bischof genannt, der die Hostie in feierlicher Prozession zur Kirche zurückbringt, zeigt das Gemälde, wie auch in Villahermosa, Papst Bonifaz VIII. Der Jude wird abweichend von bekannten Legendenfassungen zusammen mit seiner Fa-

---

[7] Vgl. die Ausführungen im Kapitel »Das Eucharistieretabel aus der Eremitá des San Bartolomé bei Villahermosa«.

[8] Lavin 1967, 5 mit Anm. 31. Die in Urbino hinzukommende Geschichte der christlichen Frau mit der Rettung durch die Erscheinung Thomas von Aquins ist hier beispielsweise erzählt.

[9] Lavin 1967, 6.

milie hingerichtet. Neu ist schließlich die Sterbeszene der christlichen Frau, die ikonographisch in Anlehnung an ars moriendi Darstellungen gestaltet ist. Lavin sieht hier einen Hinweis auf die Aufgaben der Bruderschaft, das Viaticum. Die Autorin folgert wohl zutreffend, daß für das Retabel eine eigene Legendenversion erstellt wurde, in der auch die vielerorts greifbare Verknüpfung von Hostienlegenden und antisemitischen, besser wohl antijüdischen, Aktivitäten zum Ausdruck kommt[10]. Sie versucht allerdings Themenwahl und -gestaltung ausschließlich aus der aktuell politischen und sozialen Situation in Urbino herzuleiten[11]. Mögliche und nachweisbare Bildtraditionen werden in der Argumentation nicht berücksichtigt.
Da bereits in Villahermosa die Legende in ein Retabelprogramm eingebunden ist, das das Abendmahl im Zentrum zeigt, muß gefragt werden, ob eine – wenn auch offenbar nicht mehr rekonstruierbare – Tradition der Programmgestaltung existiert hat. Vorzustellen hätte man sich jedoch vermutlich keine bildliche Überlieferung, sondern eine verbale.

Nach Uccellos Weggang aus Urbino[12] versuchte die Bruderschaft offenbar vergeblich, Piero della Francesca für die Vollendung des Retabels zu gewinnen[13]. Erst 1473-1474 wurde das Hauptbild mit der Apostelkommunion von Justus van Gent geschaffen[14]. Welche Darstellung zum Entstehungszeitpunkt der Predella für das Retabelzentrum vorgesehen war, ist nicht mehr zu ermitteln. Die Versuche, eine Konzeption Uccellos für die Haupttafel zu rekonstruieren, sind durch die technischen Untersuchungen widerlegt worden. Die Tafel, deren Format für die niederländische Malerei ungewöhnlich groß ist, trägt eine sorgfältig angelegte Vorzeichnung von Justus van Gent. Für die malerische Ausführung scheint der Künstler Gehilfen vor Ort herangezogen zu haben[15]. Das Holz für die Haupttafel wurde zudem offenbar erst 1470 gekauft[16]. Uccello schuf demzufolge zwischen 1465 und 1468 die Predella eines Retabels, über dessen geplante Gesamtkonzeption

---

[10] »The predella, while dependent on the literary sources of the Paris 1290 miracle and incorporating many specific details of the Italian *rappresentazione*, has several unique elements. It expresses a strong brand of anti-Semitism, and adapting elements from the *Ars moriendi* iconography, it illustrates a civic function of it's patrons. The result is an original mixture that gives Uccello's predella its own place in the tradition as another major variation on the basic narrative theme.« Lavin 1967, 8.

[11] Lavin bringt die Programmkonzeption des Retabels in Verbindung mit der Gründung der christlichen Bank »Monte di Pietà« in Urbino. Diese Bankgründung mit der vorausgehenden Predigtpropaganda ist Ausdruck einer deutlich antijüdischen Stimmung, die von Lavin als Anlaß für die Wahl der Hostienlegende verstanden wird. Sie weist darüberhinaus konkrete Beziehungen zwischen der Bank und der Sakramentsbruderschaft nach. Da die jährliche Sakramentsprozession am Fronleichnamstag jedoch generell als gesellschaftliches Ereignis ersten Ranges zu werten ist, scheint mir die Beteiligung der Bank als Selbstverständlichkeit und eine Einwirkung auf die Ikonographie des Retabels mindestens unwahrscheinlich.

[12] Über die Gründe seines Wegganges ist nichts bekannt. in den Quellen in Urbino wird sein Name nach 1468 nicht mehr verwendet.

[13] »... maestro Piero dal Borgo chera venuto a vedere la taula per farla a conto del la fraternita ...« Lavalleye 1964, Dok. 1. »The conclusion has been drawn that Piero was considering (or being considered for) the job of completing the altarpiece. That he did not take (get) the commission, is assumed from the fact that his name never again appears in the account book of the confraternity.« Lavin 1967, 10.

[14] Der Künstler ist am 12. 2. 1473 in den Akten der Bruderschaft erwähnt und erhält am 25. 10. 1474 die Abschlußzahlung. Lavin 1967, 10; Lavalleye 1964, Dok. 4 und 10.

[15] Lavalleye 1964, 23f.

[16] Lavalleye 1964, Dok. 2 und 3. Zahlungen für Holz 1470, Aufarbeitung 1471.

wir nicht unterrichtet sind. Ob somit die Darstellung des Abendmahles im Zentrum eine Programmkonzeption der Zeit um 1465 oder erst der Jahre nach 1470 widerspiegelt, ist nicht mehr zu entscheiden. Als Alternative käme immerhin eine Kreuzigungsdarstellung in Betracht[17].

Im Unterschied zu dem von Dirk Bouts für die Löwener Bruderschaft gemalten Retabel ist in Urbino der Vertrag nicht erhalten. Die Identifikation des Malers der Apostelkommunion mit Justus van Gent geht auf eine Überlieferung Vasaris zurück, die zusammen mit überlieferten Abrechnungen, die sich sinnvoll auf diese Tafel beziehen lassen, als gesichert gelten darf[18].

Die von Justus van Gent geschaffene Haupttafel des Retabels zeigt das Abendmahl in der ikonographischen Variante der Apostelkommunion *(Abb. 4a)*. In einem durch eine Apsis als sakral ausgezeichneten Raum steht Christus vor einem relativ großen, querrechteckigen Tisch und reicht, in der linken Hand eine Patene haltend, einem zu seiner Rechten knienden Apostel die Kommunion. Weitere Jünger erwarten die Kommunion, während zwei Apostel links am Altar stehend wie in einer Meßzeremonie assistieren. Der jugendlichere der beiden, offenbar Johannes, trägt ein Diakonsgewand und umfaßt eine Flasche mit Wasser, wie sie in der liturgischen Zeremonie der Eucharistie benötigt wird, der andere hält eine brennende Kerze. Auf dem Altartisch sind Kelch sowie Hostien angeordnet, rechts ein weiteres Wassergefäß, Brote und offenbar ein Salzfaß[19]. Über dem Altartisch schweben zwei Engel. Judas steht im Türrahmen und scheint im Begriff, den Raum zu verlassen. Die Figuren im Hintergrund, sechs Männer und eine Frau mit einem Kind auf dem Schoß sind durch ihre Gewänder als zeitgenössische Personen des 15. Jahrhunderts charakterisiert.

Für die monumentale Tafelmalerei ist die Apostelkommunion ungewöhnlich. Als Hauptdarstellung eines Retabels scheint sie vorher nicht verwendet worden zu sein. In der italienischen Quattrocento-Malerei findet sich das Bildthema in zwei Darstellungen der Fra Angelico-Werkstatt in San Marco zu Florenz[20]. Beide Darstellungen, die nicht für den Kontext eines Retabels geschaffen wurden, ordnen den größeren Teil der Apostel hinter dem Tisch sitzend an. Der Abendmahlstisch wird jedoch nicht in einen Altar uminterpretiert. Die Gruppen der Apostel vorn sind in der Übereinstimmung mit der Tafel in Urbino zu allgemein, als daß von einer Entlehnung gesprochen werden könnte. »The most important departure, however, lies in the fact that the Florentine scenes are basically not ritualistic. They are set not in churches but in dining halls. A few of the apostles are seated at table, and dishes and glasses of the actual meal of the last Supper are in evidence. The impact of the scenes therefore is primarly narrative, and indeed both scenes form part of Christological cycles.«[21] Die Darstellungen in San Marco können somit nicht als unmittelbare ikonographische Vorläufer angesprochen werden. Sie belegen lediglich, daß

---

[17] Vgl. die Ausführungen im Kapitel »Retabel, Reliquien und Bildprogramme«.

[18] Friedländer ENP 3, 99; Katalog der Ausstellung »Juste de Gand ...« 1957; Lavalleye 1964.

[19] Gut erkennbar auf einem Detailfoto, Lavallaye 1964, T. 41. Lavin (a.a.O. 17) interpretiert das Salzgefäß zusammen mit der Wasserkaraffe als Utensilien für beim jüdischen Passahritus benötigtes Salzwasser. Den weitergehenden Schlußfolgerungen kann nicht zugestimmt werden. Es scheint eher, daß hier ein antiquarisches Interesse an einer historisch richtigen Erzählweise seinen Ausdruck findet.

[20] Lavin 1967, 12; Pope-Hennessy 1952, 192.

[21] Lavin a.a.O. 12.

die Apostelkommunion als Bildformulierung im 15. Jahrhundert in Italien bekannt war. Es muß somit, selbst wenn die auftraggebende Bruderschaft aus – visuell oder verbal vermittelter – Kenntnis italienischer Bildtradition die Darstellung der Apostelkommunion forderte, nach den Vorstufen der künstlerischen Realisation gefragt werden.
Auch nach dem anzunehmenden mehrjährigen Aufenthalt des Justus van Gent in Italien[22] sind neben der künstlerisch-stilistischen Verschiedenheit der Apostelkommunion von der italienischen Quattrocento-Malerei auch für die Ikonographie Reflexe der Schulung im niederländischen Vorlagenkreis nachzuweisen. Über die vielfältigen bei Lavalleye zusammengestellten Entlehnungen[23] hinaus muß vor allem auf die Übernahme des Kommunion empfangenden Apostels von Caspar Isenmanns Colmarer Altar, die Charles Sterling plausibel machen konnte[24], hingewiesen werden, deutet sie doch darauf hin, daß der Künstler nicht eine fertige Komposition aus den Niederlanden mitbrachte, sondern noch Eindrücke von seinem Weg nach Italien verarbeitete. Allerdings läßt sich die Ikonographie der Apostelkommunion auch für die niederländische Kunst nachweisen, so hat erstmals Barbara Lane auf eine Darstellung in den Très Riches Heures hingewiesen[25]. Sie führt jedoch weiter aus: The Communion of the Apostles »... does appear occasionally in northern illumination as an illustration for the Mass of Corpus Christi ...«[26]. Aus dieser vorgeblich gebräuchlichen Verwendung des Bildthemas für die Illustrationen zu Corpus-Christi-Messen eine grundsätzliche Prädestination des Themas für den Fronleichnamskontext abzuleiten, scheint hingegen nicht zulässig, muß es doch darum gehen, den historischen Zeitpunkt der Themenwahl mitzubedenken oder gar zu bestimmen. Die zum Vergleich herangezogene Miniatur ist zudem erst um 1480 entstanden, somit später als die beiden hier zu besprechenden Retabel in Löwen und Urbino. Da aber das Bewegungsmotiv Christi in der Miniatur mit der Tafel in Urbino übereinstimmt, darf man immerhin von einer gemeinsamen Vorlage ausgehen, die als Thema vermutlich ebenfalls die Apostelkommunion zeigte.

In die Darstellung der Apostelkommunion in Urbino sind Personen in zeitgenössischer Gewandung des 15. Jahrhunderts integriert. Sicher scheint die Identifikation des Principale der Bruderschaft, Federigo da Montefeltro mit der runden Kopfform, dem schweren Oberlid, vor allem aber der charakteristischen Nasenform[27]. Zu Deutungen Anlaß gegeben hat vor allem auch die Person des bärtigen alten Mannes zur Rechten des Fürsten. Man hat in ihm verschiedene orientalische Personen, die mit Italien bei Verhandlungen nach der Eroberung Konstantinopels durch die Türken in Verbindung standen, sehen wollen. Geläufig ist die Deutung als Gesandter des Uzun Hasan, des Schah von Persien[28]; Lavin versucht eine Identifizierung mit einem Gesandten des Herrschers, Isaac, einem zum Katholizismus konvertierten spanischen Juden plausibel zu machen[29]. Hierbei je-

---

[22] Zur Künstlerbiographie vgl. die genannte Literatur.
[23] Lavalleye 1964.
[24] Sterling 1971.
[25] Les Très Riches Heures du Duc de Berry, fol. 189v. Faksimile 1970, Nr. 131.
[26] Lane 1984, 116.
[27] Vgl. aber auch Lavalleye 1964 (22 sowie T. 72a vor und T. 72b nach der Restaurierung 1931), der referiert, daß die Physiognomie restauriert und dabei der Porträtfassung von Piero della Francesca in den Uffizien angeglichen wurde.
[28] Lavalleye 1964, 7f.
[29] Lavin 1967, 13-17.

doch von einer bedeutungsmäßigen Veränderung der Bildaussage auszugehen, die, so Lavin, mit der Integration eines Konvertiten eine aktuelle politische Aussage zur Situation der Juden in Urbino enthalte, scheint verfehlt. Grundsätzlich ist in solchem Zusammenhang zu fragen, ob nicht die Integration zeitgenössischer Persönlichkeiten als Ehrerweis für die Dargestellten ausreichend und der Funktion des Gemäldes angemessener erklärt ist.

Der Zusammenhang der fraglichen Figur mit einer Darstellung auf dem Erasmus-Retabel von Dirk Bouts in Löwen *(Abb. 34)* ist durchgängig gesehen worden[30]. Dieses Retabel schuf Bouts im Anschluß an den Sakramentsaltar für die zweite Kapelle der Bruderschaft in der Löwener Peterskirche. Eine verlorene Inschrift datiert das Werk 1468[31]. Der Annahme, Justus van Gent habe die Figur erster Hand bei Bouts studiert, ist jedoch zunächst entgegenzuhalten, ob sie nicht zum allgemeinen Motivschatz niederländischer Malerei gehörte, die der Künstler durch die Vermittlung von Zeichnungen kennengelernt haben könnte. Hinzuweisen ist auf eine Figurenformulierung Rogiers, die in einer Kreuzabnahme der Rogier-Nachfolge[32] sowie in einer in Nürnberg aufbewahrten Zeichnung[33] greifbar ist. Da die Figur des Erasmus-Altares jedoch offenbar ihrerseits eine Verarbeitung des Rogier-Motives bietet, bei der Bouts Bewegungsmotive der beiden vornehm gekleideten Männer zu einer Haltung zusammengezogen hat und die Kopfbedeckung veränderte, und wir bei Justus eben diese veränderte Fassung der Person wiederfinden, sollte eine Kenntnis der Invention von Dirk Bouts angenommen werden. Diese Herleitung impliziert, daß Justus van Gent den Löwener Abendmahlsaltar kannte, da die Besichtigung nur eines der beiden am gleichen Ort für den gleichen Auftraggeber geschaffenen Werke nicht wahrscheinlich wäre.

Eine unmittelbare ikonographische Vorlage für die Gesamtkomposition ist somit nicht auszumachen. Die zahlreichen für Einzelmotive nachweisbaren Entlehnungen aus dem Motivschatz der altniederländischen Malerei deuten vielmehr darauf hin, daß Justus van Gent in Urbino eine neuartige Bildformulierung entwarf. Er griff hierfür nicht auf eine verlorene Fassung des Themas, die bereits die verschiedenen Entlehnungen enthielt, zurück, da er mit der Figur des Kommunion empfangenden Apostels ein erst auf der Reise nach Italien kennengelerntes Motiv integrierte. Die Komposition der Apostelkommunion wurde somit eigens von Justus van Gent für die Tafel in Urbino entwickelt.

Die ungewöhnliche Ikonographie der Apostelkommunion wird von der auftraggebenden Sakramentsbruderschaft gefordert worden sein. Trotz der Darstellung aus der Fra Angelico-Werkstatt muß jedoch die Abendmahlsdarstellung mit Judaskommunion, wie bereits eine Durchsicht der Florentiner Refektoriumsdarstellungen zeigt, als die auch in Italien geläufigere Komposition bezeichnet werden. Die Apostelkommunion wird zudem in der nördlichen Buchmalerei verwendet und dürfte zum Justus van Gent bekannten Motivschatz gehört haben. Die vom Löwener Konzept abweichende Wahl der Apostelkommunion kann somit nicht lediglich mit einer eigenständigen italienischen Bildtradi-

---

[30] Lavalleye 1964; Lavin, die den Rückgriff auf die Vorlage als Ersatz für ein Porträt nach dem Leben interpretiert.

[31] Zu diesem Retabel vgl. die Angaben im Kapitel über den Löwener Sakramentsaltar. Lavalleye 1936 datiert den Erasmus-Altar noch auf 1448, Lavin gibt das Jahr 1462 an.

[32] München, Bayerische Staatsgemäldesammlungen, Inv. 1398; »Rogier van der Weyden« 1979, Kat. 11.

[33] Nürnberg, Germanisches Nationalmuseum, Inv. HZ 36; vermutlich entstanden in Franken um 1470/80; zuletzt Schoch in: »Nürnberg Gotik« 1986, Kat. Nr. 40.

tion erklärt werden. Von der ikonographischen Tradition der Apostelkommunion unterscheidet sich die Darstellung in Urbino durch die Uminterpretation des Mahltisches in einen Altar, die durch die räumliche Situation einer Sakralarchitektur unterstrichen wird. Die Engel, die über dem Altar schweben, gehören dem Verständnis des Römischen Meßkanons zufolge zu jeder Meßfeier. »Im Augenblick der Konsekration verschmelzen die Liturgien des Himmels und der Kirche, Engel bringen die am himmlischen Altar geweihte Hostie zur Erde und umgeben den in Gestalt der Hostie in der Kirche anwesenden Christus so wirklich wie Diakone am Altar.«[34] Die dargestellten Engel tragen das Ornat von Diakonen.

Die Abendmahlsszene in Urbino wird somit in deutlichere Nähe zum kirchlichen Ritus versetzt, als durch die biblische Historie von Einsetzung des Sakramentes oder Judaskommunion visualisiert werden könnte. Nimmt man zudem an, Justus habe die von Dirk Bouts für Löwen entwickelte Bildformulierung gekannt, verstärkt sich der Eindruck einer bewußt von ikonographischer Tradition oder bekannten Vorlagen abweichenden Konzeption. Die Retabel waren für Altäre unterschiedlicher Funktion bestimmt. Das Löwener Retabel schmückte den Altar der Seitenkapelle, die der Bruderschaft gehörte. In Urbino war mit dem Abendmahlsaltar der Hochaltar der Corpus-Christi-Kirche ausgestattet. Die Darstellung des Abendmahles als biblische Historie galt vermutlich in einem eucharistischen Bedeutungszusammenhang nicht als ausreichend repräsentativ. Die Apostelkommunion zeigt hingegen den der kirchlichen Zeremonie entsprechenden Ritus der Kommunionsspende.

Die Abendmahlsdarstellung ist in Urbino gleichermaßen wie in Löwen aus dem erzählenden Kontext der Passion isoliert. Neben dieser für die Entwicklung der Retabelprogramme im 15. Jahrhundert bedeutenden Lösung der Szene aus dem Zyklus muß jedoch auf einen entscheidenden Unterschied im Gesamtprogramm hingewiesen werden. Durch die Kombination mit der Hostienlegende in der Predella ist die Darstellung des Abendmahles in Verbindung gebracht mit der Lehre von der Transsubstantiation und damit mit gültigem Meßverständnis. Gleichwohl fehlt auch in Urbino jeder bildliche Hinweis auf das Meß*opfer*.

Das Programm in Urbino erweist sich somit als ein der Löwener Konzeption vergleichbarer Versuch, biblische Historie mit dem aktuellen Sakramentsverständnis zu verbinden. Das Abendmahl wird deshalb aus dem zyklischen Zusammenhang der Passion Christi gelöst. Ist die Verbindung in Löwen jedoch lediglich durch biblische Typologie einerseits und andererseits durch die Aufstellung auf einem Altar, an dem eine Sakramentsliturgie gefeiert wurde, gegeben, wird in Urbino mit der Hostienlegende eine die Transsubstantiation veranschaulichende Szenenfolge in das Programm integriert. Der Versuch einer ausschließlich biblischen Argumentation ist damit zugunsten des kirchengeschichtlich verankerten Beweises der Transsubstantiation wieder aufgegeben.

Die Verbindungen des Retabels in Urbino zum Sakramentsaltar in Löwen sind zu allgemein, um ein Abhängigkeitsverhältnis beider Konzeptionen voneinander anzunehmen. Anders verhält sich die Situation für das Retabel der Lübecker Fronleichnamsbruderschaft.

---

[34] Wirth: »Engel« in RDK Bd. 5, 341-555, 412.
Im Meßkanon heißt es: »Jube haec perferri per manus angeli tui in sublime altare tuum in conspectu majestatis tuae.«

Der Lübecker Fronleichnamsaltar des Henning van der Heide

Durch eine Inschrift 1496 datiert ist das Retabel, das die Lübecker Fronleichnamsbruderschaft für ihren Altar in der Burgkirche zu Lübeck schaffen ließ *(Abb. 19a-c)*[1]. Der Vertrag zwischen der Bruderschaft und dem durch Abrechnungen als Auftragnehmer ausgewiesenen Henning van der Heide hat sich nicht erhalten[2]. Das ausgeführte Retabel weist in seinem Programm auffallend große Ähnlichkeiten mit dem Löwener Abendmahlsaltar auf, so daß eine Kenntnis des älteren Werkes angenommen werden darf. In seinem formalen Aufbau hingegen weicht das Lübecker Retabel vom Altar des Dirk Bouts ab. Es ist wesentlich aufwendiger ausgestattet mit seinem geschnitzten Schrein, zwei Flügelpaaren sowie Standflügeln (nur einer erhalten) und – entsprechend der allgemeinen Entwicklung der Retabelformen – einer Predella. Die Predella sowie die Innenseiten der Festtagsflügel sind geschnitzt, die übrigen Flügeldarstellungen gemalt. Der Retabeltypus entspricht damit dem im ausgehenden 15. Jahrhundert in Lübeck gebräuchlichen[3]. Das Programm konnte entsprechend umfangreicher als in Löwen konzipiert werden. Der eucharistische Zyklus wird vervollständigt. Zentrale Darstellung ist die Gregorsmesse, das Abendmahl ist in die Predella verschoben. Für die Gregorsmesse ist diejenige Variante gewählt, die die Ablaßwirkung der Messe veranschaulicht. Zur Linken Gregors ist eine kleine Figur eines Auferstehenden erhalten, für eine weitere ist lediglich noch die Metallhalterung vorhanden. Die Typologie auf den Flügelinnenseiten wird beibehalten, wenn auch in anderer Akzentsetzung. Vierte Szene neben der Begegnung zwischen Abraham und Melchisedech, Passahmahl und Mannalese ist nicht die wunderbare Speisung des Elia, sondern Abraham und Isaak. Hinzu kommt in der Sonntagswandlung ein zweiter eucharistischer Zyklus mit Gregorsmesse, Speisung des Elia, Austeilung der Kommunion an die Gemeinde und Gastmahl des Ahasver. Ergänzt wird das Programm durch die Legende Johannes des Evangelisten, des Altarpatrons. Die Werktagsseite wiederholt neben Christus den Altarpatron, und vervollständigt das Programm mit Maria, der Schutzpatronin der Dominikaner, in deren Kirche die Fronleichnamsbruderschaft ihre Kapelle hatte, sowie Maria Magdalena, der Patronin des Lübecker Dominikanerklosters.

Nicht nur das Programm mit dem in die Predella verlegten Abendmahl sowie der Abendmahlstypologie auf den Flügelinnenseiten läßt fragen, ob die Auftraggeber Kenntnis des Löwener Programmes besaßen. Die Gestaltung der Flügelaußenseiten mit ihrem typologischen, auf die Eucharistie bezogenen Programm läßt einen solchen Kontakt sogar wahrscheinlich scheinen, sieht doch der Vertrag in Löwen für die Außenseiten zwei weitere Abendmahlstypen ohne den entsprechenden neutestamentlichen Antitypus vor. Wie im Löwener Vertrag vorgesehen fehlt auch in Lübeck dem zweiten Zyklus das biblische Abendmahl als Antitypus.

---

[1] Kat. Anhang.

[2] Eine monographische Untersuchung hätte jedoch die erhaltenen Dokumente, vor allem auch die der Bruderschaft noch einmal systematisch auszuwerten.

[3] Vgl. zum Beispiel die im St. Annen-Museum erhaltenen Beispiele, etwa das Retabel der Lukasbruderschaft von Hermen Rode, Wittstock 1981, Kat. 79, oder den Schlutuper Sippenaltar, a.a.O. Kat. 94.

Für das Abendmahl ist die ikonographische Variante der Verratsankündigung gewählt, entsprechend findet sich die Christus-Johannes-Gruppe. Die künstlerische Ausgestaltung der Szene ist in Lübeck im Vergleich zu der Komposition des Dirk Bouts als traditionell zu bezeichnen. Christus reicht dem isoliert vor dem Tisch hockenden Judas die Kommunion. Kaum vorstellbar ist, daß der konzipierende Künstler, Henning van der Heide, oder der die Schnitzereien der Predella ausführende Meister die niederländische Komposition kannten. Als Vorlagen für die vier Flügelreliefs dienten offenbar vielmehr die entsprechenden Szenen der Lübecker Bibel von 1494[4]. Zurückgegriffen wurde somit auf eine am Ort existierende Tradition.

Die Kenntnis des Löwener Programmes kann somit in Lübeck nicht durch die Wanderschaft eines Künstlers erklärt werden. Will man die Übereinstimmung beider Programme nicht lediglich als »Zufall« abtun, der sich aus der angeblichen, im Denkmälerbestand des 15. Jahrhunderts jedoch nicht nachweisbaren, Präferenz dieser Bildthemen für Sakramentsbruderschaften ergäbe, wird man auf die Kenntnis des Löwener Programmes bei den Lübecker Auftraggebern oder ihren theologischen Beratern schließen müssen. Da das Programm in Lübeck zudem der im Löwener Vertrag fixierten Fassung näher steht als der endgültigen Ausführung mit unbemalten Außenseiten und Marienfigur, ist nicht die unmittelbare visuelle Kenntnis aufgrund der Reise etwa eines Lübecker Klerikers zu vermuten. Vielmehr ist von einer schriftlichen Übermittelung des Retabelprogrammes auszugehen.

Das Löwener Programm wurde in Lübeck jedoch nicht gleichsam als Norm übernommen, sondern entscheidend verändert. Mit der Gregorsmesse wird dasjenige Bildthema in das Zentrum des Programmes gerückt, das die katholische Meßtheologie von Transsubstantiation und Meßopfer anerkannt zum Ausdruck bringt. Das Abendmahl in der Predella ist hierarchisch untergeordnet, gibt jedoch den in Löwen erreichten Rekurs auf die biblische Einsetzung des Sakramentes nicht preis.

Der Hauptdarstellung zugeordnet sind wie in Löwen vier typologische Szenen, von denen jedoch lediglich drei übereinstimmen. Abweichend ist die Einbeziehung des Isaakopfers, das nicht die in Löwen zu den beinah als kanonisch zu bezeichnenden drei Typen hinzugenommene Speisung des Elia durch einen anderen Abendmahlstypus, wie das auf der Sonntagsseite verwendete Gastmahl des Ahasver, ersetzt. Das Isaakopfer gilt vielmehr als Präfiguration der Kreuzigung[5]. Es wird im Fronleichnamshymnus explizit als Vorbild der Eucharistie genannt[6]. Erzielt wird somit eine bedeutungsmäßige Verschiebung, die durch den Hinweis auf den Kreuzestod Christi den Opfercharakter der Messe anspricht.

Hinzu kommt die Lösung der alttestamentlichen Typen von dem entsprechenden biblischen Antitypus. Im Unterschied zum Löwener Retabel ist als Antitypus nicht eine Szene

---

[4] Paatz 1939, 349. Die Holzschnitte der Lübecker Bibel sind wiedergegeben bei Friedländer 1923 sowie bei Schramm Bd. 11, Abb. 948-1047.
Mit der notwendigen Veränderung des Formates für die Relieffelder entfiel die breitgelagerte Erzählung der Drucke, die zudem eine stringentere Gestaltung der Landschaft aufweisen.
Der von Paatz 1939 vorgenommenen Zuschreibung der Entwürfe an Bernd Notke ist widersprochen worden; vgl. Anzelewsky 1964 sowie zuletzt Brinkmann 1987/88.

[5] Vgl. die Übersicht im Artikel »Armenbibel« von Zimmermann in: RDK Bd. 1, 1072-1084 sowie die Ausführungen zum Löwener Sakramentsaltar.

[6] Missale Romanum a.a.O. Bd. 1, 256-258.

aus dem Leben Jesu dargestellt, sondern mit der Gregorsmesse eine Begebenheit aus der Kirchengeschichte.
Die Gegenüberstellung von Begebenheiten der Kirchengeschichte mit alttestamentlichen Präfigurationen ist in der ersten Wandlung des Retabels wiederholt. Über der Speisung des Elia befindet sich die Gregorsmesse, deutlicher als in der Hauptdarstellung als Fürbittmesse für Seelen, die links gleichsam aus dem Kirchenfußboden auferstehen, im Fegfeuer gekennzeichnet, jedoch in anderer ikonographischer Variante als im Schrein. Der Schmerzensmann ist nicht als leibhaftige Erscheinung gegenwärtig, sondern wird auf dem gemalten Retabel der Szene gezeigt. Die Inschrift erläutert die Heilswirkung der Messe für Lebende und Tote gleichermaßen: OFFERT' PRO VIVIS ET MORTVIS. An dieses Verständnis ist bekanntlich der Ablaß geknüpft. Über dem Gastmahl des Ahasver ist eine zweite Meßhandlung, die Austeilung der Kommunion gezeigt. Auffallenderweise wird auch der Kelch gereicht, eine Darstellung, die in den Jahren um 1500 jedoch nicht allein steht[7]. Das Lübecker Programm zielt somit auf eine Veranschaulichung und typologische Begründung der liturgischen Meßzeremonie und verweist hierbei durch die Einbeziehung des Isaakopfers auf die Lehre vom Meßopfer. In dieser Akzentsetzung unterscheidet es sich von den Retabeln in Löwen und Urbino.

Hingewiesen sei schließlich auf das Passionsretabel in Västerås, einen Brüsseler Exportaltar, der in den Jahren um 1500/1510 in der Jan-Borman-Werkstatt geschaffen wurde *(Abb. 38a-d)*[8]. Das Retabel besitzt in der Sonntagswandlung einen Passionszyklus, dessen Zentrum – die beiden mittleren Tafeln entsprechen der Fläche von vier anderen Szenen – das Abendmahl einnimmt. Gezeigt ist die Verratsankündigung durch Judaskommunion. Ergänzt wird das Hauptthema durch sechzehn weitere Szenen, die das Heilsgeschehen von der Begegnung Christi mit der Samariterin am Brunnen (Joh. 4) bis zum Jüngsten Gericht erzählen. Während die Hauptansicht des Retabels in konventioneller Weise ein christologisches Programm mit zentraler Kreuzigung präsentiert, ordnet die Alltagswandlung einer mittleren Gregorsmesse zwei alttestamentliche Präfigurationen des Abendmahles, die Mannalese und die Begegnung zwischen Abraham und Melchisedech, zu. Handelt es sich in Västerås zwar nicht um einen Abendmahlsaltar, so bildet die Sonntagswandlung doch ein Programm mit einer betonten Mittelszene heraus. Das Abendmahl ist hier in das Zentrum eines Passionszyklus gerückt.

---

[7] Vgl. die Flügelbilder (von einer Sakramentsnische oder einem Retabel mit geschnitztem Schrein?) aus der Göttinger Marienkirche, heute im Niedersächsischen Landesmuseum Hannover (Inv. Nr. PAM 705). Die Innenseiten zeigen Mannalese und Letztes Abendmahl, die Außenseiten die Austeilung des Kelches an die Gemeinde, auffallenderweise durch einen Bischof. Gmelin 1984, 204f., datiert die Tafeln in die Jahre um 1500. Ich danke Michael Wolfson, Hannover für den Hinweis auf die im Depot befindlichen Gemälde.
Die Gegenüberstellung von Szenen des Meßopfers und alttestamentlichen Präfigurationen ist nahezu gleichzeitig auf den Türen eines Wandschrankes aus der Lübecker Katharinenkirche verwendet worden (St. Annen-Museum, Inv. 76 und 1931/22. Wittstock 1981, Kat. 88). Der Konsekration des Weines ist hier die Begegnung zwischen Abraham und Melchisedech zugeordnet. Der Wandlung der Hostie mit Erscheinung des Schmerzensmannes und Auferstehenden ist das Isaakopfer gegenübergestellt, der Austeilung der Kommunion schließlich die Mannalese. Die Darstellungen belegen Programme mit kirchlich-liturgischen Szenen und Typologie für das ausgehende 15. Jahrhundert in Lübeck. Für den Fronleichnamsaltar hervorzuheben ist jedoch darüberhinaus die Integration dieser neuen Form der Typologie in den Retabelkontext.

[8] Borchgrave d'Altena 1948, 64ff. sowie Friedländer ENP 11, 28 und T. 31-33.

Das Programm in Löwen verzichtet auf jeden direkten Hinweis auf die gültige Meßtheologie. Die Einsetzung des Sakramentes mit der typologischen Interpretation bleibt im biblischen Rahmen. In Urbino hingegen wird die Konzeption mit der Hostienlegende begonnen und zeigt ein wunderbares Exempel für die Wahrheit der Transsubstantiationslehre. Diese hat ihren Ursprung in der biblischen Einsetzung des Sakramentes, für die jedoch die der Liturgie am nächsten kommende Ikonographie der Apostelkommunion gewählt wird. Die argumentative Gegenüberstellung von biblischer Historie und Meßtheologie sowie Liturgie ist jedoch auch in Urbino vermieden. Sie findet sich erst in Lübeck.

Mit der typologischen Ausdeutung der Gregorsmesse wird hier eine Stufe von Kirchenverständnis sichtbar, wie sie vergleichbar auf dem Frankfurter Dominikaner-Altar von Hans Holbein dem Älteren (1501-1504)[9] zu finden ist. Auf der Werktagsseite dieses Retabels wird der präfigurierenden Wurzel Jesse der Stammbaum der Dominikaner gegenübergestellt. Diese Kombination ist zwar bereits aus älteren Beispielen bekannt[10], sie wird in Frankfurt jedoch erstmals in das Programm eines Retabels übernommen. Im Frankfurter Dominikaner-Retabel ist gleichermaßen wie im Lübecker Fronleichnams-Altar nicht mehr allein Christus als Vollender des göttlichen Heilsgeschehens begriffen, sondern auch die Kirche. Von solchen Darstellungen aus dürfte die vehemente Kirchenkritik noch einmal verständlich werden, die vielerorts zu Beginn des 16. Jahrhunderts laut wird und schließlich mit der Reformation in die Forderung einmündet, daß heilsvermittelnd allein Christus und nicht die Kirche sei.

Gleichzeitig wird durch die Ergänzung des Programmes mit dem Abendmahl der Predella der Rekurs auf die biblische Einsetzung des Sakramentes geleistet. Die Hauptansicht des Lübecker Fronleichnamsaltares verbindet die biblische Einsetzung des Sakramentes mit der zugehörigen Typologie, die durch den Hinweis auf das Kreuzopfer erweitert wurde, mit der gültigen Meßtheologie. Damit geht die Programmkonzeption entscheidend über die Programme in Löwen und Urbino hinaus. Zum Ausdruck kommt in Lübeck der Versuch, das kirchlich-dogmatische Sakramentsverständnis aus biblischer Überlieferung zu legitimieren. Ein derartiges Unterfangen rührt an die Grenzen katholischer Meßtheologie[11]. Greifbar wird somit ein – sich zum gesteigerten kirchlichen Selbstverständnis offenbar nur scheinbar gegenläufig verhaltender – Faktor dessen, was unter »Vorabend der Reformation« zu verstehen ist.

---

[9] Die meisten Tafeln des im 18. Jahrhundert auseinandergesägten Retabels – vom geschnitzten Schrein sowie dem Gesprenge hat sich nichts erhalten – befinden sich als Leihgabe des Historischen Museums, Frankfurt im Städel; Inv. HM 6-20, das Abendmahl der Predella ist als Leihgabe des Gesamtverbandes katholischer Gemeinden ebenfalls im Städel, vom Marienzyklus befinden sich je eine Tafel in Hamburg und in Basel. Vgl. Lieb/Stange 1960 sowie noch immer Weizsäcker 1923.

[10] Walz 1964.

[11] Vgl. die Ausführungen im Kapitel »Retabel und Eucharistie«.

Der Abendmahlsaltar in Rotterdam/eh. Berlin

In Rotterdam befindet sich eine Abendmahlstafel, die ursprünglich die Mitteltafel eines Retabels bildete *(Abb. 5a)*, ein Flügelgemälde mit dem Passahmahl befand sich bis 1945 in den Berliner Museen *(Abb. 5b)*[1]. Die Zusammengehörigkeit der Tafeln wird neben den Maßen durch die abschließenden Säulen mit der charakteristischen Basenform am rechten Rand der Passahfeier beziehungsweise am linken Bildrand des Abendmahles bestätigt. Das Passahfest hat somit ursprünglich den linken Flügel des Retabels gebildet[2], für den rechten Flügel hat man sich eine weitere typologische Szene vorzustellen, die Vergleichsbeispiele lassen an die Mannalese oder die wunderbare Speisung des Elia denken. Die Zuschreibung der Gemälde ist kontrovers diskutiert worden, vorgeschlagen wird einerseits ein anonymer niederländischer Maler des beginnenden 16. Jahrhunderts, andererseits, mit besonderer Vehemenz von Wilhelm Fränger, Jörg Ratgeb[3].

In einem vergleichsweise einfach gehaltenen Innenraum sitzen Christus und die Apostel um einen runden Tisch beim Abendmahl zusammen. Christus, der von einem kostbaren goldgewirkten Stoff wie von einem Baldachin hinterfangen wird, reicht Judas die Kommunion, Johannes ruht an der Brust des Herrn. Über seinem Kopf halten zwei schwebende Engel eine Monstranz, in der sie eine Hostie präsentieren. Ein Schriftzug erläutert ECCE PANIS ANGELORUM. Links an der Wand ist ein Blatt mit der Ehernen Schlange angebracht. In der Türöffnung, die links den Blick auf eine Stadtarchitektur vor Goldgrund freigibt, füllt eine stehende Person in zeitgenössischer Mode ein Trinkgefäß nach. Auf dem Fußboden liegen Stäbe und Maiglöckchen wie wahllos verstreut und geben dem Gemälde den Gesamteindruck einer gewissen Unruhe. Am vorderen Bildrand, der durch eine Stufe abgegrenzt wird, sind eine Feldflasche und die Schale der Fußwaschung mit einem zusammengelegten Tuch angeordnet. Unterstrichen wird der nervöse Eindruck durch die vielen Gegenstände auf dem Tisch, in dessen Mitte eine große Schale mit dem Passahlamm steht. Der Tisch ist in starker Aufsicht dargestellt, entsprechend blickt man von oben auf die vorderen Apostel, während Christus und die ihm benachbarten Jünger frontal wiedergegeben sind. Die räumliche Disposition wirkt dadurch uneinheitlich, sie spiegelt das Bemühen, räumliche Anordnung einerseits mit hieratischer Stimmigkeit andererseits zu verbinden.

Die auf dem Boden verstreuten Stäbe konnte Fränger nicht aus dem Bildthema erklären und hat sie im Zusammenhang mit der vermeintlichen Vorliebe des Künstlers für Apostelabschieds-Darstellungen als versteckten Hinweis der Zugehörigkeit Ratgebs zur Sekte der Stablarii gedeutet[4]. Abgelesen wurde hieran bereits für die Zeit kurz nach 1500 eine

---

[1] Kat. 5.

[2] Bushart 1974, 276 benennt irrtümlich als ehemals rechten Flügel.

[3] Fränger 1972; siehe hierzu die Rezension von Bushart 1975. Die Zuschreibung an Ratgeb geht zurück auf Kurth 1925. Stange 1924 schreibt die Tafeln dem »Ratgebs unmittelbaren Schulkreis« (195, Anm. 3) zu. Friedländer bestätigt 1930 die Zuschreibung an Ratgeb für die Versteigerung der Sammlung Figdor. Widersprochen wurde der Einordnung in das Œuvre Ratgebs durch Musper 1952/53 und zuletzt durch Bushart 1974. Den Autoren liegt jedoch primär an einer Ausgrenzung der Gemälde aus dem Werk Ratgebs, nicht aber an einer eigenen kunsthistorischen Einordnung. Die Tafeln werden ohne Präzisierung als niederländisch bezeichnet.

[4] Fränger 1972, 62-73.

Kritik an der römisch-katholischen Kirche, die in Ratgebs Engagement in den Bauernkriegen ihren folgerichtigen Ausdruck gefunden habe. Nachdem bei der Frankfurter Ratgeb-Ausstellung 1985 die Chance vergeben wurde, sich mit diesen Thesen auseinanderzusetzen[5], muß die gesamte Ratgeb-Frage trotz wichtiger Aufsätze Busharts als Desiderat der Forschung angesprochen werden. Eine Monographie, die die künstlerische Entwicklung herausarbeitet sowie die Frage nach der Ausbildung Ratgebs zu beantworten versucht, wäre dringend geboten.
Aus der Beteiligung Ratgebs auf der Seite der Aufständischen an den Bauernkriegen – eine historische Stellung, die sich beispielsweise, wenn auch in etwas anderer Form, ebenfalls für Riemenschneider in Anspruch nehmen ließe – einen direkten Niederschlag in seiner Kunst, die im erhaltenen Bestand insgesamt für kirchlichen Auftrag entstand, zu unterstellen, ist methodisch nicht haltbar[6]. Bruno Bushart hat darauf hingewiesen, daß die Quellenlage darüberhinaus nicht erlaubt, Ratgeb unbesehen eine Beteiligung an den kriegerischen Auseinandersetzungen aus eigener Entscheidung zuzuschreiben, befand er sich doch vermutlich im Gefolge seines Dienstherren, Herzog Ulrichs[7].

Zu einer möglichen Einordnung beziehungsweise Ausgrenzung der Rotterdamer und der verlorenen Berliner Tafel aus dem Werk Jörg Ratgebs können hier nur wenige, vorläufige Überlegungen vorgestellt werden[8]. In der Chronologie Frängers sind Abendmahl und Passahmahl 1508 entstanden, noch vor dem gesicherten Schwaigerner Barbara-Altar von 1510[9]. Ratgeb hat dann anschließend nachweislich die Fresken im Kreuzgang des Frankfurter Karmeliterklosters gemalt[10] und schließlich den 1519 datierten Herrenberger Altar *(Abb. 37)*[11]. Schon die Vorstellung, der Künstler habe nach den Tafeln mit Abendmahl und Passahfest zu jener Figuren- und Landschaftsauffassung in Schwaigern gefunden, ist schwierig. Aber auch eine Späterdatierung in die Jahre zwischen 1510 und 1515 vermag die Unterschiede nur schwerlich zu erklären. Die Landschaft im Hintergrund der Passahszene ist bei allem stattfindenden Treiben vergleichsweise wenig tief erschlossen. Bereits hinter dem Mittelgrund versperrt ein Höhenzug den Blick. Wenig ausformuliert sind ebenfalls die Ausblicke aus Tür und Fenster in der Abendmahlstafel. Gerade in der

---

[5] Ausstellung des Historischen Museums, »Ratgeb ...« Frankfurt/Main 1985. Die Rotterdamer Abendmahlstafel blieb im Katalog unerwähnt, ohne daß sie jedoch begründet aus dem Werk Ratgebs ausgeschieden wurde; vgl. die Besprechung der Ausstellung von Märker 1985. Die ursprüngliche Konzeption der Ausstellung wurde bekanntlich nicht verwirklicht, weshalb die Forschungsergebnisse der mehrjährigen Vorbereitungszeit zum größten Teil noch immer nicht publiziert sind. Die Rotterdamer Abendmahlstafel wurde hier nach mündlicher Auskunft von Viktoria Schmidt-Linsenhoff, Frankfurt, Ratgeb zugeschrieben.

[6] Es ist dies das Modell eines Gesinnungskünstlers, das an der historisch rekonstruierbaren Situation im 16. Jahrhundert doch wohl vorbeigeht. Eindeutige Stellungnahmen zu aktuellen, auch politischen, Ereignissen sind zudem zwar in Druckgraphik oder in Zeichnungen zu erwarten, in repräsentativen Altarwerken jedoch wohl eher nicht.

[7] Bushart 1974, 274-276.

[8] Weder Zu- noch Abschreibung werden in der Literatur bisher dezidiert begründet.

[9] Schwaigern, Evangelische Stadtpfarrkirche; zuletzt Ausstellung »Renaissance ...« 1986, Kat. C 10.

[10] Die Fresken sind im 2. Weltkrieg stark beschädigt worden, so daß man sich vor Ort kaum noch einen Eindruck machen kann. Die Ergebnisse von Restaurierung und technischer Untersuchung der Fresken sind jedoch nicht publiziert; zuletzt zu diesen Fresken Viktoria Schmidt-Linsenhoff 1984.

[11] Staatsgalerie Stuttgart. Fränger 1972, 98-124.

Mitteltafel des Schwaigerner Retabels, aber auch in den Herrenberger Gemälden ist eine größere Tiefenillusion erstrebt. Man vergleiche etwa die Kreuzigung des Herrenberger Altares, in der hinter dem sehr dominant gehaltenen Mittelgrund mit der Stadtarchitektur der Blick freigegeben ist auf weit in der Ferne liegende, vereiste Berge, links wird der Tiefenzug noch durch eine Wasserfläche mit Boot unterstrichen. Die beiden erhaltenen Tafeln des Abendmahlsaltares sind einer grundsätzlich anderen Konzeption der gesamten räumlichen und landschaftlichen Anlage verhaftet[12]. Entsprechend sind die gesicherten Darstellungen Ratgebs bei weitem nicht so aufsichtig wiedergegeben wie vor allem das Rotterdamer Bild. Allen Tafeln gemeinsam ist die Verwendung eines stark variierenden Figurenmaßstabes, der nicht mit Bedeutungsperspektive erklärt werden kann. Die Ausgestaltung einzelner Physiognomien muß für die gesicherten Werke Ratgebs als stark linear und wenig modelliert beschrieben werden. Erstrebt ist zwar die Unterschiedlichkeit verschiedener Typen, die jedoch letzten Endes schemenhaft bleiben. Die Personen des Abendmahlsaltares zeigen dagegen wesentlich stärker modellierte Gesichter, die unterschiedlichen Gesichtstypen gerade auch beim Passahmahl sind ausformuliert. Die Kompositionen des Herrenberger Altares lassen sich charakterisieren als durchgängige räumliche Anlagen, in denen die Figuren wie aus unterschiedlichen Vorlagen entlehnt addiert sind. Die einzelnen Binnengruppen sind kaum aufeinander abgestimmt. So haben auf der Abendmahlsdarstellung die einzelnen Jüngergruppen jeweils einen eigenen Figurenmaßstab, der nicht plausibel vermittelt ist. Die drei Kriegsknechte, die Christus geißeln, agieren je für sich, die beiden hinteren sind mit ihren Körpervolumina im räumlichen Hintereinander nicht sinnvoll ablesbar. Auch die schlafenden Soldaten der Auferstehung vermitteln den Eindruck von einzelnen Bewegungsmotiven, die offenbar aus Vorlagen übernommen wurden. Die Rotterdamer Tafel hingegen zeigt trotz der unglücklich wirkenden Aufsicht eine einheitliche Figurenanordnung, ebenso läßt das Passahmahl die Personen sowohl als Gesamtgruppe wie auch räumlich zumindest relativ plausibel ablesen. Die Gemeinsamkeiten zwischen der Rotterdamer und der Herrenberger Abendmahlstafel sind nicht stilistisch zu begründen. Sie bestehen in Motivähnlichkeiten, die sich jedoch gleichermaßen etwa in der Abendmahlsdarstellung des I.A.M. van Zwolle finden *(Abb. 25)*[13]. Die Kompositionsweise Ratgebs, die durch die Verwendung erstaunlich variierender, offenbar vorgefundener Figurengruppierungen charakterisiert wird, läßt vermuten, daß er, wenn nicht die Rotterdamer Tafel, so doch das zugrunde liegende Motivrepertoire gut kannte. Die monographische Beschäftigung mit Ratgeb hätte zu klären, zu welchem Zeitpunkt, möglicherweise erst nach dem Schwaigerner Retabel, er diesen Vorlagenkreis rezipierte. Der Abendmahlsaltar kann somit nicht in das Œuvre Jörg Ratgebs, sei es als frühestes Werk, sei es zwischen dem Schwaigerner Altar und den zur Zeit nicht zu bewertenden Frankfurter Fresken beziehungsweise dem Herrenberger Altar, integriert werden. Man muß vielmehr der von Fränger vehement abgelehnten Einschätzung Muspers zustimmen: das »›Abendmahl‹ in Rotterdam und das zugehörige Passahmahl dagegen sind ganz abzulehnen. Sie entstammen ... dem niederländischen Kulturkreis und weisen auf die Quellen, aus denen Ratgeb schöpfte.«[14]

---

[12] Die von Fränger 1972, Abb. 23 als Vergleich abgebildete Emmausdarstellung Hans Bornemanns verwischt gerade diese Unterschiede.

[13] B. 91; Bushart 1974, 278.

[14] Musper 1951/52, 191; vgl. Fränger a.a.O. 62.

Eine positive Zuschreibung wurde bisher jedoch nicht vorgenommen. Im folgenden müssen wenige Hinweise genügen. Die Gemälde des Abendmahles und der Passahfeier fügen sich in die Antwerpener Malerei des zweiten Jahrzehnts im 16. Jahrhundert ein. So zeigen die Werke des von Friedländer als »Antwerpener Manierist« bezeichneten Künstlers[15] eine vergleichbare räumliche Erstreckung, die die geschlossene Bildtiefe im Mittelgrund mit Architektur oder Landschaftsformationen abriegelt *(Abb. 38c-d)*. Die Figuren divergieren im Größenmaßstab. Die Physiognomien weisen gleichen Typenreichtum auf und sind trotz gelegentlicher Überzeichnung deutlich ausmodelliert. Übereinstimmend ist nicht zuletzt der Verzicht auf moderne Renaissanceformen. Die genaue Zuschreibung der Gemälde würde jedoch die Aufarbeitung dieser Gruppe Antwerpener Malerei zu Beginn des 16. Jahrhunderts voraussetzen.
Bereits die allgemeine Einordnung beider Tafeln in die niederländische Kunstproduktion der Jahrzehnte nach 1500 erlaubt, die Ikonographie in deutlicher Beziehung zu gleichzeitigen Programmkonzeptionen dieser Region zu sehen. Die von Fränger als Hinweise auf subalterne Gesinnung des Künstlers gedeuteten Bildelemente der Rotterdamer Abendmahlstafel lassen sich im Anschluß an die Analyse des Löwener Programmes ausnahmslos erklären. Dargestellt ist zwar abweichend von dem Gemälde des Dirk Bouts *(Abb. 3b)* die Verratsankündigung durch Judaskommunion. Die Stäbe bezeichnen aber auch hier das vorausgegangene Passahmahl. Schale und Tuch am vorderen Bildrand deuten auf die Fußwaschung. Ziel der Bildaussage ist jedoch nicht die genaue Chrakterisierung des biblischen Erzählmomentes, darauf deutet das auf dem Tisch noch vorhandene Passahlamm. In die Darstellung integriert sind vielmehr Bildelemente, die das Abendmahl explizit auf die Meßtheologie beziehen. Die Eherne Schlange ist als Präfiguration der Kreuzigung Hinweis auf Christi Opfertot. Die schwebenden Engel halten in der Monstranz eine Hostie, die den Bezug zur aktuell verehrten Eucharistie herstellt. Der Text ECCE PANIS ANGELORUM entstammt dem Fronleichnamshymnus des Thomas von Aquin und gehört zur Liturgie der Sakramentsandachten[16]. Maiglöckchen schließlich, die hier auf dem Boden verstreut sind, werden traditionell mit Maria in Zusammenhang gebracht[17]. Die Verbindung von Sakramentsandachten und Marienvespern ist für die Sakramentsbruderschaften belegt[18]. Die Rotterdamer Abendmahlsdarstellung veranschaulicht somit nicht nur explizit katholische Meßtheologie, sondern das Einbeziehen von Mariensymbolik nimmt darüberhinaus Bezug auf eine Liturgie, die für Sakramentsbruderschaften gesichert ist. Hinweise, die die ursprüngliche Aufstellung sicher lokalisieren lassen, existieren zwar nicht, zu vermuten ist gleichwohl, daß man für diesen Abendmahlsaltar den Auftrag einer niederländischen Sakramentsbruderschaft vorauszusetzen hat.

---

[15] Friedlänger ENP 11, 27f.

[16] Missale Romanum a.a.O. Bd. 1, 256-258. Browe 1967, insbesondere 147-161, sowie die Ausführungen oben im Kapitel zum Retabel der Löwener Sakramentsbruderschaft.

[17] Behling 1957. Die Beispiele sind über das Register zu erschließen (Convallaria majalis L.). Auf dem Boden verstreute Maiglöckchen finden sich beispielsweise auch auf der Verkündigungstafel des Nördlinger Hochaltares von Friedrich Herlin (Stange DMG 8, Abb. 183) sowie ebenfalls in der Verkündigungsdarstellung des Sterzinger Altares von Hans Multscher (Tripps 1969, Abb. 245).

[18] Browe 1967, insbesondere 147-161, sowie die Ausführungen oben zum Löwener Sakramentsaltar.

Abendmahlstypologie in Retabeln

Niederländische Abendmahlsaltäre 1470-1520

Das Löwener Programm gilt zurecht als Ausgangspunkt einer Reihe von Abendmahlsaltären in den Niederlanden. Übersehen blieben bisher jedoch charakteristische Differenzen der inhaltlichen Programme, die die historische Sonderstellung der Löwener Konzeption deutlich hervortreten lassen. Die niederländischen Abendmahlsaltäre des ausgehenden 15. und beginnenden 16. Jahrhunderts spiegeln darüberhinaus eine zunehmende Aufwertung des Abendmahles als Retabelthema.
Dem Meister der Katharinenlegende zugeschrieben wird ein in Brügge aufbewahrtes Retabel, das dem zentralen Abendmahl links das Passahfest und rechts die wunderbare Speisung des Elia zuordnet *(Abb. 6a-b)*[1]. Ursprünglicher Aufstellungsort, Auftraggeber sowie das genaue Entstehungsdatum des in die Jahre um 1470/80 zu datierenden Werkes, das in seinen Abmessungen etwa die halbe Größe des Löwener Sakramentsaltares erreicht, sind nicht bekannt. Die Orientierung am Werk des Dirk Bouts ist deutlich ablesbar, das Abendmahl ist wie in Löwen als Sakramentseinsetzung wiedergegeben. Verändert wurde hingegen die Feldereinteilung der Flügelinnenseiten, sie zeigen die geläufigere Form mit nur einer Szene. Die vier in Löwen gewählten Präfigurationen sind demzufolge auf zwei reduziert, gewählt wurde neben dem Passahmahl nicht eine der gebräuchlicheren Präfigurationen, sondern die Speisung des Elia.
Gegenüber der Löwener Darstellung ist der Figurenmaßstab deutlich vergrößert, bei der Abendmahlsdarstellung ist die Plausibilität des Verhältnisses zwischen Architektur und dargestellten Personen preisgegeben. Wiederaufgegriffen wird eine als traditionell zu bewertende Bildauffassung, die den Personen Architektur beziehungsweise Landschaft lediglich kulissenartig zuordnet. Die Szenen wirken enger in das vorhandene Bildfeld gedrängt. Nicht übernommen wird die eher starre und hieratische Komposition, die in Löwen in deutlicher Abstimmung auf die inhaltliche Aussage entwickelt worden war. Es werden vielmehr genrehafte Motive eingefügt, so füllt der Apostel vorne links in der Brügger Abendmahlsdarstellung gerade seinen Becher aus einer Kanne. Die übrigen Jünger sind ebenfalls nicht streng dem Hauptgeschehen zugewandt und mit anbetenden Gesten wiedergegeben, sondern in unterschiedlichen Handlungen begriffen. Die Kompositionen weisen gegenüber dem Löwener Vorbild ausgeprägtere Binnenstrukturen auf. Es scheint daher beinah folgerichtig, daß die frontale zentralperspektivische Konstruktion des Dirk Bouts nicht rezipiert wurde. Die Architektur der Mitteltafel ist im seitlichen Ein-

[1] Kat. 6.

blick wiedergegeben und nicht axial auf die Figuren bezogen. Die architektonische Anlage ist insgesamt einfacher gestaltet, alle Anräume fehlen. Im Mittelbild ist die Tür mit der Mosesstatue nach links verlegt. Aufgegeben wurden vom Meister der Katharinenlegende die offenbar als starr empfundenen Kompositionen, das Interesse zielt auf eine abweichende Form räumlicher Darstellung. Entsprechend ist der das Passahlamm zerteilende Jude aus der Bildachse nach links verschoben. In der Eliasszene bietet der Engel dem Propheten mit beiden Händen Speis und Trank an, seine liturgische Gewandung weist auf die kirchliche Kommunion. Die Abendmahlsgruppe ist um einen runden Tisch versammelt, der eine geschlossenere Sitzordnung ermöglicht, die Dreiergruppierung der Apostel wurde hierfür aufgegeben. Ein entsprechendes Interesse an einer verräumlichten Figurenanordnung, die die Personen rings um den Tisch anordnet, ist im Passahmahl ablesbar. Daß demgegenüber die Gemälde des Dirk Bouts eine größere tiefenräumliche Erstrekkung besitzen und die Stellung der Figuren im dargestellten Raum plausibler ablesen lassen, ist nicht zuletzt eine Frage unterschiedlicher künstlerischer Qualität.
Die inhaltliche Gestaltung der Abendmahlsszene stimmt in ihren Grundzügen mit dem Gemälde von Dirk Bouts überein. Gezeigt ist die Sakramentseinsetzung, die Christus-Johannes-Gruppe fehlt dementsprechend. Die Schale für das Passahlamm ist bereits leer. Diejenigen Erzähldetails, die darüberhinaus in Löwen die Szene in ihrer zeitlichen Stellung im Erzählzusammenhang der Passion charakterisieren, die Utensilien der Fußwaschung und vor allem die Stäbe aus der vorangegangenen Passahzeremonie, sind nicht übernommen. Dem Künstler waren die Löwener Gemälde offensichtlich bekannt. Nicht rezipiert wurde jedoch das theologische Konzept, das in der Löwener Abendmahlsdarstellung zur Ablesbarkeit des zeitlichen Augenblickes in der Passionserzählung und damit zu einer festen Verortung des Programmes in ausschließlich biblischer Historie geführt hatte.

Etwa eine Generation später schuf Albert Bouts einen Abendmahlsaltar, von dem sich lediglich die Mitteltafel im Brüsseler Museum erhalten hat *(Abb. 7)*[2]. Für das in die Jahre zwischen 1500 und 1510 datierte Gemälde sind ursprünglicher Aufstellungsort, Auftraggeber und genaues Entstehungsdatum nicht bekannt. Entsprechend anderen vollständig erhaltenen Retabeln vom Beginn des 16. Jahrhunderts wird man für eine Rekonstruktion von ungeteilten Bildfeldern auf den Flügeln ausgehen dürfen. Die Themen der Flügelgemälde sind nicht überliefert. Die zentrale Darstellung zeigt das Abendmahl als Sakramentseinsetzung und ist in ihrem Aufbau deutlich an dem Löwener Gemälde orientiert. Stilistisch unterscheidet sich die Komposition des Albert Bouts von der seines Vaters bereits auf den ersten Blick durch das Einbeziehen von Architekturformen der italienischen Renaissance. Anders als in Brügge sind Zentralperspektive, der Größenmaßstab der Figuren im Verhältnis zur Architektur und die Plazierung der Figuren im Raum plausibel durchgehalten. Entsprechend der Darstellung des Löwener Sakramentsaltares segnet Christus eine Hostie über dem Kelch. Die große Schale auf dem Tisch ist leer. Die übrigen, der textlichen Überlieferung entlehnten Details, die zur Fußwaschung gehörenden Motive sowie die Stäbe, fehlen. Hierin stimmt die Tafel mit dem Brügger Werk überein, ohne daß von einer Abhängigkeit ausgegangen werden könnte. Offenbar wurde auch von Albert Bouts zwar die bildliche Formulierung des Löwener Vorbildes rezipiert, das theo-

---

[2] Kat. 7.

logische Programm jedoch nicht übernommen[3]. Daß es sich hierbei nicht nur gleichsam um das Vergessen von Bilddetails, möglicherweise aus Unkenntnis, handelte, belegt eine inhaltliche Veränderung der Darstellungsaussage. Die Architektur des Kamins birgt drei weitere biblische Themen, die entsprechend auch andernorts bekannten Darstellungsgewohnheiten der altniederländischen Malerei die zentrale Szene erläutern. Als Bekrönung ist eine Skulptur des Moses gezeigt, die sich an anderer Stelle, über der Tür, bereits in Löwen findet. Moses als Vertreter des Alten Bundes präfiguriert Christus als den Stifter des Neuen Bundes. Unter dem Gesims ist zwischen zwei Girlanden eine runde Glas- oder Kristallscheibe mit der Darstellung der Mannalese aufgehängt. Die in Löwen als eigenes Bildfeld auf dem linken Flügel angeordnete Szene wird in das Mittelbild integriert. Neu hinzukommt die Darstellung im Medaillon, das Isaakopfer. Wie im Lübecker Fronleichnamsaltar wird mit diesem Thema eine über das biblische Abendmahl hinausgehende Bedeutungsebene miteinbezogen. Als Präfiguration der Kreuzigung Christi dient das Isaakopfer der Veranschaulichung des Kreuzesopfer, dessen unblutige Vorwegnahme das Letzte Abendmahl ist und das in jeder Meßfeier unblutig wiederholt wird. Damit finden argumentative Zusammenhänge katholischer Meßtheologie ihren Niederschlag in diesem Gemälde. Die strenge Beschränkung auf das Abendmahl und unmittelbar zugehörige Typologie in Löwen ist preisgegeben zugunsten einer Einbindung des Abendmahles in kirchliche Lehrzusammenhänge.

Aus dem zweiten Jahrzehnt des 16. Jahrhunderts haben sich zwei weitere Abendmahlsaltäre Brüsseler Produktion erhalten, der eine in Brüssel *(Abb. 8)*[4], der andere in New York *(Abb. 9)*[5] aufbewahrt. Beide Retabel werden – wenn auch nicht unwidersprochen – dem Meister der Grooteschen Anbetung zugeschrieben[6]. Identischer Retabelaufbau und nahezu identische Maße deuten auf serienmäßige, das heißt ohne einen konkreten, auf die grundsätzliche Disposition Einfluß nehmenden Auftrag, geschaffene Werke[7]. In beiden Fällen sind wir nicht über den ursprünglichen Aufstellungsort, Auftraggeber und genaues Entstehungsdatum unterrichtet. Beide Retabel besitzen ein zentrales Abendmahl, jedoch in unterschiedlicher Ikonographie, der Brüsseler Altar zeigt die Sakramentseinsetzung, deren Gestaltung die der ikonographischen Vermittlung ursprünglich zugrunde liegende Komposition des Dirk Bouts gerade noch ahnen läßt. Das Werk im Metropolitan Museum hingegen präsentiert die Verratsankündigung durch Judaskommunion. Abweichend ist die Gesamtikonographie beider Retabel, in New York Typologie, die Begegnung zwischen Abraham und Melchisedech links, die Mannalese rechts. Das Brüsseler Werk mit der zentralen Sakramentseinsetzung hingegen ergänzt zwei Passionsszenen, links den Abschied Christi von seiner Mutter, rechts die Fußwaschung. Offenbar wird

---

[3] Die Kenntnis der Abendmahlskomposition seines Vaters würde man Albert Bouts vermutlich ohnehin zuschreiben, sie ist darüberhinaus urkundlich gesichert. Albert Bouts wird 1486 mit der Vergoldung der Flügelaußenseiten in Löwen beauftragt; Schöne 1938 Dok. 63.

[4] Kat. 8.

[5] Kat. 9.

[6] Das Retabel in New York wird von Friedländer (ENP 11, 43) dem Meister der Grooteschen Anbetung zugeschrieben, während Katharine Baetjer (Katalog New York 1980, 353f.) allgemeiner von »Flemish (Antwerp Manierist) Painter, unknown« spricht. Das Brüsseler Retabel wurde erst 1960 für das Museum erworben und ist bei Friedländer noch nicht verzeichnet, der Katalog Brüssel 1984 schreibt es dem Meister der Grooteschen Anbetung zu.

[7] So zeigt beispielsweise das in New York aufbewahrte Hieronymus-Triptychon Patenirs bei gleichem Retabeltypus annähernd gleiche Maße (Mitte: 120,3 x 81,1 cm; Flügel 121,9 x 36,8 cm).

kein typologisches Programm mehr benötigt, um das Abendmahl in das Zentrum eines Retabels zu rücken. Die Unterschiedlichkeit beider Retabel in Detail- und Programmikonographie bei gleichzeitiger identischer, vermutlich in Serie entstandener, Formkonzeption deutet auf eine Aufwertung des Abendmahles als Hauptdarstellung eines Retabels. Nicht mehr als Ausnahme begriffen wird das Abendmahl als geläufiges Thema verwendet.

Das Brüsseler Abendmahl zeichnet sich durch eine ikonographische Besonderheit aus. Die Segnung der Hostie durch Christus ist kombiniert mit dem Weitergeben eines Brotes durch den Apostel vorn links an Judas. Es scheint, daß dieser zögert anzunehmen und im Begriff ist, die Runde zu verlassen. Ein vergleichbares Motiv ist in monumentaler Malerei bisher nur bei Grünewald bekannt *(Abb. 26)*. Collinson konnte für diese Tafel zeigen, daß der dort durch seine Gewandung als Diakon gekennzeichnete Apostel Judas die Kommunion reicht, während dieser vor die Entscheidung gestellt ist, ob er unwürdig kommuniziert oder nicht[8]. Damit wird eine unmittelbare Verbindung hergestellt zu zeitgenössischem Eucharistieverständnis. Nicht veranschaulicht werden, etwa durch Bildelemente, die das Kreuzopfer bezeichnen, Meßtheologie, die Lehre von der Transsubstantiation oder vom Meßopfer. Miteinbezogen wird vielmehr ein Appell an den Gläubigen, sich nicht durch unwürdige Kommunion Verderben zu bereiten. Die im Baldachin angebrachte Inschrift VENITE, COMMEDITE PANEN MEUM unterstreicht diese Aussage. Damit wird – in diesem Retabel erstmals für das Abendmahl als Hauptdarstellung nachweisbar – eine, über die Einbeziehung des Abendmahles in eine auf Meßtheologie abzielende Programmkonzeption hinausgehende, eucharistische Bedeutungsebene in die Formulierung des Themas selbst integriert. Das Abendmahl als Bildthema gilt im zweiten Jahrzehnt des 16. Jahrhunderts offenbar als derart etabliert, daß es, anderen Themen wie der Anbetung der Könige vergleichbar[9], eucharistische Inhalte aufzunehmen vermag.

Die Rezeptionsgeschichte des Löwener Programmes stellt dieses selbst als Ausnahme heraus. Am nächsten kommt noch das Brügger Retabel. Alle späteren Werke belegen die Aufwertung des Abendmahles als Retabelthema, das zunehmend theologische und liturgische Bedeutungen aufzunehmen vermag. Die Retabelprogramme verbinden gleichzeitig zunehmend Typologie und Passion miteinander und stellen somit die Meßtheologie sichtbar in Abhängigkeit zum biblischen Bericht. Inhaltlich wird in den Jahren um 1500 eine Verbindung von biblischem Abendmahl und Meßtheologie ablesbar, die das Abendmahl als Einsetzung des kirchlichen Ritus bewertet und veranschaulicht.

---

[8] Collinson 1986; vgl. oben im Kapitel »Veränderungen der Abendmahlsikonographie ...«.
[9] Vgl. Nilgen 1967.

Die Verwendung von Abendmahlstypologie in altdeutschen Retabeln

Die Verbindlichkeit niederländischer Kunst für die altdeutsche Malerei des 15. Jahrhunderts ließ fragen, ob der in Löwen entwickelte Typus eines Abendmahlsaltares auch im deutschsprachigen Bereich rezipiert wurde. Die Zusammenstellung von Retabeln, deren Programm das Abendmahl mit erläuternder Typologie integriert, ergibt jedoch, daß sich für diese Region kein einziger Abendmahlsaltar mit typologischem Programm nachweisen läßt.
Bereits um 1450 präsentiert der Nothelferaltar aus Kornburg, heute im Germanischen Nationalmuseum Nürnberg[1], in der Alltagswandlung das Abendmahl mit zwei Präfigurationen, dem Opfer des Melchisedech und der Mannalese *(Abb. 39)*. Für das Abendmahl ist die Ikonographie der Judaskommunion mit Christus-Johannes-Gruppe gewählt. Die Schauseite des Tabernakelaltares ist nicht mehr vollständig rekonstruierbar, die Schreinfiguren sind verloren. Die Flügelgemälde weisen in der oberen Zone je eine Gruppe von Nothelfer-Heiligen auf, in der unteren Zone links die Anbetung der Könige und rechts die Marter der Zehntausend. Das Retabelprogramm ist demnach nicht insgesamt dem Corpus Christi oder einem anderen eucharistischen Titel gewidmet. Die geschlossene Ansicht des Retabels isoliert das Abendmahl jedoch aus dem Kontext der Passion und setzt es durch die Erläuterung mit den beiden Präfigurationen in Beziehung zum Altarsakrament. Schon aus chronologischen Gründen kann diese Konzeption nicht von dem Vorbild bei Dirk Bouts abgeleitet werden, sie muß vielmehr als eigenständige Lösung angesehen werden, für die im deutschsprachigen Bereich keine zeitgleiche Parallele bekannt ist.

Vermutlich von einem in seiner ursprünglichen Form nicht mehr rekonstruierbaren Retabel des Ulmer Wengenklosters sind drei gemalte Tafeln mit Darstellungen des Abendmahles, der Begegnung zwischen Abraham und Melchisedech sowie des Passahmahles erhalten *(Abb. 40)*[2]. Eine Rekonstruktion mit dem Abendmahl als Hauptthema ist jedoch aufgrund der Bildmaße auszuschließen. Die um 1500 entstandenen Gemälde können trotz der Wappen auf der Abendmahlstafel nicht als eigenhändige Werke von Bartholomäus Zeitblom gelten. Die einzelnen Darstellungen folgen weder in ihren Kompositionen noch in der ikonographischen Anlage niederländischen Vorbildern. Die Ikonographie des Abendmahles weicht vielmehr von den bisher beschriebenen Varianten ab. Christus sitzt nahezu zentral hinter dem Tisch, an seiner Brust ruht der Lieblingsjünger

---

[1] Inv.Nr. 1225, Leihgabe der Stadt Nürnberg. Tannenholz je 1,45 x 0,61 m, zahlreiche Fehlstellen. Katalog der Gemälde 1937, Bd. 1, 123, Bd. 2, Abb. 23-26; Zimmermann 1930/31, 34; Stange KV 3, Nr. 94, hier die ältere Literatur.

[2] Seit 1803 im Besitz der Bayerischen Staatsgemäldesammlungen. Maße: Abendmahl 192 x 90 cm, Passahmahl sowie Abraham und Melchisedech jeweils 187 x 85,5 cm. »Kunstwerke aus dem ehemaligen Chorherrenstift St. Michael zu den Wengen in Ulm« 1980. Schädler 1983/84, 70f. bezeichnet das Abendmahl als Mitteltafel des Retabels, eine Rekonstruktion, die aufgrund der nahezu identischen Maße der drei erhaltenen Tafeln nicht einleuchtet. Die beiden alttestamentlichen Tafeln besaßen ursprünglich einen anderen oberen Abschluß, im Katalog 1980, 40 werden sie als linker bzw. rechter Teil einer Lünette bezeichnet.

Johannes. Er hat sich leicht nach rechts gewendet und hält in der erhobenen rechten Hand eine Hostie. Ihm zugeordnet ist Petrus, im Figurenmaßstab gegenüber den anderen Aposteln geringfügig vergrößert und ohne Überschneidung wiedergegeben. Er hat sich zu Christus gedreht und legt die Hände in einem Gebetsgestus zusammen. Judas, bezeichnet durch die Inschrift seines Nimbus sowie den kaum sichtbaren Beutel in seiner linken Hand, hat bereits ein Bein über die Sitzbank gestellt und ist im Begriff, die Runde zu verlassen. Dargestellt ist weder die Sakramentseinsetzung noch die Judaskommunion. Während Christus das Sakrament präsentiert, sind offensichtlich zwei unterschiedliche Reaktionen, Andacht bei Petrus einerseits, Mißachtung durch Judas andererseits, gegenübergestellt.
Auf einer vergleichbaren Zeichnung von Martin Schaffner[3] wendet sich Petrus ebenfalls der von Christus erhobenen Hostie zu. Dieser ist jedoch in seiner Körperhaltung auf Judas, der vorn links am Tisch sitzt und zu Christus aufschaut, bezogen. Die Zueinanderordnung von Christus und Petrus ist in der Zeichnung von Schaffner gegenüber dem Gemälde aus dem Zeitblom-Kreis zurückgenommen. Da diese Ikonographie jedoch in keinem bekannten Beispiel für die Hauptdarstellung eines Retabels verwendet wird, darf ihre Deutung im Zusammenhang dieser Untersuchung zurückgestellt werden[4].

Die 1496 datierte und von Jakob Mühlholzer signierte Predella des Retabels, das den südlichen Seitenaltar der Creglinger Herrgottskirche schmückt, zeigt das Abendmahl mit zugehöriger Typologie, der Begegnung zwischen Abraham und Melchisedech und der Mannalese[5]. Der Schrein und die Reliefs der Flügelinnenseiten ordnen der zentralen Figur des Johannes Ev. vier stehende Heilige zu, die Alltagsseite ergänzt die Verkündigung und weitere acht Heilige. Von einem eucharistischen Altarprogramm kann somit auch für dieses Retabel nicht gesprochen werden.

Als wichtiges Beispiel einer Abendmahlstypologie im Kontext eines Retabels ist die Predella des 1521 vollendeten und ursprünglich für den Hauptaltar der Stiftskirche zu Bordesholm bestimmten Retabels zu nennen *(Abb. 42a-c)*. Der monochrome Schnitzaltar wurde von Hans Brüggemann geschaffen, die Malerei nie ausgeführt[6]. Auftraggeber und

---

[3] Basel, Öffentliche Kunstsammlung U III 27. »Holbein ...« 1965, Nr. 182; »Schaffner ...« 1959, Kat. 3a. Der Zusammenhang der Zeichnung Schaffners mit dem Gemälde aus dem Zeitblom-Kreis scheint bisher noch nicht geklärt zu sein.

[4] Zu Darstellungen, die die Reaktion auf das Sakrament in den Mittelpunkt stellen, vgl. die Ausführungen von Collinson (1986) zu Grünewalds Tafel, das folgende Kapitel zum Heiligblut-Altar von Riemenschneider und die Überlegungen zur Veränderung der Ikonographie des Abendmahles in den Jahren um 1500. Eine Arbeit, die die Gruppe von Darstellungen, in denen aus dem Kreis der gezeigten Figuren Christus (meist mit schlafendem Johannes an seiner Brust), Petrus und Judas herausgehoben werden, untersucht, könnte auch Aufschluß geben über die in der Nürnberger Kunst ohne nachweisbare Vorläufer entwickelte Komposition des Volckamer-Epitaphs von Veit Stoß, vgl. oben das Kapitel »Veränderungen der Abendmahlsikonographie ...«.

[5] Schuette 1907, Kat. S. 190 sowie Andrea Kleberger und Hartmut Krohm: »Jakob Mühlholzer aus Windsheim. In: »Tilman Riemenschneider« 1983, 303-318.

[6] Das Retabel befindet sich seit 1666 im Dom zu Schleswig. Zuletzt Appuhn 1983. Grundlegend noch immer die unveröffentlichte Dissertation von Appuhn, Kiel 1952. Appuhn referiert in dieser Arbeit auch die außerordentlich interessante Rezeptionsgeschichte des Retabels, wurde doch bereits am Ende des 16. Jahrhunderts die künstlerische Leistung Brüggemanns mit Werken des Phidias verglichen. Den Versuch einer Deutung des Retabels unternahm Kähler 1981, vgl. hierzu die Rezension von Appuhn 1982.

nähere Entstehungsumstände sind zwar nicht urkundlich überliefert, Appuhn macht jedoch eine Stiftung durch Herzog Friedrich von Schleswig-Holstein anläßlich des Todes seiner ersten Gemahlin Anna plausibel[7].
Das aufwendige und teilweise komplizierte Programm deutet auf eine explizite theologische Konzeption. Nach niederländischem Vorbild ist der Schrein in der Mitte überhöht. Das große mittlere Bildfeld zeigt in drei waagerecht unterteilten Bildzonen unten die Kreuztragung, darüber die zentrale Kreuzigung und oben eine stehende Muttergottes, die Hauptpatronin der Klosterkirche. Die kleinen Bildfelder des Schreines und der Flügelinnenseiten sind der Passion Christi und seinen nachösterlichen Erscheinungen gewidmet. Der christologische Zyklus findet seinen Abschluß im Gesprenge mit einer Darstellung des Jüngsten Gerichtes, auf Säulen neben dem Altar stehen Augustus und die tiburtinische Sibylle. Die Predella gruppiert auffälligerweise nicht die alttestamentlichen Szenen um den neutestamentlichen Antitypus, sondern ordnet die vier Szenen gleichberechtigt der zentralen Hostiennische zu. »Das Programm der Predella gilt der Eucharistie, die einst realiter in einer Monstranz in der Mittelnische gezeigt wurde. Zu ihren Seiten Abendmahl mit Fußwaschung und eine urchristliche Agape, außen Abraham und Melchisedech und das Passahmahl beim Aufbruch aus Ägypten. Also eine Steigerung von auf das Abendmahl bezüglichen Szenen des Alten Bundes über die Einsetzung und Feier der Eucharistie im Neuen Bund zur Realität der Hostie in der Monstranz.«[8] Die Darstellung des Abendmahles, die die Komposition aus Dürers Kleiner Holzschnittpassion *(Abb. 29)* aufgreift, ist mit der Fußwaschung in einem Bildfeld vereinigt. Diese Szene, die von der Typologie nicht gefordert wird, verweist das Abendmahl in den Erzählzusammenhang der Passion. Kombiniert werden somit Sakramentsdarstellung und biblischer Bericht.
Die Szene rechts der Hostiennische ist von Appuhn wohl zutreffend als Abendmahl der Urchristen gedeutet worden[9]. Als zentrale Figur hinter dem Tisch sitzt ein Bischof, der sich nach rechts dreht und einem der beiden Kelche zuwendet, zu seiner Linken sitzen eine Figur im Chormantel sowie ein Diakon. Um den Tisch herum versammelt sind gleichermaßen Männer und Frauen. Die zentrale Figur des Bischofs, durch seine Mitra als kirchlicher Würdenträger ausgezeichnet, verweist die dargestellte Szene in den Kontext der Kirchengeschichte, das urchristliche Liebesmahl ist als liturgische Zeremonie ausgewiesen.
Die beiden auffälligen Kelche auf dem Tisch wurden von Appuhn als Hinweis auf die communio sub specie utraque interpretiert[10] und als bildlicher Hinweis auf die Rezeption eines Luther-Traktates von 1519, in dem dieser die Laienkommunion unter beiderlei Gestalt fordert, oder entsprechender, auf anderem Wege vermittelter Gedanken gewertet[11]. Darstellungen, die deutlich beide Substanzen des Abendmahles zeigen, sind jedoch aus

---

[7] Herzogin Anna verstarb 1514 und wurde in der Bordesholmer Klosterkirche beigesetzt; zuletzt Appuhn 1983, 22.
[8] Haussherr 1985, 221.
[9] Vgl. zuletzt Appuhn 1983, 14 sowie Kähler 1981, 61.
[10] »In der Gebärdensprache des Spätmittelalters konnte das nichts anderes bedeuten als das Abendmahl unter beiderlei Gestalt, das heißt die Forderung nach Brot und Wein für die ganze Gemeinde.« Appuhn 1983, 14.
[11] Die Schrift Luthers könne sich, so Appuhn, im Besitz eines Mönches in Bordesholm befunden haben, wäre dann jedoch bei der Bannung Luthers 1521 aus der Bibliothek entfernt worden. »Doch bis dahin hatte sich Luthers Gedankengut durch seine Lehrtätigkeit an der 1502 gegründeten Universität Wittenberg schon weit verbreitet, denn vorzugsweise den in Wittenberg ausgebildeten Geistlichen ist die schnelle Ausbreitung der Reformation im gesamten Norden zu verdanken. Von

der ikonographischen Tradition bekannt, ohne daß man deshalb jedesmal antirömische Aussagen unterstellen wollte[12]. Kann man sich zudem gerade für das Jahr 1521 sinnvoll eine unmißverständlich als lutherisch lesbare und somit unter Androhung von Kirchenbann verbotene Stellungnahme für ein repräsentatives Retabel vorstellen – es handelt sich bei der Szene ja nicht um die Illustration eines Flugblattes? Der Inanspruchnahme des Programmes für reformatorische Deutungen gegenüber scheint eher Zurückhaltung geboten.

Auch die von Appuhn abweichende Deutung der Szenen durch Kähler[13] übersieht die für die Jahre um und nach 1500 häufiger zu beobachtende Verlängerung der Typologie in die Kirchengeschichte[14], wenn sie die Darstellungen ausschließlich als Umsetzung der Theologie des Erasmus von Rotterdam interpretiert: »Als Leitgedanke der in der Predella des Bordesholmer Altares veranschaulichten Deutung der Eucharistie erweist sich die Idee der christlichen Friedensgemeinschaft, die im Zentrum der Theologie und Gesellschaftslehre des Erasmus steht... Unter dem Aspekt der typologischen Steigerung des Alten in das Neue bedeuten die inneren Szenen (Abendmahl und Liebesmahl – Vf.) eine Zunahme der Vergeistigung und eine größere Nähe zur Verwirklichung des Friedens, der jedoch erst in der eschatologischen Zeit vollständig real werden wird.«[15] Die vergleichende Analyse von Retabeln mit Abendmahlstypologie erweist vielmehr für die Jahre seit etwa 1500 die Tendenz, biblische Erzählung des Abendmahles und Meßtheologie aufeinander zu beziehen. Dieses Bestreben erklärt die Kombination von Abendmahl und Fußwaschung als bildliche Integration in den Passionszyklus. Die Verlängerung der Typologie in die Kirchengeschichte läßt sich, wie am Beispiel des Lübecker Fronleichnamsaltares ausgeführt[16], auch andernorts beobachten.

Das Programm des Bordesholmer Altares bezieht die zentrale Eucharistie in der senkrechten Achse auf die Kreuzigung, erläutert sie in der Predella mit Abendmahl und Typologie und setzt sie so in einen komplexen programmatischen Bezug: Als Sakrament im Letzten Abendmahl von Christus gestiftet, bereits im Alten Testament, sowohl in seinem priesterlichen Bezug als auch in dem Aspekt der Heilswirksamkeit der göttlichen Speise, präfiguriert, als kirchliche Tradition seit der Urgemeinde zelebriert, präsentiert die gewandelte Eucharistie den am Kreuz geopferten Leib Christi. Ein derartiges Programm ist vollständig in der altkirchlichen Bild- und Argumentationstradition zu verstehen. Daß die Protestanten an diesem Retabel keinen Anstoß nahmen, die Rückverlängerung kirchlicher Praxis bis in die Zeiten des Urchristentums und die Darstellung der beiden Kelche in dieser Szene ihnen vermutlich »maßgeschneidert« erschien, wirft nicht zuletzt deutliches Licht auf das Verhältnis der lutherischen Kunst zu ihren altkirchlichen Vorläufern.

---

einem aus dem Bordesholmer Konvent hervorgegangenen evangelischen Prediger in Kiel, Wilhelm Pawest, wissen wir, daß er mit Luther Briefe wechselte.« Appuhn 1982, 33.

[12] Siehe die Ausführungen zur Ikonographie des Abendmahles, als Beispiel sei an die Pariser Tafel von Meister Bertram erinnert (Stange DMG 1, Abb. 187); vgl. auch Kähler 1981, 63, die ebenfalls auf die Bildtradition hinweist.
Erinnert sei in diesem Zusammenhang schließlich an die Szene der Kommunionsausteilung vom Lübecker Fronleichnamsaltar, in der das Sakrament unter beiderlei Gestalt gestiftet wird, sowie an die aus der Göttinger Marienkirche stammenden Tafeln im Niedersächsischen Landesmuseum Hannover (Gmelin 1984, 204f.); vgl. die Ausführungen zum Lübecker Fronleichnamsaltar.

[13] Kähler 1981, 61-75.

[14] Vgl. oben die Ausführungen zum Lübecker Fronleichnamsaltar.

[15] Kähler 1981, 74; zu diesen Überlegungen auch die Rezension von Appuhn 1982.

[16] Siehe oben die Ausführungen zu diesem Retabel.

Eine andere Verbindung von Abendmahl und Typologie bietet das entsprechende Flügelgemälde des Ehrenfriedersdorfer Altares *(Abb. 41)*[17]. Das Abendmahl gehört hier zu dem in der ersten Wandlung präsentierten Passionszyklus. Jeder der vier Szenen (Abendmahl – Ölberggebet – Gefangennahme – Vorführung vor Kaiphas) ist in einem Medaillon am unteren Bildrand eine Präfiguration zugewiesen. Dem Abendmahl ist die Mannalese beigegeben. Die Ikonographie der Judaskommunion ist durch ein zusätzliches Motiv erweitert, ein Apostel bietet dem Verräter ein Stück Brot an. Die Frage würdiger oder unwürdiger Kommunion ist so in die Darstellung ausdrücklicher integriert[18].
Das zwischen 1507 und 1509 von Hans von Witten geschaffene Retabel befindet sich noch immer an seinem ursprünglichen Aufstellungsort auf dem Choraltar der Ehrenfriedersdorfer Stadtkirche[19]. Die geschnitzte Festtagsseite ist Maria als Himmelskönigin und verschiedenen Heiligen gewidmet[20]. Das Gesprenge zeigt den für die umfassende Wiedergabe der Heilsgeschichte zentralen Kruzifix mit Maria und Johannes sowie zwei Passionsszenen (links Ecco Homo, rechts Handwaschung des Pilatus), die Predella ist der Auferstehung vorbehalten. Der Passionszyklus mit zugehöriger Typologie schmückt die Sonntagsseite des Retabels. Die Alltagswandlung zeigt wiederum stehende Heilige[21]. Das Abendmahl markiert in diesem Retabelprogramm eine untergeordnete Szene am Beginn der Passion.

Eine andere Form der Passionstypologie ist in zwei Altarausstattungen verwirklicht, die in der Wittenberger Cranach-Werkstatt für den Gebrauch im Kontext katholischer Liturgie in Auftrag gegeben wurden. Rekonstruieren läßt sich ein Altarzyklus für die Stiftskirche zu Halle/Saale. Er umfaßte 15 Flügelaltäre, die jeweils aus einer zentralen Passionsszene, die vermutlich in der Predella durch eine typologische Szene erläutert wurde, sowie stehenden Heiligen auf den Flügelgemälden bestanden. Ergänzt wurde diese Reihe durch drei weitere frei aufgehängte Passionsgemälde, eines davon die Darstellung des Abendmahles[22]. Auftraggeber dieser aufwendigen Kirchenausstattung war Kardinal Albrecht von Brandenburg. Die Ausführung wurde offensichtlich der Wittenberger Cranach-Werkstatt übertragen, die erhaltenen Altarmodelle lassen sich in die Jahre zwischen 1515 und 1520 datieren, ein Inventar von 1525 beschreibt den vollständigen Zyklus[23]. Die

---

[17] Maße des Schreins: 2,72 x 2,08 m; Gesamthöhe des Retabels ca. 7 m. Hentschel 1938.
[18] Zu dieser Ikonographie vgl. das wenig später entstandene Brüsseler Retabel von Meister der Grooteschen Anbetung oben im Kapitel »Niederländische Abendmahlsaltäre 1470-1520«, aber auch die Abendmahlstafel Grünewalds und die Ausführungen von Collinson 1986 sowie die Überlegungen im Kapitel »Veränderungen der Abendmahlsikonographie im 15. und beginnenden 16. Jahrhundert«.
[19] Zu diesem Retabel Hentschel 1938, 49-58, Abb. 32-42 sowie 118-121.
[20] Der Schrein zeigt links Katharina, rechts Nikolaus. Durch die in zwei Maßwerknischen angeordneten Figuren von Gottvater und Christus, die eine Krone halten, wird die stehende Marienfigur durch den szenischen Hinweis auf die Marienkrönung ergänzt. Die Flügelinnenseiten fügen links die Heilige Barbara, rechts den Heiligen Erasmus hinzu.
[21] Auf den Außenflügeln Andreas und Bartholomäus, auf den Standflügeln Wolfgang und Martin.
[22] Die Rekonstruktion des Zyklus bei Steinmann 1968; künftig auch die an der TU Berlin verfaßte Dissertation von Andreas Tacke: »Die katholischen Arbeiten Cranachs um 1520-1540 (Arbeitstitel)«, Berlin 1989, die mir jedoch noch nicht zugänglich war.
[23] Nachträglich in das Programm eingefügt wurde die Erasmus-Mauritius-Tafel von Grünewald (heute in der Alten Pinakothek München); vgl. Steinmann 1968, 97-104.

offenbar nicht erhaltene Abendmahlstafel[24] bildet in Halle Teil eines Programmes mit Passionstypologie, ohne jedoch selbst mit einer alttestamentlichen Szene erläutert zu werden.
Die Übernahme des Ausstattungsprogrammes aus Halle für die Stiftskirche zu Berlin-Cölln durch Kurfürst Joachim II. von Brandenburg sieht in der Planung einen Abendmahlsaltar vor. Das Retabelmodell von Lukas Cranach dem Älteren aus dem Jahre 1536 hat sich im Louvre erhalten *(Abb. 10a-b)*[25]. Das zentrale Abendmahl zeigt die in der für den Gesamtzusammenhang der Passion zu erwartende Ikonographie der Judaskommunion. Die Predella fügt, ohne erkennbaren Zusammenhang und möglicherweise nachträglich[26], als Szene des Alten Bundes den Verkauf Josephs durch seine Brüder hinzu. Die Flügeltafeln sind wie in Halle Heiligendarstellungen vorbehalten[27], für die eine Beziehung zum Aufstellungsort nachgewiesen werden kann[28]. Der Entwurf trägt eine handschriftliche Notiz, wohl des Auftraggebers, die fordert, das Abendmahlsthema durch die Gefangennahme Christi zu ersetzen. Diese veränderte Konzeption dürfte ausgeführt worden sein, im Wiener Kunsthistorischen Museum wird eine in den Maßen passende Tafel der Gefangennahme von Lukas Cranach dem Älteren aufbewahrt sowie eine als zugehörige Predella plausibel zu machende Darstellung der Szene »Joab ersticht Abner«[29]. Der Entwurf präsentiert einen Abendmahlsaltar, der seine Aufstellung im Gesamtzusammenhang eines Passionszyklus finden sollte. Ausgeführt wurde diese Konzeption jedoch nicht. Das Altarmodell eines Abendmahlsretabels für die Kirchenausstattung in Berlin-Cölln markiert somit eine verworfene Planungsstufe.

Für die Abendmahlstypologie in Retabeln des deutschsprachigen Bereiches lassen sich zu Beginn des 16. Jahrhunderts zwei Gruppen unterscheiden. In Kornburg, Creglingen und Bordesholm wird das Thema zumindest partiell aus dem Kontext der Passion isoliert und eigenständig mit typologischen Darstellungen erläutert. Die anderen Beispiele belassen die Szene im Rahmen der Passionserzählung und verwenden sie durch Präfigurationen ergänzt im Kontext von Retabeln mit Passionstypologie. Alle bekannten Beispiele aus dem deutschsprachigen Bereich weisen dem Abendmahl im Gesamtprogramm des jeweiligen Retabels eine untergeordnete Stellung zu. Abendmahlsaltäre mit typologischem Programm lassen sich in dieser Region nicht nachweisen.

---

[24] Ob Andreas Tacke in seiner Dissertation die Rekonstruktion vervollständigen konnte und beispielsweise an der 1986 mündlich geäußerten Identifizierung einer im Kupferstichkabinett Berlin aufbewahrten Zeichnung von Lukas Cranach d. Ä. (KdZ 4262, Feder in braun, laviert 187 x 136 mm; Bock 1921, 19) mit dem Entwurf für die Hallenser Abendmahlstafel festhält, ist mir nicht bekannt.
[25] Kat. 10.
[26] Steinmann 1968, 90.
[27] Die Innenflügel des Modelles zeigen links Wolfgang, rechts Nikolaus, die Außenseiten Papst Sixtus und einen heiligen Bischof, den Steinmann 1968 mit Bischof Stanislaus von Krakau identifiziert.
[28] Steinmann 1968, 88-91.
[29] Die 1538 datierte Gefangennahme: Friedländer/Rosenberg Nr. 294 d, Joab ersticht Abner ebd. Nr. 288 h; zur Rekonstruktion vgl. Steinmann 1968, 90.

Abendmahlsaltäre mit Passionsprogramm

Das Heilige Blut und der Abendmahlsaltar von Tilman Riemenschneider in Rothenburg

Das Retabel für den Heiligblut-Altar der St. Jakobskirche zu Rothenburg ob der Tauber *(Abb. 11a-b)*, dessen figürliche Teile in den Jahren zwischen 1501 und 1504 von Tilman Riemenschneider geschaffen wurden, zeigt erstmals die Darstellung des Abendmahles in Verbindung mit der Präsentation einer Heiligblut-Reliquie[1]. Weiterhin wurde die Heilige Eucharistie in einer Hostienmonstranz, die ihre Aufstellung ursprünglich in der Predella fand, offenbar dauerhaft gezeigt. Das Abendmahl war somit der Präsentation beider eucharistischer Substanzen zugeordnet.

Ohne direkte Vorläufer ist die Einbindung des zentralen Abendmahles in die Passionserzählung: die Flügel zeigen links den Einzug nach Jerusalem und rechts das Gebet am Ölberg. Diese neuartige Programmgestaltung wird in den Jahren nach 1500, wie bereits für die niederländische Kunst angedeutet[2], üblich, ohne daß von einer Abhängigkeit der Retabel untereinander gesprochen werden könnte. Ursache scheint vielmehr, wie eingangs ausgeführt wurde, eine Veränderung der Frömmigkeit zu sein, die zunehmend das Abendmahl als Szene der Leidensgeschichte Christi in den Blick nimmt[3]. Schließlich zeigt der Rothenburger Heiligblut-Altar als erster der großen Schnitzaltäre der Spätgotik das Abendmahl als Hauptdarstellung. Als wesentliches Merkmal der künstlerischen Gestaltung darf die monochrome Fassung gelten, die im Unterschied zum vorausgehenden Werk Riemenschneiders in Münnerstadt nicht verändert wurde, sondern in ihrer ursprünglichen Wirkung belassen ist[4]. Die Bedeutung des Rothenburger Retabels wird somit durch eine Reihe von Neuerungen bestimmt. Eine Tradition wurde mit diesem Retabel jedoch nicht begründet.

Der Forschung gilt offenbar durchgängig die Verbindung von Abendmahlsdarstellung und eucharistischer Reliquie als angemessene, gleichsam selbstverständliche und somit nicht zu befragende Ikonographie. Nicht geklärt wurde jedoch das Verhältnis des Rothenburger Heiligblut-Altares zu älteren Abendmahlsaltären. Ebenfalls unterblieben ist die Gegenüberstellung mit anderen Retabeln, die in nachweislichem Zusammenhang mit einer Heiligblut-Reliquie stehen oder die in den Retabelaufbau einen Aufstellungsort für

---

[1] Kat. 11.

[2] Vgl. oben im Kapitel »Niederländische Abendmahlsaltäre 1470-1520«.

[3] Vgl. oben das Kapitel »Veränderungen der Abendmahlsikonographie im 15. und beginnenden 16. Jahrhundert«.

[4] Zu Münnerstadt vgl. Riemenschneider 1981, zu Rothenburg Oellermann 1965.

eine Hostienmonstranz integrieren. Damit entging die Möglichkeit, Besonderheiten präzise zu bestimmen, Besonderheiten im Vergleich mit älteren Abendmahlsaltären, was die inhaltliche und künstlerische Gestaltung anbelangt, aber auch im Hinblick auf ein zu klärendes Verhältnis gegenüber offizieller Theologie und zeitgenössischer Frömmigkeit.
Zwei Beispiele aus der Literatur mögen die Spannweite entgegengesetzter Schlußfolgerungen aus der gleichen sich durchziehenden Prämisse belegen. »Das vergoldete Kreuz, das über dem Schrein in der Mitte des Auszugs, von zwei Engeln gehalten wird, birgt in einer bergkristallenen Kapsel ... (die) kostbare Reliquie des Bluttropfens Christi, die Kreuzfahrer aus dem heiligen Lande mit nach Rothenburg gebracht haben sollen ...«[5] Von dieser historisch nicht haltbaren Interpretation der Reliquie ausgehend fährt Bier fort: »Auf die Blut Christi-Reliquie, einen während des Abendmahls aus dem Kelch aufs Tischtuch verschütteten Tropfen, der durch die Wandlung zum Blut Christi transsubstantiiert wurde, nehmen alle Darstellungen des Altares Bezug: das Abendmahl im Schrein, das durch die Flügelreliefs ... in die Scenenfolge der Passion verspannt wird, die Engel im Fuß, die mit den Leidenswerkzeugen ... für Geißelung und Kreuzigung eintreten, wie die Gestalt des Schmerzensmannes ..., (der) die Summe aller Leiden des Herrn in sich faßt. Schlägt in dieser Figur, auch schon in den Engeln im Fuß, die geschichtlich ausmalende Darstellung ins Sinnbildlich-Dogmatische um, so ist auch schon innerhalb des erzählenden mittleren Triptychons durch die im Vertrag nicht erwähnten Relieffigürchen eines Propheten und eines Kirchenlehrers in den Aufsätzen der Flügel Sorge getragen, daß der Betrachter die Scenen im spekulativen Bau des göttlichen Heilsplans erblickt.«[6] Die im Programm eingegangene, in der ikonographischen Tradition jedoch ungewöhnliche Verbindung von Heiligblut-Reliquie und Abendmahlsdarstellung ist hier gleichsam wörtlich genommen. Das Gesamtprogramm wertet Bier in dieser allgemeinen Formulierung sicher zutreffend als Verknüpfung von Passionserzählung mit dogmatischer Argumentation, wobei die Herleitung der Reliquie aus dem historisch-biblischen Geschehen unbemerkt unterläuft und fälschlich als Beleg gewertet ist. Nur ein protestantisch gefärbtes Sakramentsverständnis jedoch vermag für das ausgehende Mittelalter hieran so wenig Anstoß zu nehmen, verkennt doch diese Interpretation die beinah eigenwillige Auslegung gültiger Lehre.
Während Bier den inhaltlichen Schwerpunkt eindeutig zugunsten der Einbindung der Erzählung in ein theologisches Gedankengebäude gelegt sieht, interpretiert Baxandall gerade entgegengesetzt. In Abgrenzung gegen die Verwendung von Skulpturen als Andachtsbilder sieht er im Heiligblut-Altar die Bild*erzählung* in den Mittelpunkt des Interesses gerückt. »Das zentrale Thema der Szene im Schrein ist unmittelbar auf die Anwesenheit der Reliquie ausgerichtet, da das Letzte Abendmahl der Moment der Einsetzung der

---

[5] Bier 1930, 21.
[6] Bier 1930, 21; vgl. auch Weber 1911, 192f. Als weiteres Beispiel sei Tönnies 1900, 118 zitiert »Der Grundgedanke, der in dem Altarwerk zum Ausdruck gebracht ist, ist kurz der: ›Das Blut Christi ist um der Menschheit Sünden geflossen, ihr ewiges Heil zu bringen.‹ Oben in dem luftigen Aufsatz, gleichsam befreit von der materiellen Schwere irdischen Leides, sind die tröstlichen Momente des Gedankens zusammengefaßt; die Verkündigung des Heils, durch den Engel an Maria, und dann der errungene Sieg über die Sünde durch den auferstandenen Heiland. In der Mitte befindet sich sodann das Kreuz mit den Blutstropfen des Herrn, die für der Menschen Erlösung vergossen wurden ...« Abgesehen von der fälschlichen Identifizierung des Schmerzensmannes als Auferstandenen helfen diese und ähnliche dogmatische Allgemeinplätze bei der historischen Analyse und der hieraus abzuleitenden Interpretation des Altarprogrammes nur wenig.

Eucharistie ist: ›Hic est sanguis meus‹ – Dies ist mein Blut.«[7] – »Die Aussage wird unterstrichen durch den jungen Apostel auf der Bank links, der nach unten auf den Altar und somit auf das Meßopfer zeigt. Mit der anderen Hand verweist er den Betrachter über das auf dem Tisch befindliche Osterlamm hinweg oder durch dieses hindurch auf das Geschehen, das hier stattfindet.«[8] – »Zum Wesen der monochromen Skulptur gehört ... ihr entschieden erzählerischer Charakter bei gleichzeitigem Zurücktreten der Funktion als Andachtsbild. Vergleicht man beispielsweise den Hl.-Blut-Altar mit Erharts Blaubeurener Hochaltar oder Pachers Flügelaltar von St. Wolfgang, so leiten seine Figuren nicht so sehr zur Anbetung im Sinne des Heiligenkults an, als vielmehr zur ehrfürchtigen und meditativen Versenkung in die Lebensgeschichte Christi. Selbst das schmerzerfüllte Mysterium der Eucharistie ist zum Teil dadurch abgemildert worden, daß das Abendmahl mit den Flügelreliefs in eine realistische, erzählende Bilderfolge eingebunden ist ..., teilweise auch dadurch, daß die überlieferte Figurenanordnung mit Christus als Mittelpunkt, eingefaßt von seinen Aposteln, verlassen wird zugunsten eines erzählenden Bildaufbaus, der die Figur Christi der anschaulichen Inszenierung des Geschehens unterwirft.«[9] Trotz der wichtigen Beobachtungen zur Erzählstruktur übersieht Baxandall jedoch, daß zur Einsetzung der katholischen Eucharistie die Kreuzigung als zentrales Opfer gehört und das Rothenburger Programm daher dogmatisch nicht wirklich vollständig ist.
Die Pole der Interpretation scheinen klar: absoluter Vorrang der Erzählung einerseits, Einbindung der Erzählung in ein dogmatisches Gebäude andererseits. Ob von Bier als Einheit verstanden, oder ob Baxandall Darstellungen und Reliquie im Sinne von Erzählung und Kult kontrastiert, als unbefragter Ausgangspunkt der Programmgestaltung ist jeweils die Reliquie begriffen. Deren ständige Präsentation im Retabel wie gleichermaßen die inhaltliche Bezugnahme durch die Abendmahlsdarstellung müssen nach dem Vergleich mit älteren Retabeln jedoch als Eigenheit und somit als wichtiger Gegenstand des Interesses herausgestellt werden.

Die feste Integration der Heiligblut-Reliquie in den Retabelaufbau gehört zu den Besonderheiten des Rothenburger Flügelaltares. Gewährleistet ist hiermit die ständige Präsentation des Heiligen Blutes, die zudem verbunden ist mit der Möglichkeit einer dauernden Hostienaussetzung in der Predella. Die genaue Form der Aufbewahrung der Reliquie vor 1502, dem Datum der Aufstellung des Retabels, ist nicht bekannt. Von einer festen Anbringung im Kontext eines Retabels wird man im 14. Jahrhundert nicht ausgehen wollen[10].
Die Verehrung des Heiligen Blutes in Rothenburg läßt sich bis in die zweite Hälfte des 13. Jahrhunderts zurückverfolgen. Bereits im ersten überlieferten Kirchenbau der Jakobskirche war der Reliquie eine eigene Kapelle »in honorem glorissimi corporis et sanguinis d. n. Jesu Christi« zugewiesen, die vermutlich 1266 geweiht wurde[11]. Obwohl Rothenburg ob der Tauber zu den ältesten Verehrungsorten des Heiligen Blutes in Franken gehörte, hat die Stadt offenbar jedoch keine überregionale Bedeutung als Wallfahrtsort er-

---

[7] Baxandall 1984, 183.
[8] Baxandall 1984, 183.
[9] Baxandall 1984, 195.
[10] Vgl. beispielsweise die frömmigkeitsgeschichtlichen Ausführungen bei Browe 1967.
[11] Ress 1959, 76f.

langt[12]. Die Wallfahrt scheint sich auf die Umgebung Rothenburgs und Teile Frankens beschränkt zu haben. Außerhalb dieses geographischen Radius gilt, »... daß im Spätmittelalter nur einzelne Blutkultorte überlokale Bedeutung gewannen, dann jedoch in einem Ausmaß, daß z.B. unter einer Fahrt zum heiligen Blut jeder in Süddeutschland Augsburg verstand, im 15. und 16. Jahrhundert jeder Nord- und Mitteleuropäer Wilsnack in Brandenburg.«[13] Die kunsthistorische Literatur neigt hier zu einer gewissen Überschätzung der Bedeutung Rothenburgs[14]. Der angenommenen Wichtigkeit Rothenburgs als Wallfahrtsort widerspricht bereits die Tatsache, daß für die Rothenburger Reliquie keine Legende überliefert ist[15]. Das Fehlen einer mittelalterlichen Version scheint hingegen der Legendenbildung des 19. Jahrhunderts Vorschub geleistet zu haben, als man wissen wollte, die Rothenburger Reliquie sei von Kreuzfahrern aus dem Heiligen Land mitgebracht worden[16]. Aufschluß über die Art der Reliquie geben jedoch zwei Reliquienverzeichnisse von 1442 und 1502, die von einem Blutstropfen auf einem Korporale berichten[17]. Das Korporale dient in der Meßzeremonie als Unterlage für den Kelch und kann –

---

[12] Vgl. Ress 1959 mit der älteren Literatur, aber auch die dort nicht erwähnte Arbeit von Heuser 1948, 14-15. Für die Geschichte der Heiligblut-Wallfahrt aufschlußreich ist die Untersuchung von Brückner 1958. Leider ohne Anmerkungen und Abdruck der Quellen kommt die wichtige Analyse des Rothenburger Stadtarchivars Ludwig Schnurrer 1985 aus. Zur lokalen Begrenzung der Rothenburger Wallfahrt vgl. Schnurrer 1985, 94f., der unter anderem das 1442 verfaßte Mirakelbuch des Deutschordenspfarrers Johannes von Ellringen auswertet. »Die Rothenburger Heiligblutwallfahrt hatte demnach, aus den Wunderberichten zu schließen, mehr lokalen und regionalen Charakter; überregional ist sie wohl nie von Bedeutung gewesen.« Schnurrer a.a.O. 94. Zu dem Mirakelbuch vgl. Schnurrer 1985 (2), der die von Schattenmann 1938 nur unvollständig veröffentlichten Wunderberichte bis zum Jahr 1447 publiziert und auswertet.

[13] Brückner 1958, 49. »Die Kulte in Iphofen, Burgwindheim, Vierzehnheiligen und Walldürn entstammen dem Spätmittelalter. Sie entwickelten in der zweiten Hälfte des 15. Jahrhunderts kleine lokale Wallfahrten, die im 16. Jahrhundert wieder an Bedeutung verloren. Erst die Gegenreformation gab ihnen feste Gestalt und ein reiches Kultleben.« Brückner a.a.O. 100. In den evangelisch gewordenen Orten war die Wallfahrt mit der Reformation zwangsläufig abgeschafft.

[14] So heißt es bei Ress 1959, 77: »Unter den übrigen Kultstätten dieser Art im fränkischen Gebiet... darf die Heilig-Blut-Kapelle in Rothenburg auf Grund ihrer frühen Weihe, ihres Reliquienschatzes, der vielen Wundernachrichten und der dadurch ins Leben gerufenen Wallfahrt als eine der ältesten und bedeutendsten gelten.« Gleiches gilt für Baxandall 1984, 183.

[15] Heuser 1948, 14f; Schnurrer 1985, 89f. Im Unterschied zu Rothenburg vgl. etwa die Legende in Burgwindheim; Harmening 1966, 38f.

[16] Offenbar erstmals bei Weigel 1852, 58 (Anm.); Bier 1930, 21 mit Hinweis auf ältere Literatur. Noch Zimmermann 1959, 96 bezeichnet die Rothenburger Heiligblut-Reliquie irrtümlich als palästinensische Kreuzzugsreliquie.

[17] 1442 ist die Rede von »tres guttae sanguinis perfusae super corporale et apparet vestigium«, Ress 1959, 77. Das Reliquienverzeichnis von 1502 bestätigt diese Interpretation der Heiligblut-Reliquie und führt aus, daß weitere Reliquien aufbewahrt und verehrt werden.
»Gutta sanguinis Christi
supra corporali
St. Andreae Apostoli
Sanctorum Petri et Pauli
de lapide de quo Crux
Christi erecta fuit.
De cruce Sti Andreae
de corpore et cuti
et crinibus Stae Elizabeth
Sti Augustini
de spinea corona.

zumal nach der Transsubstantiation – bei versehentlichem Verschütten den Meßwein auffangen[18]. In Rothenburg wurde demzufolge ein Tropfen transsubstantiierter Meßwein verehrt. Es handelte sich um eine eucharistische Blutreliquie[19].

Im Kirchenneubau des 14. und 15. Jahrhunderts erhielt die Reliquie ihren Platz auf der 1453-1471 errichteten Westempore[20]. Der Altar wurde 1467 gestiftet[21]. »In der gleichsam als Gegenchor gebildeten, dem Hl. Blut geweihten Westempore *Nikolaus Eselers* und in *Riemenschneiders* Heilig-Blut-Altar hat der für die spätmittelalterliche Frömmigkeit bezeichnende Wunderhostien- und Eucharistiekult auch in dem Neubau der Jakobskirche hinreichenden bau- und bildkünstlerischen Ausdruck gefunden.«[22] Für die neuerbaute Kirche wurde nach und nach eine neue Ausstattung in Auftrag gegeben. 1466 wurde in der Nördlinger Werkstatt Friedrich Herlins der Hochaltar der Jakobskirche vollendet. Das Programm kombiniert bekanntlich den Gekreuzigten und Heiligenstatuen sowie Heiligenlegenden. Die weniger bekannte Rückseite des Retabels zeigt das Jüngste Gericht, die Fußwaschung und das Abendmahl[23]. Weder von diesem Programm noch von der Gestaltung des Abendmahles führt ein Weg zu dem späteren Heiligblut-Altar.
Die vielfigurig geschmückte Sakramentsnische der Rothenburger Jakobskirche rahmt das Allerheiligste mit Skulpturen der Heiligen Magdalena und Barbara, als zentrale Bildthemen sind der trinitarische Gnadenstuhl und die Grablegung gewählt[24]. Ebenfalls der Eucharistie gewidmet ist das südliche Chorfenster aus dem beginnenden 15. Jahrhundert[25]. Nicht auszuschließen ist der programmatische Bezug zur Heiligblut-Reliquie[26], näherliegend ist jedoch der Zusammenhang mit der Liturgie des Chores, der täglichen Eucharistiefeier am Hauptaltar. Dargestellt sind eine Meßfeier, der Gekreuzigte, der Blut auf einen Täufling verströmt, Seelen, die aus dem Fegfeuer auferstehen sowie die Mannalese. Das letzte Abendmahl fehlt, wie generell in eucharistischen Bildprogrammen des ausgehenden 14. Jahrhunderts.

Anno Domini millesimo
quingentesimo secundo
crux ista iterum
deaurata est et tabla
ista nova erecta ante
corporis Christi.«
Ress 1959, 184.

[18] Artikel »Corporale« von Braun und Wagner in: LThk Bd. 3, 62.
[19] Ress 1959, 77; aber auch bereits Heuser 1948, 14f.
[20] Baubeginn der neuen Kirche 1373, Abriß der alten Blutskapelle 1388. Der Neubau wurde mit verschiedenen päpstlichen Ablässen unterstützt. 1484 weitgehender Abschluß der Bauarbeiten; Ress 1959, 76-84.
[21] Als Stifterin ist überliefert Elisabeth, geb. Hornburg, Witwe des Heinrich Wacker; Ress 1959, 84.
[22] Ress 1959, 77.
[23] Ress 1959, 158, 166, das Abendmahl Abb. 93.
[24] Ress 1959, 192-196 mit der älteren Literatur und Abb. 114.
[25] Ress 1959, 132-146, bes. 142-144 mit der Literatur sowie die Abb. 69 und 70; vgl. auch Vetter 1972, 312f.
[26] Ress a.a.O. 142-146 mit den Abbildungen 69-70 bezieht das Fensterprogramm fraglos auf die Reliquie. »Das Fenster ist unter Bezug auf die Hl.-Blut-Reliquie, die die Kirche besaß, der Eucharistie gewidmet und enthält symbolische Darstellungen, ... die sich auf Leib und Blut Christi beziehen.« Ress a.a.O. 142.

In keinem bekannten älteren Retabel wurde das Abendmahlsthema im Zusammenhang mit einer Heiligblut-Reliquie gewählt. Wilsnack, der wichtigste Wallfahrtsort zum Heiligen Blut des 15. Jahrhunderts besitzt in den erhaltenen drei Retabeln keine Abendmahlsdarstellung, der Wunderblutschrein zeigt auf den Außentüren die Gregorsmesse, innen die Dreieinigkeit und die Verspottung Christi[27]. Erst das 1518-1522 entstandene Retabel zu Pulkau kombiniert, jedoch in der Predella, wieder eine Heiligblut-Reliquie mit einem Passionszyklus, das Abendmahl besitzt hier eine deutlich untergeordnete Stellung. Die Standflügel der Predella tragen Gemälde mit zwei Szenen der Pulkauer Blutlegende[28]. Der Schrein zeigt als Hauptdarstellung den Schmerzensmann[29]. Die Konzeption des Programmes für das Rothenburger Heiligblut-Retabel kann somit weder aus lokaler ikonographischer Tradition hergeleitet werden, noch finden sich Vorläufer an anderen Verehrungsstätten des Heiligen Blutes.

Welche Form von Heiligblut-Andachten vor dem Altar zelebriert wurden, ist nicht rekonstruierbar. Da es im Mittelalter keinen Festtag des Heiligen Blutes gab, existierte auch kein verbindliches Meßformular. Über liturgische Gewohnheiten ist nahezu nichts bekannt, ebenso wenig haben sich Gebetstexte des ausgehenden Mittelalters erhalten[30]. Auf der Empore der Jakobskirche befand sich ein zweiter, dem Heiligen Jodokus geweihter Altar[31]. »Im Zusammenhang mit dem Jodokusaltar entstand eine eigene Bruderschaft St. Jobst ›Zum heiligen Blut‹, deren Mitglieder sich zu gemeinsamem Gebet füreinander (besonders für die Verstorbenen) verpflichteten und ein eigenes kleines Stiftungsvermögen verwalteten.«[32]

Unter dem nicht mehr erhaltenen, aber durch den Vertrag gesichert dokumentierten »sacramentsgehäwße« der Predella hat man sich kein verschließbares Tabernakel für die in den Zusammenhang der Meßzeremonie gehörenden Hostien vorzustellen[33], zumal die

---

[27] Dehio 1968, zur Wallfahrtskapelle 443-446, die Retabel 446.

[28] »Die Pulkauer Blutlegende gab den Anlaß zur Kirchengründung (1398). Juden sollen freventlich geweihte Hostien in Wasser und Feuer geworfen haben, aus denen sie unversehrt herausflatterten, und schließlich mit Messern durchbohrt haben, wobei Blut herausdrang.« Benesch/Auer 1957, 52. Beide Szenen sind dargestellt.

[29] Das Retabelprogramm in Pulkau verbindet Bildthemen, die auf die Eucharistie verweisen, mit einem Passionszyklus sowie stehenden Heiligen, das Abendmahl ist hierbei völlig in den Passionskontext zurückgedrängt: Der Schmerzensmann im Schrein wird flankiert von den Heiligen Bartholomäus und Sebastian; das Gesprenge zeigt die Muttergottes und weitere Figuren. Die gemalten Flügelinnenseiten besitzen einen christologischen Zyklus (Kreuztragung – Ecce Homo – Handwaschung des Pilatus – Kreuzigung), die Außenseiten der Predellenflügel zeigen mit dem Einzug nach Jerusalem und dem Abendmahl den Beginn der Passion. Hinzukommt auf den Standflügeln eine eucharistische Legende (Schändung der Eucharistie). Benesch/Auer 1957, Abb. 16-48. Die Zuschreibung einzelner Gemälde an den sogenannten Meister der Historia Friderici et Maximiliani seit Benesch 1928 muß aufgrund der Einordnung der Historia in das Œuvre Altdorfers (Mielke 1988, Kat. 30, hier auch die ältere Literatur) noch einmal überprüft werden.

[30] Heuser 1948.

[31] Ress 1959, 84.

[32] Schnurrer 1985, 92f.

[33] »Der im Vertrag als ›sacramentsgehäwße‹ bezeichnete leere Mittelteil der Predella diente als Ausstellungsort der Monstranz. Daß ein hier ursprünglich eingestelltes Gehäuse verloren gegangen sei (Gerstenberg 1941, S. 41 – entspricht [5] 1962, 119 – Vf.), ist wegen der Enge des Raumes nicht anzunehmen, zumal auch die Bezeichnung ›Sakramentsgehäuse‹ nicht unbedingt für einen verschließbaren Tabernakel spricht.« Ress 1959, 174-179.

Rothenburger Jakobskirche bereits ein steinernes Tabernakel besaß[34]. Es wird sich vielmehr um die Daueraussetzung des Allerheiligsten gehandelt haben. Diese wurde im ausgehenden 15. Jahrhundert zunehmend üblich[35], ungewöhnlich ist jedoch die feste Einbeziehung einer Aufstellungsmöglichkeit für eine Hostienmonstranz in ein Retabel.
In dem wenig später geschaffenen Creglinger Retabel von Riemenschneider war zwar in der Predella ebenfalls die Präsentation einer Hostie vorgesehen. Es handelte sich hierbei jedoch um die wundertätige Hostie, deren Auffindung zur Gründung der Creglinger Wallfahrtskirche Anlaß gegeben hatte[36]. Die Hostie in Creglingen wurde nicht primär als Sakrament, sondern als eucharistische Reliquie verehrt, vergleichbar dem Heiligen Blut in Rothenburg. Die Monstranz des Heiligblut-Altares diente hingegen der Sakramentsverehrung, sah doch die Liturgie vor dem Heiligblut-Altar wöchentliche Sakramentsandachten vor[37].
Seit dem 15. Jahrhundert sind Sakramentsandachten mit der unverhüllten Aussetzung des Sakramentes in Rothenburg bezeugt, die trotz der insbesondere von Nikolaus von Kues formulierten Einwände nach kurzer Unterbrechung seit 1459 von Papst Pius II. wieder genehmigt wurden und noch 1514 nachweisbar sind[38]. Die Sakramentsandachten oblagen keiner eigenen Sakramentsbruderschaft[39], für den Heiligblut-Altar existierte jedoch eine eigene Kaplanei[40]. Der Rothenburger Heiligblut-Altar mit seiner zentralen Abendmahlsdarstellung schmückte somit einen Altar, vor dem Sakramentsandachten abgehalten wurden. Die Verbindung von Abendmahlsaltären und einer derartigen Liturgie hat sich bereits für ältere niederländische Beispiele nachweisen lassen, dort jedoch im Bereich von Sakramentsbruderschaften. Man wird also für das Rothenburger Retabel und sein Programm zunächst festhalten wollen, daß neben der von der bisherigen Forschung zum unbefragten Ausgangspunkt der inhaltlichen Konzeption gemachten Heiligen Blut nicht minder die Schaumonstranz mit dem Fronleichnam und die Liturgie der Sakramentsandachten eine Rolle gespielt haben dürften. Die feste Integration der Monstranz in den Retabelaufbau verleiht der Rothenburger Sakramentsliturgie, die einer besonderen päpstlichen Genehmigung bedurft hatte, ihren sichtbaren Ausdruck.

Der Auftrag für das Retabel auf der Westempore, deren Altar der Verehrung der Blutreliquie diente, ist wohl noch im Zusammenhang mit der Kirchen-Neuausstattung des 15. Jahrhunderts zu sehen. Das Retabel war weder die Stiftung einer Bruderschaft noch einer privaten Person. Auftraggeber war vielmehr der Rat der Stadt Rothenburg. Dieser vergab das Projekt nicht, wie vielerorts üblich, insgesamt an eine auftragnehmende

---

Seit dem Kölner Klarenaltar sind für den deutschsprachigen Raum zwar wiederholt Retabel mit Sakramentsstabernakeln bezeugt. Darüberhinaus war die Verbindung des Tabernakels mit dem Hauptaltar um 1500 nicht zwingend. Hingewiesen wurde im Rahmen dieser Arbeit bereits auf den 1521 datierten Bordesholmer Altar, der jedoch den Hauptaltar der Stiftskirche schmückte. Vgl. auch Nußbaum 1979, 427-447.

[34] Ress 1959, 192-196.

[35] Browe 1967, 154-199.

[36] Bier 1930, 56-58; zuletzt Taube 1983. In diesem Zusammenhang sei noch einmal erinnert, daß die Creglinger Herrgottskirche ein Fronleichnamspatrozinium besitzt.

[37] Schnurrer 1985, 93. Zur Form dieser Andachten vgl. auch Browe a.a.O. 154-161, sowie oben die Ausführungen zum Löwener Sakramentsaltar.

[38] Schnurrer 1985, 93.

[39] Heuser a.a.O.

[40] Schnurrer a.a.O. 93; Ress a.a.O. 84.

Werkstatt[41], sondern verteilte die anfallenden Arbeiten gesondert. Leitung und Koordination der Arbeiten blieben somit beim Auftraggeber[42].
Zuerst wurde 1499 der Auftrag für den Schrein an den Rothenburger Erhart Harschner vergeben[43]. Zu diesem Zeitpunkt müssen Umfang, grundsätzliche Disposition (vollplastische Figuren im Schrein, Flügelreliefs) und Format festgestanden haben. Konzipiert wurde ein Schrein mit überhöhter Mitte, einem Flügelpaar und Standflügeln sowie einer offenen Predella; ein Gesprenge mag vorgesehen gewesen sein, kann jedoch erst später in Auftrag gegeben worden sein, zumal man es vermutlich lieber dem Bildschnitzer übergab. Das Retabel ist in seinem Typus orientiert am Hochaltar der Jakobskirche, der insgesamt jedoch größere Abmessungen zeigt und entsprechend einen zweifach gestuften Auszug der Mitte besitzt. Hierin spiegelt sich eine bewußte, die Kirchenausstattung offenbar als gesamte in den Blick nehmende Konzeption.
Erst ungefähr eineinhalb Jahre später, am 10. 4. 1501[44], erteilte der Rat der Stadt Rothenburg Riemenschneider den Auftrag für die Schnitzfiguren[45]. Der Vertrag legt gewohnheitsmäßig fest, welche Figuren der Künstler zu fertigen hat, ebenso die ungefähren Maße, Relieftiefe und Liefertermin sowie die Bezahlung[46]. Die genannte Visierung ist nicht erhalten. Die textliche Angabe zum Abendmahl ist denkbar allgemein: »darnach in d(a)z corpus das abentessen Christi Ihesu mit seinen zwölfbotten und andern zugehörd, als sich in solichem gepürt, da der bild ains ungeverlich vier werkschuch hoch sy«.[47] Angaben zur inhaltlichen Intention des Retabelprogrammes lassen sich erwartungsgemäß dem Vertrag nicht entnehmen.
Über die Zusammensetzung der auftraggebenden Kommission ist wenig bekannt. Bezeugt ist allerdings Martin Schwarz, dessen Zusammenarbeit mit Riemenschneider mehrfach belegt ist[48]. Ob Riemenschneider ihm diesen Auftrag zu verdanken hat, muß aber wohl Spekulation bleiben. Die Ausgestaltung des Schreines als Kapellenschrein ist eine nachträgliche Veränderung, die vermutlich von Riemenschneider gefordert wurde[49]. Ob zu dieser Zeit bereits beschlossen war, Flügelaußenseiten und Standfügel nicht bemalen zu lassen, ist nicht überliefert. Geht man davon aus, daß die Stadt Rothenburg auch hierfür den Maler gesondert beauftragen wollte, so mag die Entscheidung, diesen Auftrag –

---

41 Vgl. die Nürnberger Wolgemut-Werkstatt oder näherliegend den Hochaltar der Rothenburger Jakobskirche, der insgesamt bei Friedrich Herlin in Nördlingen in Auftrag gegeben worden war.

42 Auftragsgeschichte und Abdruck der Quellen bei Bier 1930, vgl. die wichtige abweichende Interpretation bei Gerstenberg 1962, 114-119. Ich danke Hartmut Krohm, Berlin, der mir die Ergebnisse seines Archivstudiums in Rothenburg zugänglich machte. Demzufolge sind für die Entstehungsgeschichte des Heiligblut-Altares keine über die bei Bier publizierten Quellen hinausgehenden Funde mehr zu erwarten.

43 Am 30. 6. 1499. Bier 1930, Anh. 58.

44 Bier 1930, Anh. 61. Der Vertrag wurde erstmals von Schnitzlein 1916 veröffentlicht.

45 Die Verdingung der Figuren erfolgte bereits kurze Zeit früher, am 10. 4. 1501; Bier 1930, Anh. 60.

46 Zu spätgotischen Verträgen vgl. noch immer Huth (1923) 1981.

47 Bier 1930, Anh. 61.

48 Eike Oellermann: Die Bedeutung des Malers Martinus Schwarz im Frühwerk Riemenschneiders. In: »Riemenschneider ...« 1981, 285-302.

49 Im März 1502 ist eine Reise Harschners nach Würzburg bezeugt; Bier 1930, Anh. 64. Da die letztendlich an Harschner ausgezahlte Summe weit über die vertraglich vereinbarte hinausgeht, darf man einen nachträglichen Umbau des Schreines folgern; Schlußabrechnung vom 5. 6. 1502; Bier 1930, Anh. 68: »Item L IIII fl Erhart schreiner an der taffel zu dem heyligen plut über den ersten bestand«. Ress 1959, 179-180; Gerstenberg 1962, 119.

aus welchen Gründen auch immer – doch nicht zu vergeben, möglicherweise erst später gefallen sein[50]. Der Schrein wurde am 8. 5. 1502 auf den Westchor verbracht und dort zusammen mit dem eigens vergoldeten[51] Reliquienkreuz aufgestellt[52]. Die Figuren wurden bis Januar 1505 geliefert und montiert[53].
Ob Martin Schwarz den Auftrag für die Bemalung der Flügelaußenseiten und der Standflügel erhalten sollte, kann nur Vermutung bleiben. Sicher ist lediglich, daß die Außenseiten nie ausgeführt wurden. Ob hier ein unvollendet gelassenes Retabel etwa aus Finanzgründen akzeptiert wurde oder ob inhaltliche Erwägungen zu einer Konzeptionsänderung an einem nicht mehr rekonstruierbaren Zeitpunkt führten, muß offen bleiben. Ebenfalls nicht überliefert ist, ob das Retabel nur an bestimmten Festtagen geöffnet wurde, sonst aber verschlossen blieb. Im geschlossenen Zustand wären für den Gläubigen sowohl Reliquie als auch Hostienmonstranz sichtbar geblieben[54].
Die Ausgestaltung des Retabels mit den Mitteln der Monochromie läßt eine bewußte Abgrenzung gegen farbig gefaßte Skulptur vermuten. Die Bewertung dieser Beobachtung muß jedoch beim gegenwärtigen Stand der Forschung offenbleiben[55]. Das Programm des Rothenburger Heiligblut-Altares verbindet eine Hostienmonstranz, die den verehrungswürdigen Leib Christi der frommen Andacht präsentiert, mit einer eucharistischen Reliquie, deren Legende die Gültigkeit der Meßtheologie, die vollzogene Transsubstantiation beweist. In das bildliche Darstellungsprogramm des Retabels wird diese theologische Lehre jedoch nur gleichsam am Rande übernommen. Direkt auf die Eucharistie verweist ausschließlich der bekrönende Schmerzensmann. Die Figur des Schmerzensmannes im Gesprenge gehört jedoch seit der zweiten Hälfte des 15. Jahrhunderts zur geläufigen Ausstattung von Retabeln[56], so daß sie nicht eindeutig auf die Reliquie bezogen werden kann. Das Reliquienkreuz ist gerahmt von der vollplastischen Verkündigungsgruppe, die die

---

[50] Beispiele dafür, daß zuerst ausschließlich die skulptierten Teile eines Retabels in Auftrag gegeben wurden, gibt es verschiedentlich. Man denke nur an das Retabel in Lautenbach (Recht 1987, 219-222, Kat. Nr. VI, 1-4) oder den Isenheimer Altar (Recht 1987, 269-274, Kat. XII, 14-19). In beiden Fällen sind nach gängiger Forschungsmeinung die skulptierten Teile geraume Zeit vor den gemalten Flügeln angefertigt worden.

[51] Bier 1930, Anh. 71.

[52] Bier 1930, Anh. 66.

[53] Mit Überschreitung der vertraglich vereinbarten Lieferfrist traf die erste Figurensendung am 3. 7. 1502 ein. Die zweite Lieferung erfolgte erst 1504, die letzte im Januar 1505; Bier 1930, Anh. 69, 73, 76. Der stilistische Befund deutet auf die Einhaltung der im Vertrag festgelegten Reihenfolge. Demnach hätte die erste Sendung das Abendmahl, die Engel für die Predella und die Engel neben dem Reliquienkreuz enthalten, 1504 wären der Einzug in Jerusalem, das Ölberggebet und die Verkündigungsgruppe gefolgt, und schließlich der Schmerzensmann als letztes im Januar 1505.

[54] Die erste Aufstellung des Retabels im Mai 1502 ohne Figurenschmuck läßt die Wandlung des Altares als durchaus möglich erscheinen. Zurückhaltung geboten ist bei Bewertungen, die das Retabel mit zwar noch vorhandenen, aber angeblich nie benutzten Flügeln als – von der Intention her – Veränderung des Altartypus ansprechen. Vgl. beispielsweise Ress: »*Harschners* ursprüngliches Altargehäuse, wohl ein Wandelaltar der üblichen Art, ist erst durch *Riemenschneiders* Dazukommen zum Kapellenschrein mit zwar verschließbaren, aber nicht mehr zum Verschließen gedachten Flügeln, über die sich auch das Gesprenge zu erstrecken hatte, verändert worden.« Ress 1959, 179. Vgl. hierzu auch den Sakramentsaltar zu Löwen, der in geschlossenem Zustand die vergoldeten Flügelaußenseiten und die Marienfigur präsentierte, jedoch keine szenischen Darstellungen.

[55] Überlegungen zu diesem Thema zuletzt beispielsweise bei Baxandall 1984.

[56] Osten 1935, bes. 23f.; Mersmann 1952; vgl. oben das Kapitel »Retabel, Reliquien und Bildprogramme«.

Darstellungsfolge bereits in die biblische Erzählung zurückbindet, indem sie den Beginn des irdischen Weges Jesu markiert. Auf dem Antwerpener Sakramentsaltar von Rogier van der Weyden ist ebenfalls die Verkündigung dem Altarsakrament zugeordnet. Sie ist dort durch eine Inschrift erläutert *(Abb. 22)*[57]. Der Engel in Rothenburg ist der ikonographischen Tradition folgend als Diakon gekleidet, hier jedoch mit einer zweiten kürzeren Dalmatika unter dem Chormantel[58]. Die Verkündigungsgruppe ist zusammen mit den beiden eucharistischen Substanzen im geöffneten wie im geschlossenen Zustand des Retabels gleichermaßen sichtbar. Die Schauseite ergänzt dieses Programm mit dem zentralen, in die Passion eingebundenen, Abendmahl.

Über das geplante Programm der Alltagswandlung sind wir, anders als beim Löwener Sakramentsaltar, nicht unterrichtet, allerdings können durch Vergleiche mit anderen Retabelprogrammen mögliche Alternativen genannt werden. Vorstellbar wären eucharistische Darstellungen, wie in Löwen nur geplant oder in Lübeck ausgeführt. Gleichermaßen sinnvoll scheint ein Zyklus der Legende der Heiligblut-Reliquie. Eine andere Programmvariante könnte einen christologischen Zyklus ergänzen oder unter Bezug auf die Liturgie der Sakramentsandachten ein mariologisches Programm[59]. Als letzte Möglichkeit schließlich müssen Heiligendarstellungen, etwa des Andreas, dessen Reliquie ebenfalls in dem Reliquienkreuz verehrt wurde, genannt werden. Anhaltspunkte, die eine vorgesehene Planung rekonstruieren ließen, sind jedoch nicht überliefert.

Nicht auszuschließen ist, daß Retabelprogramme wie etwa das der Löwener oder der Lübecker Sakramentsbruderschaft bekannt geworden waren. Andererseits dürfen Programme mit zentralem Abendmahl in den Jahren um 1500 nicht mehr als dergestalt ungewöhnlich angesehen werden, als daß nicht eine unabhängig entwickelte Konzeption denkbar wäre. Allerdings ist die Kenntnis von Retabelprogrammen, die dem Abendmahl typologische Szenen beiordnen, durch die Predella des rechten Seitenaltares in Creglingen[60] als gesichert anzunehmen. Eine typologische Konzeption, die theologische Implikationen der Eucharistie – in Creglingen das Meßopfer und den Charakter der himmlischen Speise – veranschaulicht, scheint daher in Rothenburg bewußt aufgegeben.

Daß mit einer bewußten, wohl auch theologisch diskutierten Konzeption zu rechnen ist, läßt sich nicht wie in Löwen aus dem Vertrag erschließen, der die zu konsultierenden Theologen namentlich nennt. Indessen weist das ausgeführte Retabel Abweichungen vom Vertrag auf, die nicht im Ermessen Tilman Riemenschneiders gelegen haben dürften und daher Beratungen zwischen Künstler und Auftraggeber belegen[61].

Das Bildprogramm der Schauseite des Retabels vermeidet die Begründung der gültigen Meßtheologie. Die beiden in ihrer Funktion unterschiedlichen eucharistischen Substan-

---

57 »Hic panis, manu sancti spiritus formatus in virgine, Igne passionis est decoctus. Ambrosius in Sacramentis«. Davies 1972, 56.

58 Die Gewandung des Engels, die ebenfalls beim Englischen Gruß von Veit Stoß verwendet wird, in der süddeutschen Skulptur jedoch ungewöhnlich ist, wurde erstmals von König (1985, 196) beschrieben.

59 Vgl. die Ausführungen zum Löwener Sakramentsaltar.

60 Schuette 1907, Kat. S. 190; Kleberger/Krohm: Jacob Mühlholzer aus Windsheim. In: »Riemenschneider ...« 1981, 303-318; vgl. oben im Kapitel »Die Verwendung von Abendmahlstypologie in altdeutschen Retabeln«.

61 Hierher gehört die nachträgliche Umarbeitung des Schreines gleichermaßen wie das Einfügen der Halbfiguren in den Auszügen der Flügel. Die Veränderungen sind aufgelistet bei Bier 1930, 22.

zen, Reliquie und Meßhostie, argumentieren gleichsam für sich. Hierin unterscheidet sich das Rothenburger Retabel von älteren Abendmahlsaltären. Geleistet wird durch die Kombination von eucharistischen Substanzen mit dem Abendmahl als biblischer Historie eine Rückbindung des Sakramentes auf die Einsetzung durch Christus. Dabei wird jedoch gleichzeitig auf die bildliche Formulierung der Argumentation verzichtet. Jede theologisch vermittelnde Darstellung, etwa die Gregorsmesse fehlt[62]. Entscheidender noch ist das Auslassen der Kreuzigung, die zur biblischen Legitimation des Meßopfers unerläßlich gewesen wäre. An diese Szene erinnert lediglich die Form des Reliquiars. Das Sakrament wird in unterschiedlichen Aspekten durch die beiden eucharistischen Substanzen vertreten. Repräsentativ in das Zentrum des Retabels gerückt ist die Einsetzung des Sakramentes beim Letzten Abendmahl, das Christus zusammen mit seinen zwölf Aposteln in Jerusalem feierte.

In dem durch die rückwärtige Ausnischung und Durchfensterung als Innenraum präzisierten Retabelschrein ist die vollplastisch gearbeitete Abendmahlsgruppe angeordnet *(Abb. 11a-b)*. Der querrechteckige Tisch durchmißt nahezu die gesamte Breite des Schreines. Christus, der hinter dem Tisch sitzt und im Figurenmaßstab um weniges größer als die übrigen Apostel wiedergegeben ist, ist aus der Mittelachse nach links (vom Betrachter aus beschrieben) gerückt. Er reicht Judas die Kommunion. Dieser steht nach links, Christus zugewendet in der Mittelachse der Komposition. Mit seiner Rechten greift er in sein Gewand, ein Gestus, der das bevorstehende Weggehen des Verräters andeutet. In der hochgenommenen Linken hält er deutlich sichtbar den Beutel. Die abgeschrägte Bodenfläche, die den Blick über die vorn sitzenden Apostel auf die hinteren gewährleistet, bewirkt bei der Hauptgruppe Christus-Judas eine Hierarchisierung und Psychologisierung, Christus sitzt höher, Judas muß aufblicken. Der Lieblingsjünger Johannes ruht der Ikonographie der Verratsankündigung folgend an der Brust Christi. Die übrigen Apostel sind jeweils zu fünft links und rechts angeordnet. Die gesamte Komposition ist gegliedert durch die deutliche Zäsur zwischen der Hauptgruppe und den rechts sitzenden Figuren. Erreicht wird hiermit eine Betonung des zentralen Geschehens einerseits und die Isolierung des Judas andererseits. Auf dem Tisch befinden sich eine Reihe von Gegenständen, die Schale mit dem Passahlamm, Teller und Brote.

Während der Arbeit am Figurenschmuck scheint Riemenschneider die Veränderung des Schreines in einen Kapellenschrein veranlaßt zu haben[63]. Offenbar wurden, nachdem der ursprüngliche Schrein bereits gefertigt war, die »Chörlein« nachträglich eingearbeitet. Die bezeugte Reise Harschners nach Würzburg[64] erlaubt, die Änderung Riemenschneider zuzuschreiben. Die rückwärtige Ausbuchtung und Verfensterung verwandelt den Schrein aus einem Gehäuse in einen Raum, in dem die vollplastischen Figuren ihre Aufstellung finden. Dieses Gestaltungsmittel läßt sich in oberrheinischen Retabeln bereits früher nachweisen, etwa im 1483 datierten Lautenbacher Hochaltar[65] oder gleichzeitig mit dem Rothenburger Retabel, folgt man dem Stich des 17. Jahrhunderts, im Fronaltar

---

[62] Die Figur des Schmerzensmannes reicht hierfür allein nicht aus.

[63] Hatte Bier (1930, 16-20) noch vermutet, daß die Änderungen auf den Rothenburger Schreinermeister Erhart Harschner zurückgehen, lassen die erhaltenen Quellen vielmehr, wie Gerstenberg zeigen konnte (1962, 114-119), eine Konzeptionsänderung erkennen, die technische Untersuchung bestätigt diesen Befund (Oellermann 1966).

[64] Bier 1930, Anh. 64.

[65] Recht 1987, 219-222, Kat. 1-4.

des Straßburger Münsters[66]. Riemenschneider selbst wiederholt das Motiv im Marienretabel der Creglinger Wallfahrtskirche[67]. Allein im Rothenburger Abendmahlsaltar findet sich der durchbrochene Kapellenschrein bei einem in einen Innenraum gehörenden Darstellungsthema. Nicht auszuschließen ist daher, daß das Motiv in Rothenburg auch im Sinne szenischer Suggestion gewählt wurde[68].
Beide Flügelreliefs ordnen die Christusfigur zum Schrein gewendet an, sie ist jeweils unüberschnitten von den begleitenden Figuren dem frommen Betrachter präsentiert. In ihrem deutlich auf die Fläche bezogenen Aufbau, vor allem aber in der bildzentralen Präsentation Christi weichen die Reliefs von der Hauptgruppe ab, die somit nicht nur im Grad der plastischen Ausgestaltung eine Steigerung der Ausdrucksmittel aufweist.

Daß die Darstellungen auf Vorlagen aus dem Schongauer-Kreis zurückgehen, ist bekannt. Während Bier auf die Kupferstichpassion Schongauers verwies[69], die jedoch erst mit dem Ölberggebet beginnt, konnten Vetter/Walz die Auseinandersetzung mit dem ausführlichen Zyklus des Monogrammisten A.G. plausibel machen *(Abb. 24)*[70]. »Vermutlich setzt die Darstellung des Abendmahls im Schrein ebenfalls die Kenntnis eines A.G.-Stichs voraus. Zwar kommt ein im Kölner Kunstgewerbemuseum aufbewahrtes niederrheinisches Relief von 1480-90 mit der exzentrischen Anordnung der Gruppe von Christus und Johannes beim Überreichen des Bissens an den zum Tisch herangetretenen Verräter dem Heilig-Blut-Retabel noch näher, aber gegenüber der gleichförmigen und etwas starren Reihung dieses Reliefs ist die Massierung der Figuren auf der linken Seite, durch die das Geschehen sich verdichtet, im Gegensatz zu der Auflockerung der rechten Hälfte eher mit dem Stich verwandt ...«[71] *(Abb. 43)* Erstmals rückte hier eine druckgraphische Fassung des Abendmahles als mögliches Vorbild in die Diskussion. Die Vorlage vermag jedoch nicht die exzentrische Stellung Christi und die diagonale Wendung Christi zu Judas zu erklären. Damit bleiben aber gerade die ikonographischen Besonderheiten in Rothenburg außer acht.
Einzelne Motive der Flügeldarstellungen lassen sich ebenfalls nicht von den Kompositionen des A.G. oder auch der Graphik Schongauers herleiten, sondern setzen offenbar die unmittelbare Kenntnis oberrheinischer Malerei, insbesondere des Dominikaneraltares

---

66 Paatz 1963, Abb. 46; Recht 1987, 262-264, Kat. XII, 1-2, Abb. 275.
67 Bier 1930, 56-86, T. 90 sowie die Textabbildungen auf S. 71.
68 Zur Typologie des Retabels vgl. Bier 1930, 16-20, aber auch die Ausführungen bei Paatz 1963, 83-86. »Riemenschneiders Rothenburger ›Kapelle‹ ist durchsichtig, ihre Maßwerkfenster sind mit Butzenscheiben verglast; das ist der einzige mir bekannte Fall einer so extrem illusionistischen Durchführung des Kapellenmotivs.« Ebd. 84. »Dieses Retabel Riemenschneiders ist in der Reihe der großen geschnitzten Retabel Süddeutschlands zweifellos eines der vollkommensten. Im ganzen erinnert es – wohl nicht zufällig – an eine Monstranz. Bei der Transponierung des Monstranzmotivs, das vom Titulus des Altares angeregt wurde, in die Retabelgestalt ist Riemenschneider m.E. offensichtlich vom Konstanzer Typ des Nicolaus Gerhaerts ausgegangen, mehr noch von dessen ulmischer Nachkommenschaft ... Riemenschneider hat dem seeschwäbisch-donauschwäbischen Retabeltypus jedoch neue Wirkungen abgewonnen. Zuallererst die – liturgisch gebotene – ikonographische und formale Beziehung auf den zu schmückenden Heiligblut-Reliquienaltar.« Ebd. 85-86.
69 Bier 1957.
70 Vetter/Walz 1980.
71 Vetter/Walz 1980, 60-61; gemeint ist die Abendmahlsgruppe aus der Sammlung Röttgen im Kölner Schnütgen-Museum; vgl. Lüthgen 1914.

in Colmar voraus *(Abb. 23)*[72]. Für die Vermittlung des Motivschatzes vom Oberrhein zu Tilman Riemenschneider stehen drei Künstler zur Diskussion. Gegen Vetter/Walz, die im Monogrammisten A.G. die Schlüsselfigur sehen, der vorgeblich selbst nach Würzburg übersiedelte[73], insistiert Krohm auf der unmittelbaren Kenntnis der Kunst aus dem Schongauer-Kreis[74]. Als Vermittler wird Martin Schwarz angesprochen. »Angesichts der konkret nachweisbaren Zusammenarbeit von Schwarz und Riemenschneider fragt sich daher, ob die erst kürzlich von E.M. Vetter aufgestellte Hypothese einer Beeinflussung des Bildschnitzers durch die Kupferstiche des vielleicht zeitweilig in Würzburg ansässigen Monogrammisten A.G., der gewiß von Schongauer-Vorlagen verschiedenster Art Kenntnis hatte, noch Überzeugungskraft besitzt.«[75] Zugespitzter formuliert Oellermann im gleichen Ausstellungskatalog: »In Anbetracht der Bedeutung, die Schwarz auf das Werk des jungen Riemenschneiders zugebilligt werden muß, bedarf es gewiß einmal der Prüfung, inwieweit an dem Altarwerk, an welchem beide vielleicht zum letzten Mal gemeinsam tätig waren (dem Heiligblut-Altar – Vf.), die zuvor mehrmals erprobte Kooperation erneuert wurde und sich auf die Gestaltung beeinflussend ausgewirkt hat.«[76] Nicht ausschließen sollte man jedoch die, sicher durch einen Aufenthalt Tilman Riemenschneiders am Oberrhein ermöglichte, eigene Verarbeitung von unterschiedlichen Anregungen und Vorlagen aus dem Schongauer-Kreis durch den Bildhauer selbst – eine Frage, die eine neue Monographie über den Künstler zu klären haben wird. Von den Ergebnissen solcher Nachforschungen wird allerdings nicht nur die Vorstellung von der Biographie Riemenschneiders abhängen (Ausbildung oder Aufenthalt am Oberrhein?), sondern die grundsätzliche Rekonstruktion der Auftragsgeschichte eines wichtigen spätgotischen Retabels. Angesprochen ist implizit der Anteil, den Martin Schwarz an der Konzeption hatte. Lieferte er, zugespitzt formuliert, als Maler, der gleichzeitig auch Mitglied der auftraggebenden Kommission war, die im Vertrag erwähnte Visierung, oder schreibt man diese nicht doch dem auftragnehmenden Meister Tilman Riemenschneider zu? Ohne einer Monographie vorgreifen zu wollen, legt doch die nachträgliche Änderung des Schreines eine Konzeption Riemenschneiders nahe.

Neben der Herleitung von wichtigen Motiven aus dem Repertoire des Schongauer-Kreises finden sich auch für die ikonographische Besonderheit des aus der Achse gerückten Christus sowie die spannungsreiche Zuwendung von Christus und Judas Vorläufer.

---

72 Baum 1948, 52-57.
Während beispielsweise die Figur des Zachäus, der Palmwedel wirft, sowie die Grundkonzeption des Faltenwurfes bei dem Apostel vorn rechts im Einzugsrelief den entsprechenden Kompositionen des A.G. entnommen sind, reflektiert das Gewandmotiv des betenden Christus am Ölberg die themengleiche Darstellung Schongauers. Die Wendung der beiden Apostel vorn rechts im Abendmahl entspricht der Komposition auf dem Dominikaner-Altar.

73 Vetter/Walz 1980, 65-68.

74 »Riemenschneider ...« 1981, 13, 29.

75 »Riemenschneider ...« 1981, 29.

76 »Riemenschneider ...« 1981, 288.
Krohm und Oellermann greifen hier mit zusätzlichen Argumenten eine These Schnitzleins auf, der die vertraglich festgeschriebene Arbeitszeit für zu kurz hält, als daß Tilman Riemenschneider noch hätte Entwürfe anfertigen können. »Auch zu dem ›Kerbzettel‹ (Gemeint ist der Vertrag – Vf.) seien ein paar Anmerkungen gestattet. Wir sehen daraus, daß dem Künstler genaue Vorschrift gemacht war, was er darzustellen habe; demnach erscheint es recht fraglich, ob ›die große einheitliche Idee, die das Altarwerk durchzieht‹ (Weber) von ihm stammt; er hatte auszuführen, was ihm von seinen Auftraggebern anbefohlen war; möglicherweise stammt die Idee von dem im Kerbzettel genannten Barfüßerguardian Martin Schwarz ...« Schnitzlein 1916, 11.

Vetter/Walz weisen auf eine vergleichbare Gruppe aus der Sammlung Röttgen hin *(Abb. 43)*[77], die als Reflex einer niederländischen Tradition zu verstehen ist, die heute vor allem in der Retabelproduktion der Brüsseler Borman-Werkstatt greifbar wird[78]. Es lassen sich jedoch auch am Oberrhein Beispiele für die exzentrische Stellung Christi nachweisen *(Abb. 44)*[79]. Offen muß aber auch hier bleiben, wo Riemenschneider mit dieser ikonographischen Tradition in Berührung gekommen sein kann, aber auch, ob eine Kenntnis dieser Werke notwendig angenommen werden muß. Ein exaktes Vorbild läßt sich nicht nachweisen. Zu klären ist somit, ob Riemenschneider von einer Vielzahl übernommener Motive ausgehend eine eigene, kein einzelnes benennbares Vorbild wörtlich aufgreifende Komposition entwickelte.

Wenden wir uns noch einmal der Rothenburger Abendmahlsgruppe zu *(Abb. 11b)*. Die Anordnung aller Figuren ist kompositionell genau auf die Hauptgruppe Christus-Judas bezogen. Während sich die Figur zur Rechten Christi, gemeint ist offenbar Petrus, mit vor der Brust gekreuzten Händen dem Geschehen zuwendet, leiten die folgenden beiden Apostel in ihren Körperwendungen zu dem Jünger im Profil, der die vordere Reihe der Figuren links abschließt, über. Mit seinem Blick und dem auf die Banklehne gelegten Arm weist er zu dem neben ihm sitzenden bartlosen Apostel. Dieser wendet seinen Blick vom Geschehen ab, mit seiner Linken deutet er auf Judas, der rechte Zeigegestus sowie seine Fußstellung öffnen die Szene zum Betrachter hin[80]. Der Apostel zur Linken der Christus-Johannes-Gruppe dreht sich in leichter Körperdrehung nach außen und unterstreicht so die kompositionelle Zäsur, die Judas aus der Gruppe isoliert. In seiner erhobenen Rechten hält er ein Trinkgefäß, die Geste korrespondiert mit dem Bewegungsmotiv Christi. Es folgen zwei Gruppen miteinander im Gespräch begriffener Apostel. Die vordere Zweiergruppe nimmt dabei den Bewegungsduktus der Hauptgruppe auf. Die linke Figur kehrt Judas kontrastierend den Rücken zu, sie schaut zu ihrem Gesprächspartner auf. Dem von Judas hochgenommenen Mantel, der vor dem Körper eine scharfgratige Faltenlinie bildet, entspricht in Gegenbewegung der über die Bank fallende Mantel der Sitzfigur. Beide sitzenden Apostel greifen vor dem Körper in ihr Gewand, während sie die dem Betrachter näheren Hände in Redegesten erheben, und wiederholen so das Bewegungsmotiv des Judas. Diese ausgewogene und in den Details auf die Hauptgruppe bezogene Komposition,

---

[77] Vetter/Walz 1980, 60. Die Gruppe befindet sich heute im Schnütgenmusem, Köln (nicht mehr im Kunstgewerbemuseum, wie Vetter/Walz ungenau angeben).

[78] Borchgrave d'Altena 1948. In diese Gruppe gehört auch der Güstrower Altar von 1522; vgl. Bier 1930, 28; Münzenberger/Beissel Bd. 1, 77.

[79] Eine Durchsicht früher Drucke zeigt, daß weder die exzentrische Stellung Christi noch die diagonale Figurenbeziehung derart ungewöhnlich ist. Vgl. die Abendmahlsillustration in Bertholdus Zeitglöcklein, bei Kasper Hochfeder Nürnberg 1495, Schramm Bd. 18, 677.
Vgl. auch zum Beispiel eine neuerdings dem »Meister der Coburger Rundblätter« zugeschriebene Zeichnung im Kupferstichkabinett Berlin KdZ 1204; M. Roth 1988, Kat. 145. Baxandall bezeichnet das Blatt mit der älteren Literatur als fränkisch. Er unterstellt, daß es eine fränkische Bildtradition repräsentiere, von der Riemenschneider sich absetze. Baxandall 1984, 184 und Abb. 107.
Auch in Skulptur und Malerei finden sich vergleichbare Beispiele. Diese Ikonographie findet sich nahezu durchgängig in den Abendmahlsdarstellungen niederländischer Retabel in Schweden, so in Skepptuna, Jäder und Ljusdal; Borchgrave d'Altena 1948, Abb. 45, 46, 52.

[80] Ob der Zeigegestus, wie Baxandall meint (1984, 183), als Bezugnahme zum Altar und der dort zelebrierten Eucharistie gedeutet werden darf, müßte im Vergleich mit anderen Werken noch einmal überprüft werden. Zunächst läßt sich die Geste zusammen mit der Schrittstellung des rechten Fußes bildimmanent als Eingangsmotiv für den Betrachter erklären.

die sich in weiteren Einzelbeobachtungen nachzeichnen ließe, deutet auf eine genuine Konzeption. Aus der oberrheinischen Kunst übernommen wurde hierfür die grundsätzliche Figurendisposition sowie die psychologisierende Interpretation des Themas, für die Diagonalstellung der Hauptgruppe lassen sich ebenfalls ältere Beispiele nachweisen. Neu ist jedoch die konkrete Formulierung der Komposition. Sie verzichtet im deutlichen Unterschied zu anderen Retabeln auf eine repräsentative Figur in der Schreinmitte. Die Bewertung der Abendmahlskomposition bei Bier – »Die hierarchische Ordnung mit Christus im Mittelpunkt der Komposition ist also verlassen, ohne daß die Handlung an Deutlichkeit gewonnen hätte, und das nur deshalb, weil Riemenschneider an dem symmetrisch zentrierten, für einen anderen Inhalt geschaffenen Schema festhält.«[81] – kann nicht zugestimmt werden. Die Komposition wurde vielmehr ausgehend von der oberrheinischen Tradition eigens für den Rothenburger Auftrag entwickelt. Sie deutet den erzählenden Gehalt der Szene in einer für repräsentative Skulptur bisher wohl ungekannten Weise aus. Maßgeblich aus dieser Beobachtung leitet Baxandall seine Interpretation der Szene ab: »Judas ist Riemenschneiders Hauptdarsteller, der Christus aus der Mitte des Corpus verdrängt. Er ist eine seltsame, bettelnde hündische Gestalt in verlegen gewundener Körperhaltung und unschlüssig, ohne eindeutiges Handeln ... Die Hervorhebung des armen Judas fordert zum Meditieren auf, wenn auch der Sinngehalt der Figur nicht schwer zu erschließen ist: Judas konnte als Beispiel herangezogen werden für die Unterschiedslosigkeit, mit der Gott seine Gnade verteilt.«[82] Diese Deutung übersieht jedoch die Einbindung des Abendmahles in den Zusammenhang des Retabelprogrammes mit den Passionsszenen. Das Geschehen findet seinen Höhepunkt in der unwürdigen Kommunion des Judas – ein Leiden Christi, das sich bei unwürdiger Kommunion eines Gläubigen in jeder kirchlichen Eucharistiefeier zu wiederholen vermag. In den Mittelpunkt des Programmes ist somit das biblische Abendmahl in der psychologisch zugespitzten Ikonographie der Judaskommunion gerückt.

Das Abendmahl als Passionsszene im Retabelkontext ist in Rothenburg in bisher ungekannter Weise aufgewertet und als biblische Begründung der Eucharistie verstanden worden. Damit ist es anderen ebenfalls um 1500 entstandenen Konzeptionen wie der Predellentafel Grünewalds, aber auch dem Lübecker Fronleichnamsaltar vergleichbar und reiht sich in eine Entwicklung ein, in deren Verlauf zunehmend die biblische Historie als Legitimation für Meßtheologie herangezogen wurde. Im Unterschied etwa zu der Tafel Grünewalds wird die eucharistische Bedeutungsebene nicht in die Abendmahlsdarstellung selbst integriert, der Zusammenhang wird vielmehr durch den Gesamtkontext hergestellt. Das Abendmahl wird in für eine Schreingruppe bisher nicht gekannter Weise historisiert. Dieser Betonung der biblischen Erzählung entspricht der Verzicht auf eine repräsentative Christusfigur in der Mitte der Komposition. Die zentrale Stellung des Judas und seiner unwürdigen Kommunion erweitert das Thema zudem, entsprechend den gleichzeitigen niederländischen Beispielen oder der Komposition Grünewalds, auf die Frömmigkeit der Gläubigen, die sich ebenfalls vor die Entscheidung würdiger oder unwürdiger Kommunion gestellt sehen sollten. Möglich wurde ein derartig unhieratisches Programm offenbar durch die Präsentation der beiden eucharistischen Substanzen, die jedoch nur im oberen Bereich des Retabelaufbaues, in den Darstellungen von Verkündigung und Schmerzens-

---

[81] Bier 1930, 29.
[82] Baxandall 1984, 184.

mann das gültige theologische Lehrgebäude dokumentieren. Vorrangig für die Komposition ist somit nicht das Vermeiden des »Kultbildcharakters« und falscher Anbetung, sondern zunächst die Akzentverschiebung zugunsten szenischer Erzählung, die ihrerseits auf die Frömmigkeit der Zeitgenossen hin ausgedeutet wird. Ablesbar wird hier die Individualisierung eucharistischer Frömmigkeit, wie sie für die Jahre um 1500 allgemein zu beobachten ist. Das Programm des Rothenburger Heiligblut-Altares bindet somit die Eucharistie einerseits in eine biblische Legitimation und andererseits in die individuelle Frömmigkeit des einzelnen Gläubigen ein. Ein derartiges Programm verläßt das strenge theologische Begründungskonzept, das die gültige Transsubstantiationslehre eigentlich erfordert. Diese außergewöhnliche, durch die Reliquien und die Figuren von Schmerzensmann und Verkündigung jedoch den Rahmen gültiger Meßtheologie einhaltende Programmkonzeption ist in keinem bekannten Beispiel wörtlich übernommen worden. Offenbar wurde sie auch in der Entstehungszeit als nicht verallgemeinerbar bewertet. In seiner noch über die auch andernorts um 1500 zu beobachtende Aufwertung des Abendmahles im Zusammenhang der Eucharistie hinausgehenden Zuspitzung, die am deutlichsten wird im Verzicht auf die zentrale Kreuzigung, ist das Rothenburger Programm ein Einzelfall geblieben.

Die Labilität der vorgetragenen theologischen Argumentation könnte möglicherweise – hierin nicht unähnlich der Situation in Löwen – zu einer Unsicherheit hinsichtlich des Programmes für die Alltagswandlung des Retabels geführt haben. Seit das Retabel 1575 von der Westempore in den Ostchor der Kirche versetzt worden war, scheint es den Gottesdienstaltar der evangelischen Gemeinde geschmückt zu haben. Das Programm, das in seinen Darstellungen ausschließlich christologisch aufgebaut ist – die Hostienmonstranz scheint bei der Einführung der Reformation entfernt worden zu sein –, war offensichtlich für eine evangelisch-lutherische Verwendung weiterhin akzeptabel, ihm wurde sogar Vorrang vor dem Rothenburger Hochaltar eingeräumt. Während der Hochaltar durch Übermalung der Außenseite mit einem christologischen Zyklus[83] den neuen Vorstellungen angepaßt wurde und vermutlich dauernd in geschlossenem Zustand verblieb, scheint das Abendmahlsretabel in geöffnetem Zustand präsentiert worden zu sein.
Das Programm des Rothenburger Heiligblut-Altares ist als eigenwillige Ausdeutung der katholischen Eucharistielehre zu verstehen. Mit seiner verdeckt legitimatorischen Ableitung des Sakramentes aus der biblischen Überlieferung zulasten der Visualisierung der in der kirchlichen Tradition verankerten Meßopfer- und Transsubstantiationslehre fügt es sich in eine auch andernorts um 1500 nachweisbare Tendenz, die Ausdruck ist jener theologischen Verunsicherung, die zu den Voraussetzungen der Reformation gehört. Nach Entfernung der um 1500 jedoch zentralen eucharistischen Substanzen[84] besaß man in Rothenburg ein Retabel, das wie eine getreue Antwort auf die Äußerung Luthers, man möge für Retabel das Abendmahl als Hauptdarstellung wählen, anmutet.

---

[83] Ende des 16. Jahrhunderts wurde nach der Umsetzung des Heiligblut-Altares auch der Hochaltar der Jakobskirche umgestaltet. Hier wurden die Außenseiten eines Retabels, das man möglicherweise nicht mehr wandeln wollte, aber für erhaltenswert hielt, 1582 von einem gewissen Martin Greulich mit Passionsszenen übermalt; Ress 1959, Abb. 94-95.

[84] Tatsächlich entfernt wurde offenbar nur die Hostienmonstranz. Die Reliquie scheint mitsamt ihrer Legende in Vergessenheit geraten zu sein, das Kreuz konnte ausschließlich christologisch verstanden werden.

Die Nachfolge des Rothenburger Heiligblut-Altares

Nachfolge hat das Rothenburger Heiligblut-Retabel nur in deutlich veränderter Form gefunden, rezipiert wurde einerseits die Abendmahlskomposition, andererseits das Programm. Die Beispiele finden sich ausschließlich in der näheren und weiteren Umgebung Rothenburgs.
Unmittelbar aufgegriffen wurde die Abendmahlskomposition Riemenschneiders in der Predella des Wettringer Altares, der sich offenbar noch immer an seinem ursprünglichen Aufstellungsort, dem Hauptaltar der Peters- und Paulskirche zu Wettringen befindet *(Abb. 45a-b)*[1]. Das Retabel wird von Justus Bier überzeugend einem Künstler aus dem Kreis Riemenschneiders zugeschrieben und aufgrund der Rezeption eines Kupferstiches von Dürer in die Jahre nach 1512 datiert[2], eine Quelle von 1515 läßt die Datierung auf die Jahre nach 1515 präzisieren. Möglicherweise ist der Künstler mit dem seit 1507 in Schwäbisch Hall nachweisbaren Hans Beuscher zu identifizieren[3]. Im Zentrum des Retabelprogrammes steht der Kruzifix begleitet von der knienden Maria Magdalena sowie Maria und Johannes, seitlich folgen Nischen für stehende Heilige, links Petrus, rechts Jakobus der Ältere[4]. Der Schrein ist als mit Kreuzrippen gewölbter Innenraum angelegt – die Rückwand wird mit vorgelegtem Maßwerk gegliedert – und läßt somit die Auseinandersetzung mit dem Rothenburger und dem Creglinger Retabel von Riemenschneider erkennen. Die Flügel sind jeweils in vier Bildfelder aufgeteilt und zeigen die Passion beginnend mit dem Gebet am Ölberg bis zur Kreuztragung, gefolgt von der Auferstehung[5] sowie zwei nach-

---

[1] Zum Wettringer Altar vgl. Bier 1930, 2f. sowie Bier 1955, hier auch die ältere Literatur. Bereits Bier kann plausibel machen, daß das Retabel noch an seinem ursprünglichen Bestimmungsort aufgestellt ist. Das Maßwerk erscheint erneuert. Dannheimer 1967 publizierte ein 1515 datiertes Empfehlungsschreiben der Stadt Schwäbisch Hall an den Rat der Stadt Rothenburg, aus dem hervorgeht, daß der empfohlene Hans Beuscher in Wettringen eine Visierung vorgelegt hat.

[2] Das Auferstehungsrelief setzt den Kupferstich Dürers von 1512 voraus (B. 17). Bier 1955 charakterisiert den Künstler als einen Meister, »... dem das Zusammenmischen Dürerisch-renaissancehaften und Riemenschneiderisch- oder Schongauerisch-spätgotischen Gutes zum Ausdruck seines eigenen, zwiespältig zwischen der alten und der neuen Kunst schwankenden Wesens wurde.« A.a.O. 144.

[3] Dannheimer 1967. Allerdings ist in dem Schreiben von einem Konkurrenten für den Auftrag in Wettringen die Rede, so daß die Zuschreibung an Hans Beuscher zwar wahrscheinlich zu machen, jedoch nicht sicher belegt ist. Zu Hans Beuscher vgl. den von Dannheimer nicht berücksichtigten Aufsatz von Krüger 1958.

[4] Bier 1955 hält die Kennzeichnung der rechten Figur als Jakobus für nachträglich, ursprünglich sei die Figur in Bezugnahme auf das Kirchenpatrozinium als Paulus konzipiert worden. »... der Stab ist verändert worden und könnte neuere Zutat anstelle eines Schwertes sein, zumal die Figur ... durch eine Dürersche Paulusfigur angeregt ist.« Bier 1955, 140-141. Gemeint ist die Figur des Paulus auf dem Blatt »Das heilige Antlitz auf dem Schweißtuch der Veronika« aus der Kleinen Holzschnittpassion (B. 38).

[5] In der Lesefolge von links oben nach rechts unten sind auf dem linken Flügel die Szenen Christus in Gethsemane, Gefangennahme, Verhör durch den Hohen Priester und die Geißelung angeordnet, rechts die Dornenkrönung, Ecce Homo, Handwaschung des Pilatus und schließlich die Kreuztragung.

österlichen Szenen, die auf dem Schrein dargestellt sind[6]. Das Retabel ist in seinem grundsätzlichen Aufbau mit einem Flügelpaar und Standflügeln am Heiligblut-Altar orientiert, auffallenderweise sind auch hier die Malereien der Alltagsseite offenbar nie ausgeführt worden[7].

Die Abendmahlsgruppe in der Predella *(Abb. 45b)* übernimmt aus Rothenburg die grundsätzliche Anlage der Komposition sowie die Ikonographie der Judaskommunion, erweitert aber die Szene um Details wie den trinkenden Apostel vorn links oder den einschenkenden Jünger rechts vorn. Christus wird jedoch abweichend vom Rothenburger Vorbild in die Mitte der Komposition gerückt. An der Beibehaltung der diagonalen Hauptgruppe ist ablesbar, daß der Künstler nicht selbständig auf die Vorlage des A. G. zurückgriff, sondern die Komposition Riemenschneiders gleichsam korrigierte. »Die althergebrachte Ordnung hat über die Riemenschneidersche Neuerung gesiegt.«[8]

Das veränderte Programm, das dem Abendmahl eine gegenüber Rothenburg untergeordnete Stellung zuweist, dürfte sich aus der unterschiedlichen Funktion der Retabel erklären. Während der Heiligblut-Altar für einen Nebenaltar konzipiert ist, zeigt auch das Hauptaltar-Retabel der Rothenburger Jakobskirche den zentralen Kruzifix, hier flankiert von stehenden Heiligen[9]. Eine vergleichbare ikonographische Grundkonzeption wurde in Wettringen für den Hauptaltar der Peters- und Paulskirche gewählt, statt der Heiligenlegende findet sich die Passion. Das Programm ist streng christologisch, vom zentralen Ereignis der Kreuzigung her, konzipiert. Die gleichwohl hervorgehobene Stellung des Abendmahles in der Predella bezeichnet die seit dem ausgehenden 15. Jahrhundert allgemein zu beobachtende Aufwertung des Bildthemas im Retabelkontext.

Von der Wettringer Komposition abhängig und somit in die indirekte Nachfolge Riemenschneiders gehörend ist die nachträglich hinzumontierte Predella des Michaelsaltares in der Sakristei von St. Michael zu Schwäbisch Hall *(Abb. 46)*[10]. Christus ist wie in Wettringen in das Zentrum der Komposition gerückt, zusätzlich ist jedoch auch die für Ro-

---

[6] Erscheinung Christi vor Petrus und Noli-me-tangere. Die Vorlagen der einzelnen Kompositionen finden sich bei Schongauer, Dürer und bei Riemenschneider; Bier 1955 schlüsselt die Motive detailliert auf.

[7] Das Retabel ist heute ungefaßt, nachdem eine weiße Übermalung des 18. Jahrhunderts 1910 entfernt worden ist. Benkö 1969, 40-44 bewertet das Retabel gegen Bier (1955, 137f.) als ursprünglich gefaßt. Nach einer Untersuchung Andrea Klebergers sind zwar nach verschiedenen Restaurierungsmaßnahmen keine Reste eines originalen monochromen Überzuges mehr auszumachen, einzelne Strukturen der Oberfläche deuten aber auf ursprüngliche Monochromie. Bericht vom November 1979, Akte A I 74 im Riemenschneider-Archiv der Berliner Skulpturengalerie. Ich danke Hartmut Krohm, der mir den Bericht zugänglich machte.

[8] Bier 1955, 143.

[9] Vgl. Ress 1959, 147-173.

[10] Schuette 1907, 177f.; Bier 1955.
Der Schrein zeigt ein Relief mit dem Kampf Michaels gegen den Teufel, die reliefierten Flügelinnenseiten links die Speisung der Armen sowie das Gleichnis vom reichen Mann und dem armen Lazarus, rechts das Jüngste Gericht. Die Malerei der Flügelaußenseiten zeigt die Versammlung der Heiligen, links die heiligen Männer, im Vordergrund Petrus, Paulus und Johannes den Täufer, rechts die Jungfrauen mit Ursula und Barbara im Vordergrund. Die Malerei auf den Standflügeln ist abgekratzt, erkennbar sind links Stephanus und rechts Magdalena. Den oberen Abschluß des Programmes bildet ein Schmerzensmann.
Die originale Fassung des Retabels scheint erhalten.
Der Michaelsaltar befindet sich auf dem Altar der 1507 erbauten Sakristei der Haller Michaelskirche. Das Abendmahl stammt aus der 1812 abgerissenen Schuppachkirche; vgl. Krüger 1958.

thenburg charakteristische diagonale Zuordnung von Christus und Judas aufgegeben. Das in seiner künstlerischen Qualität nicht überragende Werk gehört stilistisch in die Jahre nach 1520[11].

Ebenfalls in die indirekte Nachfolge Riemenschneiders gehört die heute im Württembergischen Landesmuseum befindliche Abendmahlspredella aus Rieden *(Abb. 47)*, die dem gleichen Meister wie das Abendmahl aus Schwäbisch Hall zugeschrieben wird[12]. Die Datierung schwankt zwischen 1520 bei Baum[13] und der Jahrhundertmitte bei Bier[14]. Die Komposition ist zwar grundsätzlich noch an dem von Rothenburg ausgehenden Schema orientiert, es fehlt aber die Judaskommunion. Möglicherweise handelt es sich um die nachträglich angefertigte Predella des heute ebenfalls in Stuttgart befindlichen Riedener Altares, der zu den frühesten süddeutschen, noch unmittelbar unter niederländischem Einfluß entstandenen Schnitzretabeln gehört[15]. Sollte die Zuordnung zutreffen, wäre das Abendmahl als Predellengruppe im 16. Jahrhundert ergänzend zu dem älteren Retabel in Auftrag gegeben worden. Es handelt sich dann um eine interessante Angleichung des älteren, niederländischen Retabeltypus ohne Predella an zeitgenössische Vorstellungen. Gleichzeitig wurde das inhaltliche Programm, ein Marienzyklus, durch die Darstellung des Abendmahles ikonographisch erweitert[16].

Die Predella des Heilig-Geist-Altares in der Michaelskirche zu Schwäbisch Hall *(Abb. 48)* ist das letzte Beispiel dieser untereinander abhängigen Abendmahlskompositionen[17]. Die zugrunde liegende Rothenburger Komposition ist fast bis zur Unkenntlichkeit entstellt[18]. Hauptthema des Retabels ist das Pfingstfest, auf das die übrigen Darstellungen lose bezogen sind[19].

---

[11] Bier 1955 schreibt das Abendmahl zwar nicht dem gleichen Meister, aber der gleichen Werkstatt wie das Wettringer Retabel zu. »... die Wettringer Komposition (ist) im Sinne renaissancemäßiger Klarheit korrigiert« (Bier 1955, 146), auf die damit verbundene ikonographische Verschiebung geht Bier nicht ein.
Der Mittelfuß der vorderen Sitzbank zeigt ein Wappenschild mit Lindenblättern an einem Zweig und darüber den Buchstaben TB, das jedoch bisher in Schwäbisch Hall nicht bekannt ist; Krüger 1958, 90.

[12] Relief aus Lindenholz, keine ursprüngliche Fassung, Maße der Staffel 0,85 m x 1,13 m, Figurengruppe 0,55 m x 1,02 m. Provenienz aus der Kirche zu Rieden. 1877 vom dortigen Pfarramt als vorgebliche Predella des Riedener Retabels an das Stuttgarter Museum überwiesen. Bier 1955; Baum 1917, Nr. 332, S. 280 mit Abbildung.

[13] Baum a.a.O.

[14] Bier 1955, 147.

[15] Das Riedener Retabel, Stuttgart, Württembergisches Landesmuseum, Inv.Nr. 1877-6651; Baum 1917, 268-271, mit Abbildung. Die gemalten Flügel des Altares sind bei Stange DMG 8 aufgeführt, jedoch ohne Abbildungen. Das Programm des Retabels ist Maria gewidmet. Das Werk wird in die Jahre 1450/60 datiert. Bis 1877 war unter diesem Altar, der in der Riedener Kirche als linker Seitenaltar diente, das Abendmahl als Predella aufgestellt.

[16] Vgl. hierzu beispielsweise auch die beiden Seitenaltäre der Creglinger Herrgottskirche, die bereits im ausgehenden 15. Jahrhundert (1496) mit Predellen ausgestattet worden waren. Zu den Altären zuletzt Kleberger/Krohm: Jakob Mülholzer aus Windsheim, in: »Riemenschneider ...« 1981, 303-318.

[17] Bier 1955; Benkö 1969, 45-48. Das Retabel stammt aus der 1812 abgebrochenen Schuppachkirche (Marienpatrozinium) und ist heute in einer der Chorumgangskapellen von St. Michael zu Schwäbisch Hall aufgestellt.

[18] Die Abendmahlskomposition setzt die Predella des Haller Michaelsaltares voraus und dürfte in der Jahrhundertmitte entstanden sein; Bier 1955, 147.

[19] Die Reliefs zeigen auf dem linken Flügel oben: Einzug in Jerusalem, unten: Himmelfahrt, rechter Flügel oben: Christus und Thomas, unten: Marientod mit Himmelfahrt Mariae im Hintergrund,

Diese Reihe ließe sich noch um einige Retabelfragmente ergänzen[20]. Die Beispiele, die insgesamt im näheren oder weiteren Umkreis Rothenburgs entstanden sein dürften, zeigen zwar die direkte oder indirekt vermittelte Auseinandersetzung mit der Komposition Tilman Riemenschneiders, die formalen und ikonographischen Besonderheiten des Vorbildes sind jedoch in keinem Beispiel übernommen.

Das Programm des Rothenburger Heiligblut-Altares wurde lediglich in einem bekannten Beispiel, jedoch in abgewandelter Form aufgegriffen. Nur wenige Kilometer von Rothenburg entfernt befindet sich in der evangelischen Pfarrkirche (ehemals St. Jakobus der Ältere) zu Niederstetten ein Abendmahlsaltar, der das Rothenburger Programm reflektiert *(Abb. 12a-b)*[21]. Das Abendmahl ist in Niederstetten in einen umfangreichen Passionszyklus (in der Predella: Ölberggebet, auf den Flügeln: Gefangennahme – Kreuzannagelung – Kreuztragung – Kreuzigung) integriert, der in entscheidender Abweichung von Rothenburg nicht auf die Kreuzigung verzichtet. Die Außenseiten der Flügel sind bemalt und zeigen Beweinung und Grablegung Christi. Das Schreingehäuse ist zu einem späteren Zeitpunkt erneuert[22]. Ob das zu rekonstruierende Gesprenge ehemals eine Figurengruppe enthielt, muß offenbleiben.
Das Programm des stilistisch in die Jahre nach 1520 zu datierenden Retabels ist offenbar in Anlehnung an das Rothenburger entstanden, zumal man den öffentlich zugänglichen Heiligblut-Altar aufgrund der unmittelbaren Nachbarschaft als bekannt voraussetzen darf. Für die Niederstettener Jakobskirche ist keine Heiligblut-Reliquie bezeugt, die Predella des Retabels ist nicht der Hostienmonstranz vorbehalten, sondern zeigt mit dem Gebet am Ölberg eine Szene der Passion. Das Programm stellt somit das Abendmahl als

---

im Gesprenge: Gottvater sowie weitere Figuren im Rankenwerk. Das Retabel scheint nicht gefaßt gewesen zu sein; Benkö 1969, 47. Nach einer Beschreibung des 19. Jahrhunderts waren die Flügelaußenseiten bemalt, eine Darstellung zeigte die Fußwaschung. Ob die beschriebenen Gemälde jedoch die ursprünglichen Malereien meinen, ist umstritten. Jäger 1829, 371; Benkö 1969, 47.
Das Retabel wurde 1954 von einer Alabaster vortäuschenden Übermalung freigelegt und scheint ursprünglich nicht gefaßt gewesen zu sein; vgl. die Ausführungen bei Benkö 1969, 47.

[20] Wohl ebenfalls in die Nachfolge der Komposition Riemenschneiders gehört ein in Berliner Privatbesitz befindliches Retabelfragment mit Abendmahl von 1510/20, das in Rothenburg oder Schwäbisch Hall entstanden sein dürfte. Hier ist zwar die aus der Mitte gerückte Position Christi beibehalten, Judas hingegen ist nach rechts gerückt, so daß die diagonale Zuordnung fehlt. Gleichzeitig ist er im Vergleich zu Riemenschneiders Komposition deutlich zurückgenommen. (Reliefmaße 53 x 69 cm, Tiefe 5,2 cm; Skulpturen 1971)
Das Musée Curtius in Lüttich bewahrt ein um 1520 entstandenes Abendmahlsrelief. Der zugehörige Marientod greift eine Komposition Riemenschneiders auf. Die Vorlage für das Abendmahl ist möglicherweise jedoch andernorts zu suchen. »Il ne faut pas exclure que ce relief puisse dépendre d'un modèle créé au moins dans l'entourage de Riemenschneider ...« – »Sculptures« 1977, 156. Es scheint jedoch nicht notwenig, ein solches Vorbild anzunehmen. Der Katalogtext versucht nahezulegen, daß beide Reliefs ursprünglich jeweils die Predella eines Retabels in der gleichen Kirche bildeten und von dort aus in dieselbe Kunstsammlung gelangten. Eine stilistische Ableitung des Abendmahles von Riemenschneider wird abgelehnt. (»Sculptures ...« 1977, Nr. 72. Maße des Abendmahles 113 x 50 cm, des Marientodes 125 x 63 cm. Beide Reliefs sind polychrom gefaßt.)

[21] Kat. 12.
Kreis Mergentheim. Die ursprünglich romanische Chorturmkirche wurde 1788 unter Aufgabe der Chorpartie zu einer Saalkirche mit flachem dreiseitigen Schluß erweitert. Die Ausstattung wurde offensichtlich übernommen. Dehio 1964.

[22] Schuette 1907, Kat. S. 171f.

Szene eines vergleichsweise ausführlichen Passionszyklus in das Zentrum des Retabels. Eine Bezugnahme auf die Eucharistie ist nicht auszumachen.
Auf die künstlerische Gestaltung hat der Rothenburger Altar – im Unterschied zur Programmkonzeption – keinen Einfluß gehabt. Die Kompositionen Riemenschneiders sind nicht rezipiert worden, man möchte fast meinen, der Künstler habe das Retabel in Rothenburg nie gesehen. Die Darstellungen greifen vielmehr auf die Kleine Holzschnittpassion von Dürer zurück. Ablesbar wird der allgemein zu Beginn des 16. Jahrhunderts zu beobachtende Wechsel von Vorbildern, die noch an Kompositionen niederländischer Kunst orientiert waren und nicht zuletzt durch die Graphik Schongauers Verbreitung fanden, zu den modernen Vorlagen Dürers. Mit dem Vorlagenwechsel verändert sich auch die Ikonographie des Abendmahles, das jetzt nicht mehr die Verratsankündigung durch die Judaskommunion darstellt, sondern Dürer folgend Christus im Redegestus *(Abb. 29)*[23]. Während im Wettringer Altar noch das Abendmahl in der Formulierung Riemenschneiders und damit in einer an spätgotisch oberrheinischer Formensprache orientierten Gestaltung rezipiert wurde und nur für die zusätzlichen Themen die Kompositionen von Dürer aufgegriffen wurden, ist in Niederstetten der formale Rekurs auf Riemenschneider aufgegeben. Rezipiert wird lediglich das Rothenburger Programm. Der Niederstettener Altar bietet somit ein, wenn auch in der künstlerischen Ausführung letztlich nicht überzeugendes, Beispiel für die Verarbeitung einer ikonographischen Konzeption, die jedoch nur die Themen festlegte, für deren Ausgestaltung dann aber moderne Vorbilder gesucht wurden.
Über die Auftraggeber und die genaue Aufstellung des Retabels ist nichts bekannt, eine Bestimmung für die Niederstettener Kirche ist jedoch durchaus plausibel. Das mit Rothenburg übereinstimmende Jakobspatrozinium kann nur einen schwachen Hinweis für die Orientierung an einem Altar in der dortigen Kirche geben, da es historisch nicht abhängig von dem in Rothenburg ist[24]. Man hätte dann aber auffallenderweise nicht das Programm des Rothenburger Hauptaltares übernommen, sondern die von der Reliquie und der Hostienmonstranz gedanklich trennbaren Teile des möglicherweise populäreren Heiligblut-Altares als Vorbild gewählt. Bezeichnend sind die Veränderungen des Programmes. Das Abendmahl ist zwar wie in Rothenburg als Passionsszene in die Schreinmitte gerückt, es fehlt jedoch jeder eucharistische Bezug[25]. Die Rezeption des Heiligblut-Retabels stellt dieses somit als Ausnahme heraus. Ablesbar wird in dem Programm in Niederstetten einerseits die Rücknahme der eucharistischen Bedeutung der biblischen Szene, andererseits eine Aufwertung des Abendmahles, das als eine Szene der Passion in das Zentrum eines Retabelaufbaues rücken kann.

---

[23] Die Handhaltung Christi mit den beiden zusammengelegten Fingern findet sich nicht bei Dürer, sondern in Schäufeleins Holzschnitt für das Speculum Humanae Salvationis von 1507. Es fragt sich jedoch, ob man auch einem mittelmäßigen Künstler diese geringfügige Veränderung nicht selbst zutrauen will. Zu Schäufeleins Holzschnitten Winkler 1941, auch Löcher 1985; zur allgemeinen Veränderung der Abendmahlsikonographie am Beginn des 16. Jahrhunderts vgl. oben.

[24] »Jakobskirchen wurden in den aus Burgsiedlungen entstandenen Städten Lauda, Niederstetten, Kissingen und Burgwindheim errichtet, dazu in vielen Adelsdörfern.« Zimmermann 1959, 86. Für diese und andere Kirchen mit Jakobspatrozinium ist keine Orientierung an der Rothenburger Jakobskirche belegbar.

[25] Da die Predella ebenfalls einer Passionsszene gewidmet ist, ist eine hypothetische Ergänzung des Gepreenges mit einem explizit eucharistischen Bildthema oder der Verkündigung wohl auszuschließen, lediglich ein Schmerzensmann könnte, der allgemeinen Konvention folgend, vorhanden gewesen sein.

Abendmahlsaltäre bis zur Einführung evangelischer Kirchenordnungen

Der um 1520/25 von einem namentlich nicht faßbaren Kärntener Bildschnitzer geschaffene Abendmahlsaltar, der sich heute in der Peterskirche zu St. Lambrecht/Kärnten befindet[1], zeigt einen vergleichsweise ausführlichen Passionszyklus *(Abb. 13)*. Durch die Verteilung der Szenen im Retabelaufbau ist der Akzent jedoch stärker auf den Beginn der Passion gelegt. Nicht wie in Niederstetten *(Abb. 12a)* die vollständige Folge bis zur Kreuzigung, sondern der Beginn des Leidens Christi vom Abendmahl bis zum Ölberggebet ist auf den Flügeln gezeigt (Fußwaschung – Ölberggebet – Geißelung – Dornenkrönung), die Predella ergänzt die Kreuztragung[2]. Gemeinsam mit Niederstetten ist dem St. Lambrechter Retabel die Erinnerung an den Blutschweiß Christi, hier jedoch nicht durch die Plazierung des Ölberggebetes in der Predella, sondern durch die Hervorhebung des Schweißtuches der Veronika bei der Kreuztragung.
Das Retabel befindet sich nicht mehr an seinem ursprünglichen Aufstellungsort, sondern wurde aus der im 18. Jahrhundert neu ausgestatteten Pfarrkirche St. Peter in Aflenz überwiesen. Diese Kirche erhielt im 15. Jahrhundert einen Neubau, der 1503 geweiht, wohl aber erst um 1510 vollendet wurde[3]. Berücksichtigt man die Abmessungen der Kirche einerseits und des Retabels andererseits, wird man annehmen dürfen, daß der heute in St. Lambrecht befindliche Abendmahlsaltar – vergleichbar dem Niederstettener Retabel – den Hauptaltar der kleinen Pfarrkirche schmückte.
Das Hochrelief des Letzten Abendmahles zeigt die Gruppe um einen runden Tisch versammelt, Christus ist zentral in der Mitte angeordnet, an seiner Brust ruht der Lieblingsjünger Johannes. Dargestellt ist die Verratsankündigung durch die Judaskommunion, der Verräter sitzt, in die Runde der Apostel einbezogen, am Rand der linken vorderen Sitzbank und ist somit nicht besonders exponiert. Das Abendmahl ist in St. Lambrecht gleichermaßen wie in Niederstetten und abweichend etwa vom Rothenburger Retabel die chronologisch früheste dargestellte Episode der Passion. Während in Niederstetten das Gebet am Ölberg in der Predella den zweiten Rang erhält, wird in St. Lambrecht die Kreuztragung mit dem Schweißtuch hervorgehoben, beide Szenen erinnern an den Blutschweiß Christi während der Passion. Nicht mehr die Präsentation eines gesamten Lehrgebäudes wie in Rothenburg oder in anderer Form in typologischen Programmen konstituieren das Retabelprogramm. Vielmehr wird mit dem Beginn der Leidensgeschichte das Abendmahl in das Zentrum des Retabels und der Passionsbetrachtung gerückt.

Die Betonung des Passionsbeginnes ist besonders deutlich ablesbar in dem seit seiner Zerstörung im 2. Weltkrieg lediglich in unzureichenden Abbildungen sowie Beschreibungen

---

[1] Kat. 13.
Garzarolli 1941, 88 und 129 mit Abb. 110, weist das Retabel der »Älteren Villacher Werkstatt« zu und datiert es um 1517; ebenso St. Lambrecht 1951, 134 mit Abb. 201, 205-207; vgl. auch Dehio 1982, 415f., hier wird das Retabel um 1525 datiert.

[2] Ob das heute erneuerte Gesprenge ursprünglich das Programm mit der Kreuzigung abschloß, ist nicht mehr zu rekonstruieren.

[3] Dehio 1982, 9f.

überlieferten Hochaltarretabel der Margarethenkapelle auf der Nürnberger Burg *(Abb. 14a-b)*[4]. Der offenbar im ersten Viertel des 16. Jahrhunderts entstandene Flügelaltar[5] zeigte als Hauptdarstellung ein Relief mit dem Abendmahl. Das ungewöhnliche Format eines Halbkreises war in eine aus Renaissanceformen gebildete Architekturrahmung eingeschrieben. Das Abendmahl ist im Programm des Nürnberger Burgkirchen-Retabels ansatzweise aus dem Zyklus der Passion isoliert. Die Szenenauswahl ist in den Bereich nachösterlichen Geschehens hinein erweitert und zusätzlich mit Heiligendarstellungen kombiniert. Die gemalten Innenflügel zeigten links Pfingsten und rechts Christi Himmelfahrt. Im geschlossenen Zustand waren Rosenkranz, Fegfeuer und Gregorsmesse sowie die Stigmatisation des Heiligen Franziskus zu sehen. Im oberen Abschluß wurde das Programm durch die Figuren von Petrus und Paulus ergänzt. Die Predella präsentierte im geschlossenen Zustand Ölberggebet und Gefangennahme, geöffnet Christus und Thomas sowie die Fußwaschung und schließlich die Nürnberger Patrone Laurentius und Sebaldus. Die ungewöhnliche Kombination von Passionsszenen und nachösterlichen Geschehnissen beläßt das zentrale Abendmahl gleichwohl im Erzählzusammenhang biblischer Heilsgeschichte. Die Passion ist allein auf die Predella beschränkt. Das Abendmahl erfährt, wenn auch nur durch eine Inschrift, eine typologische Ausdeutung. Oberhalb angebracht war ein erläuterndes Textzitat vom Gastmahl Ahasvers[6]. Diese Kombination dürfte auf die in Nürnberg geläufige Variante des Responsoriums »Discubuit« zurückgehen[7]:

> »Jesus legte sich nieder und mit ihm seine Schüler und er sagte: Ich wünsche an diesem Passah mit euch zu essen, bevor ich sterbe. Und als er das Brot erhalten hatte, dankte er, brach es, gab es ihnen und sagte: *Dies ist mein Leib*, und als er den Kelch erhalten hatte, dankte er, gab ihn ihnen und sagte: *Dies ist mein Blut.*
> König Ahasver richtete ein großes Mahl aus für alle Fürsten und Knechte, um die Reichtümer zum Ruhme seiner Herrschaft zu zeigen. Und als er das Brot erhalten hatte ... (wie oben).«[8]

Das Responsorium »Discubuit« hat in Nürnberg, wie Rainer Kahsnitz jedoch ausschließlich für das Volckamer-Epitaph *(Abb. 27)* gezeigt hat[9], einen festen Platz in der Passions-

---

[4] Kat. 14.
Die Doppelkapelle der Nürnberger Kaiserburg war unten der Heiligen Margarethe geweiht, der obere Raum beherbergte die eigentliche Kaiserkapelle. Seit 1485/95 nahm die Margarethenkapelle den Schatz des Hauses Habsburg auf; vgl. Fehring/Ress 1977, 157, dort aber keine Hinweise auf die Vorkriegsausstattung.

[5] Die Datierung muß mit einem Fragezeichen versehen werden, da einerseits spätere Überarbeitungen anzunehmen sind und anderseits die Zerstörung des Werkes keine eingehende Analyse mehr zuläßt (vgl. Rasmussen 1974, Anm. 129, S. 112f.). Man wird jedoch annehmen dürfen: »... der Altar ist erstens in bzw. für Nürnberg geschaffen worden und zweitens noch vor der Einführung der Reformation.« Rasmussen 1974, Anm. 129, S. 113.

[6] Buch Esther 1₃ »Assuerus rex fecit grande coniuium cunctis princibus et pueris suis.« Mummenhoff 1913, 60.

[7] Vgl. die Analyse des Volckamer-Epitaphs durch Kahsnitz in: »Veit Stoß ...« 1983, Nr. 20, bes. 243-248.

[8] »Discubuit Jesus et discipuli eius cum eo et ait: Desiderio desideravi hoc pascha manducare vobiscum antequam moriar. Et accepto pane gratias agens fregit et dedit illis dicens: Hoc est corpus meum, et accepto calice gratias agens dedit illis et ait: Hic est sanguis meus.
Fecit Ahasverus rex grande convivium cunctis principibus et pueris suis, ut ostenderet divitias gloriae regni sui. Et accepto ... (wie oben).«
Hier zitiert nach Kahsnitz a.a.O. 244. Deutsche Übersetzung Arwed Arnulf, Berlin.

[9] Kahsnitz a.a.O. Nr. 20.

frömmigkeit. Die Beziehung des Darstellungsprogrammes am Volckamer-Epitaph zu einer in Nürnberg geläufigen und für St. Sebald 1499 ebenfalls von Paulus Volckamer gestifteten Liturgie[10] vermag das zeitgenössische Verständnis des Abendmahles um 1500 sowie im ersten Drittel des 16. Jahrhunderts zu beleuchten. Der Zyklus von Veit Stoß ist zwar mit mittlerem Ölberggebet konzipiert und bietet gegenüber der Anordnung des Abendmahles im Zentrum eines Retabels eine grundsätzliche Verschiebung der Bedeutung, gleichwohl belegt aber der Vergleich, wie fest die Abendmahlsszene im Verständnis der Jahre um 1500 im Kontext der Passion verankert ist. Gesungen werden sollte »... zu dem ersten das respons Discubuit ... dar nach ein gesang von dem ölperg und dem leiden des eingangs und pluetvergießen unseres herrn Jesu Christi«[11]. Das Abendmahl besaß demzufolge einen festen Platz in der Passionsfrömmigkeit und deren Liturgie. Gleichzeitig markiert die Szene die Einsetzung des Sakramentes, das seinerseits jedoch wiederum aus der Passion heraus verstanden wurde[12].

Die Verbindung von Passion und untergeordnet erläuternder Typologie zeigt schließlich der deutlich später, 1551, entstandene Abendmahlsaltar in Sauris di Sopra *(Abb. 15)*[13]. Der Altar ist das späteste bekannte Werk von Michael Parth und stilistisch deutlich an älteren Vorstellungen orientiert. »Er wirkt wie ein Rückfall des alten Meisters in die Spätgotik ...«[14] Der Schrein zeigt das Abendmahl, das auf den Flügeln von zwei Szenen der Passion, links dem Einzug in Jerusalem und rechts dem Gebet am Ölberg ergänzt wird. Die Predella ist nicht mehr vollständig erhalten. In einem unbekannten Zeitpunkt wurden die vermutlich plastische Mittelgruppe sowie die Flügel entfernt, um Raum für ein Sakramentstabernakel zu schaffen. Vorhanden sind lediglich noch seitlich zwei gemalte typologische Szenen, links die Eherne Schlange, rechts die Mannalese. Das Thema der geöffneten Predellenwandlung läßt sich nicht mehr rekonstruieren, im geschlossenen Zustand sind zwei weitere alttestamentliche Präfigurationen, vermutlich die Begegnung zwischen Abraham und Melchisedech und das Passahmahl, möglicherweise aber auch Isaakopfer und Passahmahl zu erwarten[15]. Nicht auszuschließen ist auch die Darstellung der Gregorsmesse[16]. Die Flügelaußenseiten präsentieren Gemälde mit der Verkündigung. Im Gesprenge wird die Figur eines bisher nicht identifizierten heiligen Papstes von Engeln flankiert. Obwohl die Figur durch kein Attribut ausgewiesen wird, dürfte es sich um Papst Gregor den Großen handeln. Die begleitenden Engel gehören zur szenischen Darstellungsikonographie des Heiligen, der Gregorsmesse. Der Papst würde, wenn die Identifizierung zutrifft, als Garant der Transsubstantiationslehre – im geöffneten wie geschlossenen Zustand des Retabels gleichermaßen – fungieren.

---

[10] Kahsnitz a.a.O. Nr. 20.

[11] Kahsnitz a.a.O. 244.

[12] Vgl. die Ausführungen oben im Kapitel »Veränderungen der Abendmahlsikonographie im 15. und beginnenden 16. Jahrhundert«.

[13] Kat. 15.
Marchetti/Nicoletti 1956, 96 mit den Abb. 147-151; Egg 1962, 108 mit den Abb. 22, 23, hier die ältere Literatur; »Friuli ...« 1983, Nr. 45.

[14] Egg 1962, 108.

[15] Vgl. hierzu die Ausführungen zu typologischen Bildprogrammen oben im Kapitel »Niederländische Abendmahlsaltäre 1470-1520«.

[16] Die Identifizierung der Gesprengefigur mit Papst Gregor d. Gr. unten läßt dieses Bildthema zur Ergänzung des Programmes möglich scheinen.

Das Retabelprogramm in Sauris di Sopra zeigt auffallende Gemeinsamkeiten mit dem Rothenburger Heiligblut-Altar, weist jedoch gleichzeitig wichtige Abweichungen auf. Übereinstimmend ist die Szenenauswahl, die das zentrale Abendmahl mit dem Einzug in Jerusalem und dem Ölberggebet für die Hauptwandlung des Retabels kombiniert. Anstelle der Präsentation der eucharistischen Substanzen in Rothenburg wird in Sauris di Sopra mit der Einführung der Typologie, die gleichermaßen auf die Heilswirksamkeit des Sakramentes (Mannalese) wie auf das Kreuzesopfer (Eherne Schlange) verweist, das gültige Sakramentsverständnis angesprochen. Das biblische Abendmahl markiert somit gleichermaßen die Einsetzung des Sakramentes wie eine Szene der Passion des Herrn.

Die seltene Variante: Zentrales Abendmahl mit Heiligen

Die in der Entwicklungsgeschichte jüngste Programmvariante von Abendmahlsaltären vor der Reformation löst die Szene sowohl aus dem Kontext der Typologie als auch der Passion. Das Abendmahl wird mit Heiligen kombiniert. Erreicht wird hier die Lösung des Themas aus dem zyklischen Zusammenhang und somit eine Aufwertung zu einer für sich stehenden, eigenständigen Szene für das Zentrum eines Retabels.
Erstmals nachweisbar ist diese Programmvariante in einem Retabel, das heute im linken Seitenschiff der Schwabacher Stadtpfarrkirche St. Johannes und St. Martinus aufgestellt ist *(Abb. 16)*[1]. Das Hochrelief des Abendmahles im Zentrum wird begleitet von Flachreliefs auf den Flügelinnenseiten, die die beiden Schuster-Heiligen Crispinus (rechts) und Crispinianus (links) ergänzen. Die Malereien der Alltagswandlung präsentieren den Abschied der Apostel. In der Predella sind Reliefs der vier Evangelisten angeordnet. Auf dem Schrein war ursprünglich eine Standfigur des Kirchenpatrones Johannes Ev. aufgestellt[2].
Die Darstellung des Abendmahles zeigt die Judaskommunion, entsprechend findet sich die Christus-Johannes-Gruppe. Das Geschehen ist vergleichsweise bewegt und genrehaft ausgeschmückt wiedergegeben. Die Figur vorn rechts, die sich vom Tisch abwendet und in der linken Hand eine große Kanne hält, aus der sie offenbar gerade den Becher in der Rechten nachgefüllt hat, ist eine Wiederholung der entsprechenden Figur aus dem Volckamer-Epitaph von Veit Stoß *(Abb. 27)*[3].
Obwohl weder der Vertrag erhalten ist, noch eine gesicherte Zuschreibung an einen namentlich bekannten Künstler vorgenommen werden kann, sind wir über die Entstehungsumstände des Retabels vergleichsweise gut informiert. Bei einer anläßlich der Dürer-Ausstellung des Jahres 1928 vorgenommenen Restaurierung wurde die gemalte Figur des Stifters auf dem linken Außenflügel wieder freigelegt[4]. Sie kann aufgrund des beigegebenen Wappens mit Johannes Linck, dem in den Jahren 1501-1525 amtierenden Stadtpfarrer von Schwabach identifiziert werden[5], der der Kunstgeschichte im Zusammenhang der Auftragsvergabe für den Schwabacher Hochaltar bekannt ist[6]. Der Abendmahlsaltar wurde von Johannes Linck zusammen mit der Crispinus-Bruderschaft der Schuhmacher im Jahre 1510 gestiftet[7]. Der ursprüngliche Aufstellungsort ist nicht mehr rekonstru-

---

[1] Kat. 16.
[2] Pilz 1979, 149.
[3] Zum Verhältnis der geschnitzten Teile des Retabels zu Werken von Veit Stoß vgl. noch immer Daun 1920, 122, der das Retabel in den Umkreis von Veit Stoß einordnet. Zur Zuschreibung vgl. auch Aufsess 1963, 94, die den Altar – wenn auch nicht überzeugend – der Bamberger Lautensack-Werkstatt zuspricht.
[4] Pilz 1979, 149.
[5] Schlüpfinger 1975, 37.
[6] Vgl. zuletzt Bauer 1983.
[7] Pilz 1979, 42; Schlüpfinger 1975, 54.

ierbar[8], wohl aber das Zwölf-Boten-Patrozinium des Altares. Dieser Titel war bis 1506 dem Hochaltar zugeordnet und wurde im Zuge der zunehmenden Marienfrömmigkeit verändert[9]. Gleichzeitig wurde das alte den Aposteln gewidmete Hochaltarretabel transferriert und durch den Marienkrönungsaltar ersetzt. Das Darstellungsprogramm des Vorgängerretabels läßt sich zwar nicht mehr vollständig rekonstruieren, im Schrein zeigte es jedoch den Abschied der Apostel. Nicht bekannt ist der Zeitpunkt seiner Entfernung aus der Kirche, möglicherweise wurde es 1510 durch die Stiftung der Crispinus-Bruderschaft und des Johannes Linck ersetzt[10]. Der Schuster-Altar übernimmt somit das ehemalige Thema des Hochaltares.
Das Retabel ist sowohl in der Festtagswandlung wie in der Alltagsseite den Zwölf Boten gewidmet. Mit dem Abendmahl im Schrein wird das Ereignis der Stiftung des Neuen Bundes im Beisein der Zwölf Jünger veranschaulicht, der Apostelabschied zeigt den Beginn der Mission. Dem Abendmahl ist damit nicht primär eine eucharistische Bedeutung beigemessen. Obwohl in Schwabach regelmäßig Sakramentsprozessionen durchgeführt wurden[11], ist der Schuster-Altar in diese Liturgie nicht einbezogen[12].
Johannes Linck hatte sich nachweislich der Einführung des evangelischen Gottesdienstes 1524/25 widersetzt[13]. Aus dieser biographischen Beobachtung wird deutlich, daß das Abendmahlsretabel offensichtlich streng altkirchlich gelesen werden und für einen derart überzeugten Vertreter katholischer Lehrmeinung wie Johannes Linck als angemessenes Programm zusammen mit der Bruderschaft des Schuhmacher gestiftet werden konnte. Der Schwabacher Schuster-Altar erweist darüberhinaus die Unabhängigkeit der Themenwahl sowohl von einem eucharistischen Patrozinium wie von einer Fronleichnamsliturgie am Beginn des 16. Jahrhunderts.

Angehörige der Utrechter Karthäuser gaben um 1521 bei einem namentlich wohl nicht mehr faßbaren Künstler einen Abendmahlsaltar in Auftrag *(Abb. 17)*, der sich heute im Centraal Museum zu Utrecht befindet[14]. Das zentrale Abendmahl wird auf den Flügeln durch die Darstellungen der Stifter mit ihren Schutzpatronen ergänzt[15]. Hintergrundsszenen geben den Zusammenhang der Passion an: links das Ölberggebet, auf der Mitteltafel die Fußwaschung und Judas, der die Silberlinge erhält, rechts schließlich die Kreuztra-

---

[8] Pilz 1979, 148.

[9] Pilz 1979, 24 sowie Schlüpfinger 1975, 50-51. »Einen Höhepunkt der Marienverehrung aber stellt die ... von Veit Stoß geschnitzte Figurengruppe der Krönung Mariens im Mittelschrein zusammen mit den Szenen aus dem Marienleben auf den beiden Seitenflügeln des 1506-1508 unter dem Pfarrer Hans Linck entstandenen Hochaltars von Michael Wolgemut dar.« A.a.O. 51.

[10] Pilz 1979, 24, 82; zur Ausstattung der Kirche auch Baum 1976.

[11] Schlüpfinger 1975, 52.

[12] Die Zuordnung des Abendmahles zu einem Zwölf-Boten-Patrozinium vermag möglicherweise auch die Wahl des Themas für die Predella des Hochaltarretabels zu erklären. Zur Ikonographie des Hochaltarretabels vgl. Vetter 1983, der zwar ebenfalls auf eine mögliche Beziehung der Darstellungsprogramme hinweist, die Predella des Hauptaltares jedoch ausschließlich eucharistisch interpretiert; a.a.O. 25.

[13] Schlüpfinger 1975, 55-58.

[14] Kat. 17.

[15] Die Abendmahlstafel zeigt die Wappen der Utrechter Familien Pauw und Zas. Die Stifter werden wie folgt identifiziert: auf dem linken Flügel vorn: Vincentius Pauw und Peter Zas, der von 1525 bis 1540 Prior des Klosters war, dahinter der Laienbruder Jacob Pauw; rechts: Digna Zas, die Tante der drei dargestellten Kartäuser. Zur Identifizierung der Stifter vgl. Luttervelt 1947, aber auch Scholtens 1952.

gung. Es fehlt jedoch die Fortsetzung bis zur Kreuzigung, so daß die vollständige Erzählung bis zum heilsgeschichtlich zentralen Ereignis hinter der Präsentation des durch den Erzählzusammenhang lediglich erläuterten Abendmahl zurücktritt. Die Flügelaußenseiten ergänzen zwei weitere Heilige[16]. Die Stifter, Mitglieder der Utrechter Familien Pauw und Zas, hatten das Retabel für den Altar der Heiligen Märtyrer gestiftet, der sich in der Karthäuserkirche Nieuwlicht[17] in der Nähe des Grabes für den am 27. 10. 1521 verstorbenen Ghijsbert Pauw befand[18]. Auch das Utrechter Retabel erweist somit die Unabhängigkeit der Themenwahl von einem eucharistischen Patrozinium.
Ein weiteres, kleinformatiges Beispiel, ausgeführt in der Technik der Hinterglasmalerei, wird im Rijksmuseum zu Amsterdam aufbewahrt *(Abb. 18)*[19]. Das zentrale Abendmahl ist wieder flankiert von stehenden Heiligen, die die Stifter empfehlen. Die Wappen lassen sie auch hier identifizieren, es handelt sich um Adriana van Roon, die zwischen 1497 und 1527 dem Zisterzienserinnen-Kloster Loeuwenhorst als Äbtissin vorstand, und Dirk Pietersz. Spangert, der dem Kloster als Kaplan verbunden war[20]. Das Retabel dürfte um 1525 entstanden sein.
Die Lösung des Abendmahles aus dem Kontext von Typologie und Passion zugunsten der Einbeziehung in Retabelprogramme, die stehende Heilige ergänzen, wird in einzelnen Beispielen seit dem zweiten Jahrzehnt des 16. Jahrhunderts vollzogen. Diese Aufwertung des Abendmahles erfährt gewissermaßen ihren Höhepunkt, wenn Abendmahlsaltäre im kleinen Format und für die private Andacht geschaffen werden.

---

[16] Links: Nikolaus, rechts: Katharina.
[17] Für die gleiche Karthause war auch die heute in der Frick Collection, New York aufbewahrte Madonnentafel von Jan van Eyck bestimmt (Friedländer ENP 1, T. 53).
[18] Ghisbert Pauw war der Vater der Brüder Vincentius und Jacob Pauw.
[19] Kat. 18.
[20] Zur Identifizierung der Stifter Moor 1981.

Zusammenfassung

Die Zahl der nachweisbaren Abendmahlsaltäre ist für den behandelten Zeitraum von etwa 150 Jahren vergleichsweise niedrig – in dieser Arbeit vorgestellt werden 18 Werke. Von einem gängigen Programmtypus kann nicht gesprochen werden. Die statistische Seltenheit von Abendmahlsaltären in der noch immer erhaltenen Vielzahl spätmittelalterlicher und frühneuzeitlicher Retabel kann im Zusammenhang von Meßtheologie und Eucharistiefrömmigkeit erklärt werden. So ist die Darstellung des biblischen Abendmahles kaum geeignet, im Unterschied etwa zur Gregorsmesse, die Lehre von Transsubstantiation und Meßopfer und damit das gültige Eucharistieverständnis zu veranschaulichen. Erst kurz vor 1500 ergänzen Erzähldetails die biblische Szene entsprechend.
Die wachsende Bedeutung von Abendmahlsaltären drückt sich gleichermaßen in ihrer zunehmenden Häufigkeit wie in immer prominenteren Aufstellungsorten aus. Die frühen Abendmahlsaltäre waren durchgängig in Seitenkapellen aufgestellt – die Ausnahme in Urbino erklärt sich durch die Tatsache, daß hier die Sakramentsbruderschaft eine eigene Kirche unterhielt. Erst im 16. Jahrhundert können diese Retabel auch den Hauptaltar einer Kirche einnehmen. Es handelt sich dann jedoch durchgängig um kleinere Pfarrkirchen. Auffallenderweise schmückte in keinem bekannten Beispiel vor der Reformation ein Abendmahlsaltar den Hauptaltar einer größeren Kirche. Auch läßt sich die Wahl von Abendmahlsaltären für ein bestimmtes Kirchen- oder Altarpatrozinium nicht ausmachen. Sie scheinen vielmehr jeweils aus einer besonderen Auftragssituation heraus entstanden zu sein.

Im ausgehenden Mittelalter und am Beginn der Renaissance lassen sich drei Varianten von Abendmahlsaltären unterscheiden: erstens zentrales Abendmahl in einem typologischen Programm, zweitens das Abendmahl als Hauptszene in einem Passionszyklus sowie drittens kombiniert mit stehenden Heiligen.
Das älteste bekannte Beispiel, der Imhoffsche Abendmahlsaltar der Jahre um 1425, beläßt das Abendmahl zumindest im gedanklichen Zusammenhang der Passion. Dieses Werk steht in seiner Entstehungszeit jedoch isoliert und hat keine Nachfolge gefunden. Das für die Entwicklung am Beginn des 15. Jahrhunderts zum Vergleich herangezogene Retabel aus San Bartolomé bei Villahermosa/Spanien muß als Ausnahme gelten. Das Altarprogramm, das möglicherweise im Zusammenhang mit den theologischen Diskussionen und Entscheidungen des Konstanzer Konzils entstand, ist der Lehre von Transsubstantiation und Meßopfer gewidmet. Aus dem Heilsgeschehen werden mit der Verkündigung, der Szene der Inkarnation, dem Abendmahl, als Veranschaulichung der Sakramentseinsetzung, und der Kreuzigung, als Repräsentation des Opfers Christi, diejenigen Szenen herausgestellt, die den biblischen Ausgangspunkt für die auf dem Konstanzer Konzil bekräftigte Meßtheologie bilden. Mit der Hostienlegende wird ein historischer Beweis für die Transsubstantiation ergänzt. Eine derart komplexe Argumentation inner-

halb eines Bildprogrammes ist jedoch selten, für Abendmahlsaltäre nördlich der Alpen ist kein Beispiel bekannt.
Das Fehlen früher Abendmahlsaltäre scheint seine Erklärung nicht nur in mangelnder Überlieferung, sondern auch in andersartigen Konventionen für die Gestaltung von Retabelprogrammen zu finden, zeigen doch Passionsaltäre bis in die Mitte des 15. Jahrhunderts als zentrale Szene eher die Kreuzigung, während für die Darlegung der Eucharistielehre andere Programme gewählt wurden. Das Abendmahl vermag allein nicht das Meßopfer zu veranschaulichen, mindestens die Kreuzigung müßte hinzugefügt werden. Die Transsubstantiationslehre kann mit ausschließlich biblischen Szenen nicht dargelegt werden. Als Einzelszene für die Darstellung der Eucharistie im 15. Jahrhundert setzt sich vielmehr die Gregorsmesse, ein legendäres Ereignis, das den Vollzug der Transsubstantiation in der Meßzeremonie – gerade auch für den Zweifelnden – belegt, durch.

Erst in der zweiten Hälfte des 15. Jahrhunderts werden in den Niederlanden ausgehend vom Löwener Sakramentsaltar eine Reihe von Abendmahlsaltären geschaffen und gelangen bis ins erste Drittel des 16. Jahrhunderts zu einer relativen Verbreitung. Die Analyse des Löwener Retabels bestätigt, daß man nicht von verlorenen Vorläufern auszugehen hat. In der Konsequenz der Beschränkung auf Präfigurationen des Abendmahles hat sich dieses Programm nicht durchsetzen können, in der Nachfolge werden vielmehr mit alttestamentlichen Vorbildern der Kreuzigung Hinweise auf das für das Eucharistieverständnis zentrale Kreuzesopfer integriert. Das Programm des Löwener Sakramentsaltares nimmt auf die Liturgie der Bruderschaft Bezug. Ihre Entsprechung finden sowohl die Corpus-Christi-Andachten in dem gemalten Abendmahlszyklus wie gleichermaßen die Marienandachten in der bekrönenden Skulptur. Das im zweiten Jahrzehnt des 16. Jahrhunderts entstandene Retabel in Rotterdam/eh. Berlin, das hier einem Meister des Antwerpener Manierisismus zugeschrieben wird, verweist mit den auf dem Boden verstreut liegenden Maiglöckchen des Mittelbildes ebenfalls auf Maria. Die Verbindung des zentralen Abendmahles mit zugehöriger Typologie, die durch bildliche Hinweise auf das Kreuzesopfer ergänzt ist und durch Motive der Marienikonographie erweitert wird, läßt auf eine Auftragsarbeit für eine niederländische Sakramentsbruderschaft schließen. Seit dem 16. Jahrhundert sind in den Niederlanden neben den typologischen Beispielen auch Abendmahlsaltäre mit Passionsprogramm nachweisbar.

Im deutschsprachigen Bereich ist das in Löwen entwickelte Darstellungsprogramm nicht aufgegriffen worden. Selbst das Retabel der Lübecker Fronleichnamsbruderschaft, für das die Kenntnis des Löwener Programmes angenommen werden kann, verlegt das Abendmahl zugunsten einer zentralen Gregorsmesse in die untergeordnete Predella. Retabelprogramme mit Abendmahlstypologie weisen im Bereich der altdeutschen Kunst in keinem bekannten Beispiel eine zentrale Abendmahlsdarstellung auf, sondern belassen wie das Retabel in Ehrenfriedersdorf das Thema im Kontext der Passion. Der niederländischen Form am nächsten kommt der Bordesholmer Altar, dennoch befindet sich auch hier der Abendmahlszyklus in der untergeordneten Predella.
Nach dem für den privaten Gebrauch bestimmten Imhoff-Altar wird im deutschsprachigen Gebiet erst 1499-1505 mit dem Rothenburger Heiligblut-Altar wieder ein Abendmahlsretabel geschaffen. Das Bildprogramm stellt die Szene in den Kontext der Passion. Die durch die besondere Aufstellung bedingte Verknüpfung mit der eucharistischen Reliquie und die Einbeziehung einer Hostienmonstranz in den Retabelaufbau, die auf vor

dem Altar abgehaltene Sakramentsandachten Bezug nimmt, ist in keinem bekannten Beispiel aufgegriffen worden. Während das Niederstettener Retabel in unmittelbarer Abhängigkeit von dem Rothenburger Vorbild zu sehen ist, entstehen andernorts zu Beginn des 16. Jahrhunderts ebenfalls offensichtlich ohne Kenntnis älterer Beispiele Abendmahlsaltäre, die das Thema eingebunden in einen Passionszyklus präsentieren. Obwohl der Heiligblut-Altar von Tilman Riemenschneider in seiner spezifischen Programmkonzeption keine Nachfolge gefunden hat, markiert das Bildprogramm, das das zentrale Abendmahl in den Kontext der Passion stellt, das früheste Beispiel eines Typus von Abendmahlsaltären, der in der ersten Hälfte des 16. Jahrhunderts in einer Reihe von Retabeln nachweisbar ist. Ablesbar wird eine Aufwertung des Bildthemas, die in Zusammenhang mit der allgemeinen Zunahme von erzählerischen Szenen des Heilsgeschehens im Zentrum von Retabeln zu sehen ist.

Die dritte Variante der Abendmahlsaltäre entsteht offensichtlich erst zu Beginn des 16. Jahrhunderts. Das Abendmahl wird gänzlich aus dem programmatischen Kontext von Passion oder Typologie herausgelöst. Die Darstellungsprogramme ergänzen stehende Heilige. Diese Variante wird vergleichsweise selten verwendet, das früheste bekannte Retabel dieser Art ist der Schwabacher Schuster-Altar.

Seit den ersten vereinzelten Abendmahlsaltären am Beginn des 15. Jahrhunderts und ihrer Verbreitung seit etwa 1470 ist eine stete Zunahme zu beobachten. Der Löwener Sakramentsaltar sowie das gleichzeitige Retabel in Urbino gehen nachweislich auf Aufträge von Sakramentsbruderschaften zurück. Nicht möglich scheint jedoch eine Verallgemeinerung, die die Abendmahlsaltäre gleichermaßen als Standardikonographie für diese Auftraggebergruppe bewertet. Gemessen an der großen Zahl existierender Sakramentsbruderschaften sind die genannten Abendmahlsretabel vielmehr als Ausnahme zu bezeichnen. Hinzu kommt, daß im Unterschied zur Rosenkranzbruderschaft die Sakramentsbruderschaften einzeln für sich organisiert waren. Ihre Erforschung hätte deshalb jeweils im regionalen Zusammenhang zu erfolgen. Nicht nur Verallgemeinerungen werden durch diese historische Tatsache fragwürdig, entscheidender noch ist, daß jeder einzelne Kontakt zwischen den Sakramentsbruderschaften an verschiedenen Orten erst durch eine detaillierte, nicht zuletzt auch quellenkundliche Analyse erwiesen werden müßte. In der nicht-zentralen Organisation der Bruderschaften dürfte andererseits die Vielfältigkeit der Altarprogramme eine ihrer entscheidenden Ursachen haben. Ihre Einbindung in die Situation am jeweiligen Ort, die Interessen der Auftraggeber, der theologische Horizont der Berater und andere mögliche Faktoren wären in monographischen Einzeluntersuchungen zu klären. Den Rahmen hierfür muß gleichwohl die Stellung des einzelnen Werkes in der Entwicklung der Abendmahlsretabel und ihrer Programme abgeben. Erst von hier aus lassen sich Norm und Ausnahme bewerten.
Das Programm des Heiligblut-Altares in Rothenburg steht einerseits mit der verehrten Reliquie, anderseits mit den bezeugten Sakramentsandachten in Zusammenhang. Aber auch hier kann nicht von einer gleichsam mitgebrachten Präferenz des Themas für diesen Kontext gesprochen werden. Weder in Wilsnack noch in Pulkau führte beispielsweise die Verehrung des Heiligen Blutes zu einem Auftrag für einen Abendmahlsaltar. Wöchentliche Sakramentsandachten, die nicht von einer Fronleichnamsbruderschaft ausgerichtet wurden, gehörten wie in Rothenburg auch in anderen Städten zum Erscheinungsbild eucharistischer Frömmigkeit. In Nürnberg sind beispielsweise seit dem ausgehenden

14. Jahrhundert für mindestens drei Kirchen, St. Sebald, St. Lorenz und die Heilig-Geist-Kirche, wöchentliche Donnerstagsgottesdienste belegt[1].
Die Entscheidung für einen Abendmahlsaltar kann somit nicht generell mit einem bestimmten Auftraggeber (Sakramentsbruderschaften), einer eucharistischen Reliquie oder einer benennbaren Liturgie (Sakramentsandachten) begründet werden. Vielmehr wurden nur in einzelnen Fällen für einen solchen Kontext Abendmahlsaltäre in Auftrag gegeben. Gleichwohl läßt sich eine stete Aufwertung des Abendmahles als Hauptthema für ein Retabel verzeichnen. Ursache für diese Entwicklung scheint eine Veränderung der Frömmigkeit. Die Entwicklung der Abendmahlsaltäre korrespondiert mit einem um 1500 allgemein nachweisbaren Verständnis des Altarsakramentes, das nicht mehr vorrangig von einer Vermittlung der Transsubstantiationslehre, sondern von einem Gedächtnis der Passion (Memoria Passionis) geprägt ist und so verstärktes Interesse an der biblischen Überlieferung des Letzten Abendmahles gewinnt.

Die niederländischen Abendmahlsretabel sind insgesamt gemalt. Geschnitzte Flügelaltäre mit einem zentralen Abendmahl haben sich nicht erhalten. Die gesamte bekannte Produktion niederländischer Schnitzaltäre des ausgehenden 15. und beginnenden 16. Jahrhunderts folgt vielmehr einem Retabeltypus, der dem Abendmahl in der Bedeutung als Passionsszene lediglich einen untergeordneten Platz entweder in der Predella oder als Flügelgemälde bietet. Im Unterschied zu den niederländischen Abendmahlsretabeln handelt es sich bei den bekannten Beispielen der deutschen Kunst um geschnitzte Abendmahlsaltäre, die sich in die Retabelentwicklung dieser Region, die in den Jahren um 1500 allgemein Schnitzaltären den Vorzug gibt, einordnen. Die bekannten Abendmahlsaltäre sind nur teilweise untereinander abhängig. Während man für die niederländischen Werke von einer Entwicklung sprechen kann, an deren Beginn der Löwener Sakramentsaltar steht, lassen sich die Beispiele des deutschsprachigen Raumes in keine vergleichbare Reihe bringen. Eine Tradition wurde hier nicht begründet.

Als nachweislich innovative Konzeption müssen der Löwener Sakramentsaltar von Dirk Bouts und der Rothenburger Heiligblut-Altar von Tilman Riemenschneider gelten. Ihre ausführlich dokumentierte Entstehungsgeschichte belegt für beide Retabel einen exzeptionellen Auftrag. Während der von der Löwener Sakramentsbruderschaft für ihre zweite Kapelle in der Kirche St. Peter ebenfalls bei Dirk Bouts in Auftrag gegebene Erasmus-Altar traditionell das Martyrium des Heiligen im Zentrum darstellt, verläßt die Wahl des Abendmahles als Hauptthema eines Retabels den Rahmen gängiger Altarprogramme. Die Szene, die bisher nur in anderen, deutlich weniger repräsentativen Zusammenhängen in der niederländischen Kunst gestaltet worden war, mußte nun in einer den Ansprüchen einer zentralen Retabeldarstellung genügenden Weise wiedergegeben werden. Der Vertrag zwischen der auftraggebenden Bruderschaft und Dirk Bouts schreibt dem Künstler die Beratung duch zwei Theologen vor, deren Anteil jedoch nur vermutet werden kann. Da die inhaltliche Gestaltung des Abendmahles in der Formulierung des biblischen Ereignisses die ikonographische Tradition an Präzision deutlich übertrifft, darf man jedoch von einem fundierten theologischen Konzept nicht nur für die Auswahl der Szenen, sondern auch für die einzelnen Gemälde ausgehen. Von Dirk Bouts wird die neu zu leistende Bilderfindung des Abendmahles mit der künstlerischen Bewältigung der Wiedergabe einer

[1] Schlemmer 1975, 17f.

Szene in einem Innenraum mit dem Mittel der Zentralperspektive verbunden. Das Sakramentsretabel in Löwen ist zu Lebzeiten des Dirk Bouts nicht vollendet worden. Will man nicht einen finanziellen Engpaß der Bruderschaft konstruieren, so deutet diese Beobachtung auf eine zum Zeitpunkt der Auftragsvergabe nicht endgültig feststehende Konzeption des Retabelprogrammes. Statt die Flügelaußenseiten von Albert Bouts vergolden zu lassen, hätte man ihn auch die fehlenden Gemälde nachliefern lassen können. Daran scheint die Löwener Sakramentsbruderschaft jedoch nicht mehr interessiert gewesen zu sein. Das geplante, jedoch bei Vertragsabschluß mit Dirk Bouts nicht vollständig festliegende Programm war offenbar verändert worden.
Auffallenderweise ist auch das Rothenburger Retabel nicht in der ursprünglich geplanten aufwendigen Form mit bemalten Flügelaußenseiten und Standflügeln vollendet worden. Der auftraggebende Rat der Stadt Rothenburg hat nachweislich alle für das Retabel notwendigen Aufträge einzeln vergeben. Obwohl man von einer vorliegenden Gesamtkonzeption am Beginn des Projektes auszugehen hat, wurde der bereits fertiggestellte Schrein umgearbeitet, zusätzlich gibt es gegenüber dem Vertrag mit Riemenschneider geringfügige inhaltliche Änderungen im figürlichen Programm. Riemenschneider nutzt, wie schon Dirk Bouts, den anspruchsvollen Auftrag zu einer Gestaltung der Abendmahlsszene, die über die ikonographische Tradition entscheidend hinausgeht und das Thema, das in Rothenburg durch das Programm in den Erzählzusammenhang der Passion eingebunden ist, in ungekannter Weise erzählerisch zugespitzt. Die Entwicklung beider als innovativ zu bezeichnenden Retabel ist offenbar von künstlerischen und theologischen Auseinandersetzungen getragen, die nicht nur zu einem neuartigen Auftrag führen, sondern den Entstehungsprozeß begleiten.

Für die Rezeption dieser Retabel lassen sich drei Gruppen unterscheiden. Die erste Gruppe bilden diejenigen Werke, in denen das Vorbild sowohl dem für die Programmkonzeption verantwortlichen Auftraggeber oder Theologen bekannt war, als auch dem Künstler als Vorbild diente. Hierzu zählen die frühen niederländischen Beispiele, die insgesamt von dem Löwener Werk abhängig sind. Für die späteren Abendmahlsaltäre des 16. Jahrhunderts darf die in Löwen entwickelte Ikonographie als Allgemeingut gelten, die künstlerische Realisierung wird in der Formulierung der Details den neuen stilistischen Bedürfnissen angepaßt.
Die zweite Gruppe wird durch Werke bestimmt, für die das Programm offensichtlich verbal zwischen den Auftraggebern vermittelt wird. Die Künstler hingegen arbeiten ohne Auseinandersetzung mit dem Programmvorbild und beziehen ihre Anregung aus ihrer eigenen künstlerischen Tradition. Das Programm des Löwener Sakramentsaltares wird in dieser Form für das Retabel der Lübecker Sakramentsbruderschaft aufgegriffen. Ebenfalls ohne Auseinandersetzung mit der künstlerischen Realisierung wird das Programm des Heiligblut-Altares von Riemenschneider für das Niederstettener Retabel übernommen.
Die dritte Form der Rezeption beschreibt die ausschließlich künstlerische Vermittlung bestimmter Kompositionsschemata und Motive. Die Löwener Gemälde des Dirk Bouts dienten im ausgehenden 15. Jahrhundert für die gesamte niederländische Malerei als Vorbild, selbst dann, wenn die Ikonographie der Sakramentseinsetzung zugunsten der Judaskommunion verändert wurde. Zeichnungen belegen zusätzlich eine breite Auseinandersetzung und den Transfer einzelner Motive[2]. In der Nachfolge Tilman Riemenschneiders wird die Rothenburger Abendmahlskomposition wiederholt aufgegriffen, die für die konkrete Aufstellung entwickelte Besonderheit der unhierarchischen Erzählung ist je-

doch durchgängig aufgegeben worden. Eine der Löwener Darstellung von Dirk Bouts vergleichbare Nachfolge hat das Rothenburger Werk allerdings nicht erfahren.

Der Löwener Sakramentsaltar sowie die in seiner Nachfolge entstandenen Retabel verwenden für das zentrale Abendmahl die Ikonographie der Sakramentseinsetzung. Erst nach 1500 wird in niederländischen Abendmahlsaltären die Judaskommunion dargestellt. Frühestes Beispiel eines repräsentativen Abendmahlsretabels, das die Ikonographie der Judaskommunion wählt, ist der Rothenburger Heiligblut-Altar von Tilman Riemenschneider. Die Ikonographie der Sakramentseinsetzung gewährleistet eine nicht nur inhaltlich, sondern auch formal hierarchisch hervorgehobene Figur. Christus, der die Hostie segnet, ist trotz des szenischen Zusammenhanges des Themas deutliches Zentrum der Darstellung. Diese Ikonographie kommt daher der Verwendung des Abendmahles als Hauptdarstellung eines Retabels entgegen. Bei Darstellungen der Judaskommunion in Abendmahlsretabeln wird Christus entsprechend in der Mitte der formalen Komposition angeordnet und meist in vergrößertem Figurenmaßstab hervorgehoben. Der Rothenburger Heiligblut-Altar verläßt diese Tradition, indem nicht mehr eine repräsentative Figur dominiert, sondern die Wiedergabe der Erzählung. Diese Konzeption ist jedoch nicht aufgegriffen worden.
Dennoch wird für die Darstellung des Abendmahles am Beginn des 16. Jahrhunderts die Erzählung zunehmend wichtiger. Die Bildtradition bietet für diese Interpretation des Themas unterschiedliche Darstellungsformen an, die Judaskommunion mit exponiertem Verräter oder das Darreichen der Eucharistie durch einen weiteren Apostel. Beide Formen veranschaulichen mit jeweils anderem Akzent die Entscheidung zwischen würdigem beziehungsweise unwürdigem Kommunionsempfang sowie das Leiden Christi an der unwürdigen Kommunion des Verräters. Die in Auseinandersetzung mit der Bilderfindung Leonardos geschaffenen Kompositionen von Dürer erhöhen das Maß an Psychologisierung, indem nicht mehr die äußere Handlung nacherzählt, sondern die emotionale Reaktion der Apostel auf die verbale Verratsankündigung zentrales Anliegen der Darstellung wird. Gleichzeitig leisten beide Werke von Dürer die repräsentative Wiedergabe der Szene, indem sie Christus ohne direkte Einbindung in eine Interaktion zum deutlichen Zentrum machen. In ihrer Verbindung von psychologischer Interpretation des Themas und hierarchischer Repräsentativität konnten die Holzschnitte vor allem der Kleinen, aber auch der Großen Passion zum beliebten Vorbild für die Abendmahlsikonographie und die Hauptdarstellungen von Abendmahlsretabeln im 16. Jahrhundert werden.

Die veränderte Eucharistiefrömmigkeit um 1500 vermag die Wandlung der Erzählform von der priesterlichen Sakramentseinsetzung durch Christus zur fast dramatisch ausgestalteten Verratsankündigung während der Judaskommunion zu erläutern. Für die Abendmahlsdarstellungen im Zentrum der einzelnen Retabel läßt sich einhergehend mit einer allgemein feststellbaren Entwicklung, eine Veränderung vom Repräsentationsbild zu größerer Erzählung des Geschehens nachweisen. Das Abendmahl, das als isolierte Szene die komplexe Meßtheologie der katholischen Kirche nicht darzustellen vermag, rückt als biblische Einsetzung des Sakramentes in den Jahren um und nach 1500 deutlich in den Blickbereich der Eucharistiefrömmigkeit. Inhaltlich wird in diesen Jahren eine

---

[2] Vgl. beispielsweise eine im Berliner Kupferstichkabinett aufbewahrte Zeichnung mit zwei Figuren aus dem Passahmahl nach Dirk Bouts (KdZ 1371); Bock/Rosenberg 1931, 2.

Verbindung von biblischem Abendmahl und Meßtheologie ablesbar, die die Meßtheologie zunehmend sichtbar in Abhängigkeit zum biblischen Text setzt. Die Aufwertung der Abendmahlsaltäre spiegelt somit eine Situation des Eucharistieverständnisses, die nicht zuletzt durch dogmatische Ermüdung und Verunsicherung geprägt ist, am »Vorabend der Reformation«.

Ausblick

Als Luther 1530 das Abendmahl zum bevorzugten Thema für Altäre in den evangelisch-lutherischen Kirchen erklärte[1], wertete er das Bildthema in vorher nicht bekannter Weise auf. Ohne den Denkmälerbestand ausreichend zu prüfen, schloß die Forschung ausgehend von dieser Äußerung des Reformators, die Ausstattung evangelischer Kirche bevorzuge seither das Abendmahl als Bildthema für Retabel[2].
Ein Teil der früher evangelischen Retabel besitzt in der Tat ein zentrales Abendmahl. Als offenbar frühestes für die neue lutherische Liturgie geschaffenes Abendmahlsretabel zeigt der 1537 datierte Altar der Spitalkirche zu Dinkelsbühl im Zentrum den Text der Einsetzungsworte, flankiert von geschnitzten Schrifttafeln der Zehn Gebote[3]. Nur literarisch bezeugt ist ein zweites im gleichen Jahr, 1537 entstandenes Retabel für die Pfarrkirche St. Georg zu Dinkelsbühl, das ein mittleres Abendmahlsgemälde besessen haben soll, darunter angebracht in goldenen Buchstaben der Text der Einsetzungsworte und auf beiden Seiten der Text der Zehn Gebote[4].
Ebenfalls nicht erhalten ist das älteste Abendmahlsretabel aus der Wittenberger Cranach-Werkstatt. Entgegen der verbreiteten Meinung, in der Schloßkirche zu Torgau sei die Forderung Luthers nach einem bildlosen Altar verwirklicht gewesen[5], während der Bilderschmuck letztlich als Zugeständnis des Reformators an die Mehrheit der Gläubigen zu werten sei, besaß die Torgauer Kapelle einen Abendmahlsaltar[6]. Das zentrale Abendmahl war in den Kontext der Passion gestellt. Bekanntestes Beispiel eines evangelischen Abendmahlsretabels dürfte der Altar der Wittenberger Stadtkirche sein, der vermutlich 1547 von der Cranach-Werkstatt geschaffen wurde[7]. Das Abendmahl wird hier von den Darstellungen der Sakramente von Taufe und Beichte auf den Flügeln und der Predigt, deren Gegenstand der anwesende Gekreuzigte ist, in der Predella ergänzt. Dieses Retabel ist das einzige bekannte Beispiel, das das Abendmahl in einen Sakramentszyklus integriert. Selbst im evangelischen Bereich ist dieses Programm nicht rezipiert worden. Der Sakramentsaltar Michael Ostendorfers[8] beispielsweise folgt einem anderen Schema, das biblische Legitimation und Sakrament gegenüberstellt. Die Zuschreibung des Wittenberger Programmes an Luther kann vermutlich nicht aufrecht erhalten werden[9]. Alle weiteren

---

[1] Luther, WA 31, 45.
[2] Zuletzt Christensen 1979, 147-154, bes. 150; immer noch grundlegend Thulin 1955 sowie Eggert 1937; hilfreich auch die Bibliographie von P. und L. Parschall 1986.
[3] Zuletzt »Martin Luther und die Reformation ...« 1983, Kat. 540, wichtig aber auch Bürckstümmer 1914.
[4] Bürckstümmer 1914, 82.
[5] Vgl. beispielsweise Eggert 1937, 436 und vor allem Christensen 1979, 139.
[6] Krause 1983, 396f. mit der älteren Literatur.
[7] Thulin 1955, 9-32; Christensen 1979, 139-141.
[8] Christensen 1979, 139-141, »Martin Luther und die Reformation ...« 1983, Kat. 539.
[9] Eine eigene Untersuchung ist in Arbeit.

»Cranach-Altäre der Reformation«[10] besitzen andere Programme und weisen dem Abendmahl die untergeordnete Predella zu. Das gleiche gilt für die Altarwerke der zweiten Generation, die größtenteils in der Dresdener Walter-Werkstatt geschaffen wurden[11]. Von einer Standard-Ausstattung evangelischer Kirchen mit Abendmahlsaltären kann im 16. Jahrhundert nicht gesprochen werden.

Vergleicht man die bekannten evangelischen Retabel, die bis zur Jahrhundertmitte des 16. Jahrhunderts entstanden, so ist das verlorene Retabel der Dinkelsbühler Georgskirche das einzige bekannte Beispiel, das die von Luther geforderte Ergänzung des Abendmahlsgemäldes mit den Schriftworten in goldenen Buchstaben[12] verwirklicht. Selbst die Abendmahlsdarstellungen der Wittenberger Cranach-Werkstatt kommen ohne Textwiedergabe aus, ein Beleg dafür, daß die Äußerung Luthers offenbar nicht als bindend angesehen wurde. Von einer Norm kann somit nicht gesprochen werden. Die Einschränkung der für den evangelischen Gebrauch nach den vehementen Diskussionen zur Bilderfrage[13] noch möglichen Bildthemen führt geradezu zwangsläufig zu einer statistischen Häufung weniger Themen und somit auch zu einer größeren Zahl von Abendmahlsaltären. Ursache hierfür ist jedoch nicht Luthers Äußerung von 1530.

Anders als die Abendmahlsaltäre, die für altkirchliche Aufträge geschaffen wurden, schmücken die evangelischen Beispiele in der Regel den Hauptaltar der jeweiligen Kirche. Durch die Veränderungen der Liturgie waren Seitenaltäre obsolet geworden. Die Aufwertung der Abendmahlsaltäre in der evangelischen Kirche ist als Folge einerseits der liturgisch bedingten Verringerung von Aufstellungsmöglichkeiten und andererseits der theologischen Verdrängung einer Reihe altkirchlicher Bildthemen zu werten. Durch das veränderte Verständnis des Altarsakramentes fielen alle diejenigen Bildthemen aus, die der Veranschaulichung des nunmehr verworfenen Meßopfers und der vehement bekämpften Transsubstantationslehre gedient hatten. Statt der Gregorsmesse konnte das biblische Abendmahl die Implikationen des lutherischen Sakramentsverständnisses, das seine Legitimation ausschließlich aus dem biblischen Text bezog, zum Ausdruck bringen.

In der Praxis kirchlicher Ausstattungen scheint man auch in evangelischen Gemeinden die aus den altkirchlichen Gewohnheiten übernommene Praxis der freien, durch keine bindenden Vorschriften geprägte Verfügung über die Konzeption von Retabelprogrammen beibehalten zu haben. Die überlieferten Richtlinien besaßen wie auch vor der Reformation ausschließlich negativen Charakter – nur daß nach der Reformation mehr verboten war.

Auf katholischer Seite werden vorwiegend in den Niederlanden während der Jahre des Tridentinums von einigen Sakramentsbruderschaften Abendmahlsretabel in Auftrag gegeben[14]. Die Darstellungsprogramme kombinieren das zentrale Abendmahl durchgängig

---

[10] So der Titel von Thulins Untersuchung von 1955. Eine Abendmahlsdarstellung in der Predella besitzen: Das Schneeberger Retabel von 1539, der Weimarer Altar von 1555 sowie das Kemberger Retabel von 1565; vgl. Thulin 1955. Die Abendmahlstafel in Dessau wird fälschlich als Retabel bewertet, sie schmückte ursprünglich ein Epitaph.

[11] Oertel 1972; ders. 1974, 228-231.

[12] Vgl. Luther, WA 31, 415.

[13] Stirm 1977.

[14] Das Retabel für die Kirche St. Severin von Bartholomäus Bruyn, um 1550/55; heute im Diözesanmuseum Köln; das zentrale Abendmahl wird ergänzt links durch die Begegnung zwischen Abraham und Melchisedech, rechts durch die Mannalese, außen: Heilige; Tümmers 1964, Kat. A 178.

mit alttestamentlichen Präfigurationen. Nach den kontroversen Auseinandersetzungen in der ersten Hälfte des 16. Jahrhunderts bildet die dogmatische Festlegung des Meßopfers Hauptbestandteil der Beschlüsse des Tridentinischen Konzils. Die Typologie leistet hierbei entscheidende Argumentationshilfe[15]. Die in diesen Jahren auf altgläubiger Seite in Auftrag gegebenen Retabel dürfen als Versuch bewertet werden, unter Rückgriff auf die in Löwen entwickelte Programmkonzeption eines Retabels für Sakramentsbruderschaften, die biblische Begründung des katholischen Sakramentsverständnisses zu veranschaulichen. Eine konfessionelle Zuordnung von Altarprogrammen hat demzufolge mehr zu beachten als die von Luther vorgeschriebene Wahl des Abendmahles als Hauptthema.

Entscheidender für die Entwicklung sakraler Ikonographie scheint die Tatsache, daß sich der Reformator in bisher nicht gekannter Weise normativ zum Bilderschmuck für Altäre äußert. Gleichwohl leistet diese Passage aus dem Kontext einer Psalmauslegung keine zwingende Richtlinie für die künstlerische Produktion. Auf katholischer Seite wurde mit dem Bilderdekret des Tridentinischen Konzils und vor allem mit den nachfolgenden Ausführungsbestimmungen[16] ebenfalls ein normsetzender Schritt vollzogen, nun jedoch mit bindender Autorität. Eine Beschäftigung mit protestantischer Ikonographie hätte zu klären, ob nicht erst in den Jahren der lutherischen Orthodoxie um 1580 Äußerungen des Reformators zu nicht-dogmatischen Fragen wie der Verwendung von Bildern im kirchlichen Kontext mit größerer Autorität behandelt wurden als vorher. Der entscheidende Bruch mit der seit dem Mittelalter tradierten Ikonographie scheint erst in der Entwicklung nach dem Tridentinum beziehungsweise dem Durchgreifen der lutherischen Orthodoxie vollzogen – doch das muß Thema einer eigenen Untersuchung sein.

Das 1559 datierte Triptychon für die Sakramentsbruderschaft der Kirche St. Salvator zu Brügge von Pieter Pourbus; die Flügelgemälde zeigen links die Begegnung zwischen Abraham und Melchisedech, rechts die wunderbare Speisung des Elia, außen: Gregorsmesse; »Pieter Pourbus ...« 1984, Kat. 6.

Das Retabel für die Sakramentskapelle der Kirche St. Georg zu Antwerpen von Ambrosius Francken d. Ä.; Museum Antwerpen; das mittlere Abendmahl wird flankiert von der Begegnung zwischen Abraham und Melchisedech links und vom Emmausmahl rechts; Katalog Antwerpen 1957, Nr. 136-140.

[15] Das Meßopferdekret wurde in der 22. Sitzung des Konzils am 17. 9. 1562 festgelegt; Denzinger 937a-956, vgl. besonders Denzinger 938; vgl. auch Iserloh 1985, 414-443.

[16] Vgl. Jedin (1935) 1966.

Abendmahlsaltäre vor der Reformation – Katalog

Kat. 1 *(Abb. 1)*
Terrakotta-Gruppe des Abendmahles
Nürnberg St. Lorenz
Maße: größte Höhe 53,9 cm (Christus), maximale Breite 117,6 cm, maximale Tiefe 23,8 cm.
Ursprünglich Mittelgruppe eines Retabels, Flügel verloren.
Entstanden vermutlich in einer mittelrheinischen Werkstatt um 1425.
Ursprünglicher Ausstellungsort: unbekannt; eine Verwendung im privaten Kontext ist wahrscheinlich.
Auftraggeber: vermutlich eine Stiftung der Familie Imhoff.
Die Themen der Flügeldarstellungen sind nicht mehr bekannt.
Ikonographie des Abendmahles: Judaskommunion.

Provenienz: Die Abendmahlsgruppe wurde im 16. Jahrhundert in einen modernen, auf dem Johannes-Altar der Nürnberger Lorenzkirche aufgestellten Altaraufsatz integriert. Während die Forschung bisher immer von einer Konzeption des neuen Retabels ausging, die von Anfang an das Abendmahl enthielt, datieren Vetter/Oellermann (1988) die Einfügung der Terrakottagruppe in die Jahre nach der Einführung der Reformation in Nürnberg, möglicherweise in das Jahr 1528.

Literatur: noch immer Wilm 1929, 48-49; zur Restaurierung Oellermann 1976. Zur Neuverwendung der Gruppe im 16. Jahrhundert zuletzt Vetter/Oellermann 1988; vgl. aber auch Rasmussen 1974, 72-77; Kaiser 1978, AK 139; Stafski 1978; Decker 1985, 159-162, hier die ältere Literatur.

Kat. 2 *(Abb. 2a-b)*
Retabel in der Eremità des San Bartolomé bei Villahermosa/Spanien
Maße: 255 x 234 cm.
Gemalte Altartafel, um 1415 in Valencia, möglicherweise in der Werkstatt von F. Serra II geschaffen.
Ursprünglicher Aufstellungsort: nicht überliefert.
Auftraggeber: nicht bekannt.
Das zentrale Abendmahl wird ergänzt durch: Verkündigung, Geburt Christi, Kreuzigung, vier Szenen einer Hostienlegende sowie stehende Heilige.
Ikonographie des Abendmahles: Sakramentseinsetzung durch Segnung der Hostie.

Literatur: Post 1930, Bd. 3, 124-127, Abb. 299; Trens 1952, Abb. 47-48; Wehli 1982, Nr. 19; zuletzt Sobré 1989, 211, Abb. 136.

Kat. 3 *(Abb. 3a-f)*
Dirk Bouts: Altar für die Löwener Sakramentsbruderschaft
Löwen St. Peter, zweite nördliche Chorumgangskapelle
Maße: Mitteltafel 180 x 150 cm (licht), Flügelbilder je 88,5 x 71,5 cm (licht 85 x 68 cm).
Gemalter Flügelaltar mit nicht erhaltener bekrönender Skulptur.
Die Gemälde wurden zwischen 1464 und 1468 von Dirk Bouts geschaffen, der Vertrag ist überliefert.
Ursprünglicher Aufstellungsort: auf dem Altar in der zweiten nördlichen Chorumgangskapelle der Kirche St. Peter zu Löwen.
Auftraggeber: die Löwener Sakramentsbruderschaft.
Programm: mittleres Abendmahl ergänzt durch vier alttestamentliche Präfigurationen, die Begegnung zwischen Abraham und Melchisedech, Passahmahl, Mannalese und die wunderbare Speisung des Elia; die Flügelaußenseiten sind vergoldet; die bekrönende Marienskulptur ist verloren.
Ikonographie: Sakramentseinsetzung durch Segnung der Hostie.

Rekonstruktion: Seit der technischen Untersuchung (Levève/Molle 1960) kann die bereits von Friedländer vorgeschlagene Anordnung der Tafeln als gesichert gelten: Mitteltafel mit dem Abendmahl, links oben die Begegnung zwischen Abraham und Melchisedech, unten das Passahmahl, rechts oben die Mannalese und unten die Speisung des Elia in der Wüste. Das Retabel ist heute entsprechend rekonstruiert und in Löwen zu sehen, während Schöne (1938) dort noch eine abweichende Rekonstruktion vorfand. Der Erhaltungszustand der Tafeln kann als gut bezeichnet werden. Die Außenseiten der Flügel weisen keine szenische Bemalung auf[1].

Provenienz: Haupttafel und Flügelgemälde sind, offenbar bei einer Neuausstattung der Kapelle Anfang des 18. Jahrhunderts, getrennt worden[2]. Während die Mitteltafel, wenn auch nicht am originalen Aufstellungsort, in der Löwener Peterskirche verblieb, begann für die Flügelgemälde eine Odyssee, die erst nach dem Zweiten Weltkrieg ihren, hoffentlich endgültigen Abschluß fand. Am Anfang des 19. Jahrhunderts in der Sammlung Bettendorf nachweisbar, konnten die Tafeln mit dem Passahmahl und der Speisung des Elia 1834 für die Berliner Museen erworben werden[3], während die anderen beiden Gemälde (die Begegnung zwischen Abraham und Melchisedech sowie die Mannalese) bereits 1827 mit der Sammlung Boisserée in die Alte Pinakothek München gelangt waren[4]. Alle vier Tafeln wurden nach dem 1. Weltkrieg aufgrund der Bestimmungen des Versailler Vertrages an Belgien übergeben[5]. Nach einer vollständigen Präsentation in Brüssel wurde der nunmehr wieder zusammengesetzte Altar in der Löwener Peterskirche am originalen Standort aufgestellt. Während des 2. Weltkrieges wurden die Flügelgemälde 1942 auf Befehl der Reichskanzlei »in Sicherheit« gebracht und nach Kriegsende in der Salzmine Alt-Aussee gefunden. Nachdem das Retabel 1948 zunächst in Brüssel gezeigt

---

[1] Zur Bemalung der Flügelaußenseiten vgl. den Restaurierungsbericht Levève/Molle 1960 sowie die Ausführungen im Text.
[2] Even 1870, 176 berichtet, daß um 1707 die Sakramentskapelle einen neuen Altar erhalten habe. Bei dieser Neuordnung der kirchlichen Ausstattung sind vermutlich die Flügelbilder von der Mitteltafel getrennt worden.
[3] Nr. 539 und 533.
[4] Verkaufsverzeichnis der Sammlung Boisserée Nr. 42 und 43.
[5] 2. Sektion, Art. 247 des Versailler Vertrags. Von den Bestimmungen ebenfalls betroffen waren die bis dahin in den Berliner Museen befindlichen Tafeln des Genter Altares. Der Transport wurde von Wilhelm von Bode begleitet, dessen Bericht (in: Berliner Museen Jg. XLI, 1920, Nr. 5) einen zeitgenössischen Einblick in die damalige Stimmung gibt.

worden war[6], ist es seither wieder in Löwen an seinem ursprünglichen Bestimmungsort aufgestellt[7].

Literatur: Friedländer ENP 3; Schöne 1938; Kataloge der Ausstellungen »Bouts ...« 1957/1958 sowie »Flanders ...« 1960; »Bouts ...« 1975, B/16 mit Bibliographie; Schoute/Asperen de Boer 1975; neuere Interpretationen bei Blum 1969 sowie Lane 1984, hier die ältere Literatur. Die Arbeit von Aloys Butzkamm »Bild und Frömmigkeit im 15. Jahrhundert. Der Sakramentsaltar von Dieric Bouts in der St.-Peters-Kirche zu Löwen« (Paderborn 1990) war mir bei Abschluß des Manuskriptes noch nicht zugänglich.

---

[6] »In Duitsland herwonnen kunstwerken«, Ausstellung Brüssel 1948.

[7] Die ältere Geschichte des Retabels ist bei Schöne 1938 zusammengestellt, auch bei Friedländer ENP 3, 16; die Angaben für die Zeit nach 1938 findet man in: »Bouts ...« 1957/58, 48 sowie »Flanders ...« 1960, Kat. 17.

Kat. 4 *(Abb. 4a-g)*
Paolo Ucello und Justus van Gent: Altar für die Sakramentsbruderschaft zu Urbino
Palazzo Duccale zu Urbino
Maße: die Abendmahlstafel 283,3 x 303,5 cm; die Predella 42 x 351 cm.
Gemalte Altartafel mit gemalter Predella.
Die Predella zwischen 1465 und 1467 von Paolo Uccello geschaffen, die Haupttafel 1473-1474 von Justus van Gent.
Ursprünglicher Aufstellungsort: auf dem Hauptaltar der Kirche Corpus Christi zu Urbino.
Auftraggeber: die Sakramentsbruderschaft zu Urbino.
Programm: zentrales Abendmahl und Hostienlegende in der Predella.
Ikonographie: Apostelkommunion.

Provenienz: Das Retabel befand sich ursprünglich auf dem Hauptaltar der Kirche des Corpus Christi (Pian di Mercato) bis zur Auflösung der gotischen Ausstattung im Jahre 1703[1]. Es gelangte zunächst in die benachbarte Kirche Sant' Agata, wo zu einem unbekannten Zeitpunkt Predella und Hauptgemälde voneinander getrennt wurden. Die Predella gelangte über die Zwischenstation des Collegio dei R. P. Scolopi 1861 in den Palazzo Ducale, die Haupttafel befindet sich seit 1881 ebenfalls dort. Beide Gemälde sind heute in der Galleria Nazionale delle Marche im Palazzo Ducale zu sehen, jedoch getrennt ausgestellt[2].

Literatur: Zu diesem Retabel zuletzt Lane 1984, 115-117; Katalog »Urbino ...« 1983, Kat. 12 und 13. Das Programm ist eingehend von Lavin 1967 analysiert worden, hier die ältere Literatur. Für die Abendmahlstafel von Justus van Gent zuletzt ausführlich Lavalleye 1936, hier ein genauer Zustandsbericht und die Ergebnisse der technischen Untersuchungen; weiterhin Bombe 1931 sowie Friedländer ENP 3, 99. Für die Predella siehe Pope-Hennessy 1950, 154f. Tenzer 1985 geht in ihrer Untersuchung der Hauptwerke von Justus van Gent in Urbino, der Ausstattung des Studiolo für Federico de Montefeltro, nur summarisch auf die Abendmahlstafel ein.

---

[1] Zur Chiesa Corpus Christi vgl. Scatassa 1902, der die ursprüngliche Ausstattung beschreibt und die Dokumente abdruckt.

[2] Die Angaben zur Provenienz bei Lavin 1967, hier auch die Belege.

Kat. 5 *(Abb. 5a-b)*
Antwerpener Manierist: Abendmahlsaltar
Rotterdam, Museum Boymans-van Beuningen (Inv. Nr. 2294) / eh. Berlin (Kat. 2113; Kriegsverlust)
Maße: Mitteltafel 98,5 x 91,5 cm, linker Flügel 102 x 48,5 cm.
Mitteltafel (Rotterdam) und linker Flügel (Kriegsverlust) eines gemalten Retabels.
Antwerpener Manierist, um 1510/1520.
Ursprünglicher Aufstellungsort: unbekannt.
Auftraggeber: unbekannt; möglicherweise eine niederländische Sakramentsbruderschaft.
Programm: Abendmahl, Passahmahl, die dritte Szene unbekannt.
Ikonographie: Judaskommunion

Provenienz: Beide Tafeln stammen aus der Sammlung Figdor Wien, wohin sie jedoch aus unterschiedlichem Vorbesitz gelangt sind. Die Berliner Museen erwarben die Tafel mit dem Passahmahl 1936 durch Überweisung vom Ministerium für Wissenschaft, Erziehung und Volksbildung aus dem Pfandgut der Dresdner Bank[1]; die Tafel verbrannte 1945 im Flakbunker Friedrichshain.

Literatur: Figdor 1930, Kat. 92, 93; Fränger 1972; siehe hierzu die Rezension von Bushart 1975; Bushart 1974 mit der älteren Literatur; »Kunst der Reformationszeit« 1983, Kat. A 8.

---

1 Zimmermann 1937.

Kat. 6 *(Abb. 6a-b)*
Meister der Katharinenlegende: Retabel im Bischöflichen Seminar zu Brügge
Maße: Mitteltafel 96 x 73 cm.
Gemalter Flügelaltar mit einfachem Flügelpaar.
Um 1470/80 vom Meister der Katharinenlegende geschaffen.
Ursprünglicher Aufstellungsort: unbekannt.
Auftraggeber: unbekannt.
Programm: Abendmahl, Passahmahl und wunderbare Speisung des Elia.
Ikonographie: Sakramentseinsetzung.

Literatur: Friedländer ENP 4, 48; Katalog der Ausstellung »Bouts ...« Brüssel/Delft 1957/58, Nr. 77-79; »Bouts ...« 1975, B/26 mit der älteren Literatur.

Kat. 7 *(Abb. 7)*
Albert Bouts: Mitteltafel eines Retabels
Brüssel, Musée des Beaux-Arts (Inv. Nr. 2589)
Maße: 102 x 72 cm.
Gemalte Mitteltafel eines Retabels, dessen Flügel sich nicht erhalten haben.
Ursprünglicher Aufstellungsort: unbekannt.
Auftraggeber: unbekannt.
Programm: nicht rekonstruierbar.
Ikonographie: Sakramentseinsetzung.

Literatur: Friedländer ENP 3, 49; Ausstellungskatalog »Bouts ...« 1957/58, Nr. 59 mit der älteren Literatur.

Kat. 8 *(Abb. 8)*
Meister der Grooteschen Anbetung: Abendmahlsaltar
Brüssel, Musée Royal des Beaux-Arts (Inv. Nr. 6908)
Maße: Mitte 117 x 82,5 cm, Flügel 117 x 37 cm.
Gemalter Flügelaltar mit einfachem Flügelpaar.
Um 1510/1520 vom Meister der Grooteschen Anbetung geschaffen.
Ursprünglicher Aufstellungsort: unbekannt.
Auftraggeber: unbekannt.
Programm: zentrales Abendmahl, Abschied Christi von seiner Mutter und Fußwaschung; die Flügelaußenseiten zeigen Marmor-Imitationen.
Ikonographie: Sakramentseinsetzung

Literatur: Katalog Brüssel 1984.

Kat. 9 *(Abb. 9)*
Meister der Grooteschen Anbetung (?): Abendmahlsaltar
New York, The Metropolitan Museum of Art (Gift of Pierpont Morgan 1917; Inv. Nr. 17.190.18 a-c)
Maße: Mitte 119 x 85,8 cm, linker Flügel 119,4 x 42,9 cm, rechter Flügel 119 x 43,2 cm.
Gemalter Flügelaltar mit einfachem Flügelpaar.
Um 1510/1520 vom Meister der Grooteschen Anbetung geschaffen.
Ursprünglicher Aufstellungsort: unbekannt.
Auftraggeber: unbekannt.
Programm: Abendmahl, die Begegnung zwischen Abraham und Melchisedech sowie Mannalese. Flügelaußenseiten: Adam und Eva.
Ikonographie: Judaskommunion.

Inschriften: links: Cenantibus illis aczepit; mitte: Jesus panem benedixit ac fregit deditqu(e); rechts: discipulis suis dicens; auf dem Zelt: Ave Marie ...

Literatur: Friedländer ENP 11, 43; New York 1980, Bd. 1, 57-58, Bd. 3, 353.

Kat. 10 *(Abb. 10a-b)*
Lukas Cranach d. Ä.: Altarmodell (nicht ausgeführt)
Paris, Louvre, Cabinet des dessins
Maße: 245 x 253 mm.
Zeichnung eines Altarmodelles mit einfachem Flügelpaar und Standflügeln.
1536 von Lukas Cranach d. Ä. erstellt.
Bestimmt für: die Stiftskirche zu Berlin-Cölln.
Auftraggeber: Kurfürst Joachim II. von Brandenburg.
Programm: zentrales Abendmahl mit Typologie in der Predella (die gezeichnete Szene ist

nicht zugehörig, sondern spiegelt eine spätere Planungsstufe) und stehenden Heiligen auf den Flügeln.
Ikonographie: Judaskommunion.

Literatur: Desmonts 1937, Nr. 84, T. 26; Rosenberg 1960, Nr. A23; Steinmann 1968, 88-91, Abb. 13, 14; die Magisterarbeit von Andreas Tacke zu diesem Zyklus »Untersuchungen zum Verhältnis von Passionsliturgie und bildender Kunst in den Stiftskirchen von Halle a. d. Saale und Berlin-Cölln« (FU Berlin 1986) war mit ebensowenig zugänglich wie die an der TU Berlin angenommene Dissertation von Andreas Tacke »Die katholischen Arbeiten Cranachs um 1520-1540 (Arbeitstitel)«, Berlin (msch) 1989.

Kat. 11 *(Abb. 11a-b)*
Tilman Riemenschneider: Heiligblut-Altar in der Rothenburger Jakobskirche
Maße: Gesamthöhe einschl. der Mensa 10,83 m, Höhe des Schreins 2,44 m, Breite des geöffneten Schreins 4,17 m, Breite des Schreins 2,30 m.
Schnitzaltar mit einfachem Flügelpaar und Standflügeln, nur die Sonntagswandlung sowie Predella und Gesprenge wurden ausgeführt.
Beginn der Arbeiten 1499, die Schnitzwerke wurden von Tilman Riemenschneider in den Jahren 1501-1504 geschaffen, der Vertrag hat sich erhalten.
Ursprünglicher Aufstellungsort: Altar des Heiligen Blutes auf der Westempore der Kirche St. Jakob zu Rothenburg ob der Tauber.
Auftraggeber: Rat der Stadt Rothenburg.
Programm: Abendmahl, Einzug in Jerusalem, Ölberggebet, Verkündigung, Schmerzensmann sowie die beiden eucharistischen Substanzen, die Hostienmonstranz in der Predella und Reliquiar mit dem Heiligen Blut im Gesprenge.
Ikonographie: Judaskommunion.

Provenienz: 1575 wurde das Retabel von der Westempore, dem Ort, der vor der Einführung der Reformation der Heiligblut-Verehrung gedient hatte, in den Ostchor der Jakobskirche versetzt. Nach der Restaurierung unter Heideloff 1854 wurde das Retabel an die Ostwand des südlichen Seitenschiffes verbracht. 1964 wurden eine zweite Restaurierung sowie eine technische Untersuchung durchgeführt, seit deren Abschluß das Retabel wieder an seinem ursprünglichen Bestimmungsort aufgestellt ist[1].

Literatur: Bier 1930; Gerstenberg 1962; Ress 1959, hier die ältere Literatur; Baxandall (1980) 1984 mit der Rezension von König 1984. Zur Restaurierung Oellermann 1966.

---

[1] Oellermann 1966.

Kat. 12 *(Abb. 12a-b)*
Abendmahlsaltar in der Jakobskirche zu Niederstetten
Maße: Schreinhöhe 3,12 m, Höhe der Predella 0,65 m, Breite des aufgeklappten Retabels 2,92 m, Breite zugeklappt 1,46 m, Höhe der Flügel 1,82 m[1].
Geschnitzter Flügelaltar mit einfachem Flügelpaar, die Flügelaußenseiten sind gemalt.

---

[1] Nach freundlicher Mitteilung durch Herrn Pfarrer K. Meyer, Niederstetten.

Unbekannter Bildschnitzer und Maler, um 1520.
Ursprünglicher Aufstellungsort: vermutlich die Niederstettener Jakobskirche.
Auftraggeber: unbekannt.
Programm: Abendmahl, Ölberggebet, Gefangennahme, Kreuzannagelung, Kreuztragung, Kreuzigung, Flügelaußenseiten; Beweinung und Grablegung.
Ikonographie: verbale Verratsankündigung.

Literatur: Schuette 1907, Kat. S. 171f.; Dehio 1964.

Kat. 13 *(Abb. 13)*
Abendmahlsaltar in der Peterskirche zu St. Lambrecht/Kärnten
Maße: Schrein 1,45 x 1,20 m.
Geschnitzter Flügelaltar mit einfachem Flügelpaar.
Kärntener Bildschnitzer, um 1515/20.
Ursprünglicher Aufstellungsort: Hauptaltar der Pfarrkirche zu Aflenz/Kärnten.
Auftraggeber: unbekannt.
Programm: Abendmahl, Fußwaschung, Ölberggebet, Geißelung, Dornenkrönung, Kreuztragung.
Ikonographie: Judaskommunion.

Literatur: Garzarolli 1941, 88, 129 mit Abb. 110; St. Lambrecht 1951, 134 mit Abb. 201, 205-207; Dehio 1982, 415f.

Kat. 14 *(Abb. 14a-b)*
Retabel auf dem Hauptaltar der Margarethenkapelle auf der Nürnberger Burg (im 2. Weltkrieg zerstört)
Maße: nicht bekannt.
Schnitzaltar mit einfachem Flügelpaar.
Unbekannter Künstler, um 1520.
Ursprünglicher Aufstellungsort: vermutlich der Hauptaltar der Margarethenkapelle auf der Nürnberger Burg.
Auftraggeber: unbekannt.
Programm: Abendmahl, Pfingsten, Christi Himmelfahrt, Gastmahl des Ahasver (Inschrift), Petrus und Paulus, Predella: geöffnet: Fußwaschung, Christus und Thomas, geschlossen: Ölberggebet, Gefangennahme, Flügelaußenseiten: Rosenkranz, Fegfeuer, Gregorsmesse.
Ikonographie: Judaskommunion.

Literatur: Mummenhoff 1913, 59ff. und Abb. nach S. 64; Rasmussen 1974, 62f. und Abb. 12.

Kat. 15 *(Abb. 15)*
Michael Parth: Retabel in Sauris di Sopra
Maße: nicht publiziert.
Schnitzaltar mit einfachem Flügelpaar.
Von Michael Parth 1551 geschaffen.

Ursprünglicher Aufstellungsort: unbekannt.
Auftraggeber: unbekannt.
Programm: Abendmahl, Einzug in Jerusalem, Ölberggebet, Eherne Schlange, Mannalese, Flügelaußenseiten: Verkündigung.
Ikonographie: Judaskommunion.

Literatur: Marchetti/Nicoletti 1956, 96 mit den Abb. 147-151; Egg 1962, 108 mit den Abb. 22, 23, hier die ältere Literatur; »Friuli ...« 1983, Nr. 45.

Kat. 16 *(Abb. 16)*
Schuster-Altar in der Stadtpfarrkirche St. Johannes und St. Martinus zu Schwabach
Maße: Höhe des Schreines 1,53 m, Breite des Schreines 1,23 m.
Schnitzaltar mit gemalten Flügeln.
Unbekannter Bildschnitzer und Maler um 1510.
Ursprünglicher Aufstellungsort: der Zwölf-Boten-Altar in der Schwabacher Kirche St. Johannes und Martinus.
Auftraggeber: der Schwabacher Pfarrer Johannes Linck.
Programm: zentrales Abendmahl mit stehenden Heiligen, im geschlossenen Zustand: Apostelabschied.
Ikonographie: Judaskommunion.

Literatur: Zu diesem Retabel zuletzt Pilz 1979, 147-150; vgl. auch Fries 1930; Funk 1938, 43ff.; Mader 1939, 50f.; zur Zuschreibung auch Aufsess 1963, 94.

Kat. 17 *(Abb. 17)*
Utrechter Meister: Abendmahlsaltar
Centraal Museum Utrecht (Leihgabe der »Stichting Nederlandsch Kunstbezit«)
Maße: Mitte: 150 x 94 cm, Flügel: 150 x 39.
Gemalter Flügelaltar mit einfachem Flügelpaar.
Gemalt um 1521 von einem namentlich nicht faßbaren Utrechter Künstler.
Ursprünglicher Aufstellungsort: Altar der Hlg. Märtyrer in der Kartäuserkirche zu Utrecht.
Auftraggeber: Mitglieder der Utrechter Familien Pauw und Zas.
Programm: Abendmahl mit Stiftern und stehenden Heiligen (im Hintergrund Passionsszenen), Flügelaußenseiten: Heilige.
Ikonographie: Verratsankündigung durch Judaskommunion.

Literatur: Utrecht 1952, Nr. 289, mit der älteren Literatur, bes. Luttervelt 1947 sowie Scholtens 1952.

Kat. 18 *(Abb. 18)*
Umkreis des Jacob Cornelisz. van Oostsanen: Abendmahlsaltar
Amsterdam Rijksmuseum (Inv. 4294)
Maße: Mitte: 32,8 x 26,2 cm, Flügel: 33 x 12 cm.
Gemalter Flügelaltar mit einfachem Flügelpaar.

Entstanden um 1525 im Umkreis von Jacob Cornelisz. van Oostsanen.
Ursprünglicher Aufstellungsort: für die private Andacht.
Auftraggeber: Adriana van Roon und Dirk Pietersz. Spangert.
Programm: Abendmahl und Stifter mit ihren Patronen (Jacobus der Ältere und Maria Magdalena), Flügelaußenseiten: Wappen.
Ikonographie: Verratsankündigung durch Judaskommunion.

Literatur: Zuletzt »Kunst voor de beldenstorm« 1986, Cat. 21 mit der älteren Literatur; für die Identifizierung der Stifter Moor 1981.

Katalog – Anhang *(Abb. 19a-c)*
Henning van der Heide: Retabel für die Sakramentsbruderschaft zu Lübeck.
Lübeck St. Annen-Museum (Inv. 4, 5, 7)
Maße: Mittelschrein h 238,5 cm, br 134,5 cm, t 30 cm; Flügel h 238,5 cm, br 67 cm, t 22 cm; Standflügel h 256 cm, br 67 cm; Predella h 83 cm, br maximal 297 cm, t 56 cm.
Geschnitzter Flügelaltar mit doppeltem Flügelpaar und Standflügeln sowie geschnitzter Predella.
1496 datiert.
Ursprünglicher Aufstellungsort: Altar der Sakramentsbruderschaft in der Lübecker Burgkirche.
Auftraggeber: Sakramentsbruderschaft zu Lübeck.
Programm: Gregorsmesse mit Typologie.

Zahlreiche Fehlstellen. Die ursprüngliche Fassung der Skulpturen ist in wesentlichen Teilen erhalten.

Die Hauptansicht des Retabels zeigt als zentrales Bildthema die Gregorsmesse, die in den vier reliefierten Bildfeldern der Flügelinnenseiten durch vier typologische Szenen, Abraham und Isaak, das Passahmahl, die Mannalese sowie die Begegnung zwischen Abraham und Melchisedech, ergänzt wird. Das Abendmahl ist in die Predella verschoben.
Die erste Wandlung ist zwei Themenkreisen gewidmet. Die mittleren vier Bildfelder zeigen einen zweiten eucharistischen Zyklus mit Gregorsmesse, Speisung des Elia, Austeilung der Kommunion an die Gemeinde und dem Gastmahl des Ahasver. Die vier äußeren Darstellungen präsentieren Szenen aus dem Leben des Evangelisten Johannes. Die Erzählung beginnt links oben mit der Predigt des Evangelisten Johannes, im Hintergrund sein Martyrium und der Marientod, im unteren Bildfeld folgt die Auferstehung der Drusiana mit dem aus dem Giftbecher trinkenden Johannes als untergeordneter Szene. Rechts oben wird Johannes auf Patmos gezeigt, ergänzt durch seine Einschiffung, und unten die letzte Messe des Evangelisten sowie seine Verklärung. Zwischen den Gemälden beider Innenflügel verläuft waagerecht ein ornamentierter Streifen mit Prophetenmedaillons.
Die Werktagsseite zeigt von links nach rechts Maria Magdalena, Christus als Salvator, den Evangelisten Johannes und die Muttergottes. Die einzelnen Darstellungen sind mit Inschriften versehen[1]. Die Hauptinschrift nennt die Lübecker Fronleichnamsbruderschaft als Stifter und

---

[1] Vollständig bei Wittstock 1981, Kat. 87 abgedruckt.

die Jahreszahl 1496[2]. Erhaltene Zahlungsurkunden aus den Jahren 1496 und 1497 weisen Henning von der Heide als Auftragnehmer aus[3].
Unter Schrein und Flügeln verläuft eine zweizeilige Inschrift, die das Thema der Darstellungen benennt; das Programm ist der Eucharistie und ihrer Heilswirkung gewidmet.
O SACRVM CONVIVIVM IN / QUO CHRISTVS SVMITVR RECOLITVR MEMORIA PASSIONIS / EIVS MENS IMPLETVR / GRACIA ET FVTVRE / GLORIE NOBIS PINGNVS DATVR-ANNO / DOMINI 1496[4].

Literatur: Wittstock 1981, Kat. 87; hier die ältere Literatur, besonders zu nennen: Paatz 1939, Kat. 59 mit den Abb. 177-184.

---

[2] »Expensis et donacione spectabilium honorabiliumque dominorum ac civium fratrum, fraternitatis corporis Christi facta est hec hujus altaris tabula anno Domini MCCCCXCVI«. (»Die Brüder der Fronleichnams-Bruderschaft, angesehene und ehrbare Herren und Bürger, haben diesen Schrein dieses Altares machen lassen und gestiftet im Jahre des Herrn 1496«.) Wittstock 1981, 114.

[3] Die Gregorsmesse gilt durchgängig als eigenhändiges Werk des Henning von der Heide, dessen Œuvre ausgehend vom Fronleichnamsaltar und der ebenfalls gesicherten St. Jürgensgruppe von 1505 (Lübeck St. Annen-Museum Inv. 221; Wittstock 1981, Kat. 123) stilkritisch zusammengestellt werden muß. Flügelinnenseiten und Predella werden zwei verschiedenen Mitarbeitern zugewiesen, die Malerei einem weiteren Lübecker Künstler; vgl. Wittstock 1981, Kat. 87.

[4] »O heiliges Gastmahl, in dem Christus genossen, die Erinnerung an das Leiden erneuert, die Seele mit Gnaden erfüllt und uns ein Unterpfand künftiger Herrlichkeit gegeben wird – im Jahre des Herren 1496.« Übersetzung nach Wittstock 1981, 140.

Literaturverzeichnis

Adriaen van Wesel 1980
Adriaen van Wesel. Katalog der Ausstellung Amsterdam 1980

Andersson 1980
Aron Andersson: Medieval Wooden Sculpture in Sweden. Vol. III. Late Medieval Sculpture. Uppsala 1980

André 1938
Gustav André: Konrad Kuene und der Meister des Frankfurter Mariaschlafaltares. In: Marburger Jahrbuch für Kunstwissenschaft 11, 1938, 159-280

Antwerpen 1957
Antwerpen, Musée Royal des Beaux-Arts. Catalogue descriptif. Maîtres anciens. 1957[2]

Anzelewsky 1964
Fedja Anzelewsky: Der Meister der Lübecker Bibel. In: Zeitschrift für Kunstgeschichte 27, 1964, 43-54

Appuhn 1952
Horst Appuhn: Der Bordesholmer Altar. Studien zum Werk Meister Hans Brüggemanns. Diss. (msch) Kiel 1952

Appuhn 1961
Horst Appuhn: Der Auferstandene und das Heilige Blut zu Wienhausen. In: Niederdeutsche Beiträge zur Kunstgeschichte 1, 1961, 72-138

Appuhn 1966
Horst Appuhn: Kloster Isenhagen. Kunst und Kult im Mittelalter. Lüneburg 1966

Appuhn 1982
Horst Appuhn: Bemerkungen zu Ingeborg Kähler. Der Bordesholmer Altar. In: Nordelbingen 51, 1982, 29-37

Appuhn 1983
Horst Appuhn: Der Bordesholmer Altar und andere Werke von Hans Brüggemann. Königstein/Taunus 1983

Appuhn 1985
Horst Appuhn: Die Kleine Passion von Albrecht Dürer. Dortmund 1985

Appuhn 1986
Horst Appuhn: Die drei großen Bücher von Albrecht Dürer. Dortmund 1986[2]

Aschenbrenner 1938
Thomas Aschenbrenner: »Bilderfrage (kath)«. In: RDK Bd. 2, 1938, 561-570

Aufsess 1963
Alexa von Aufsess. Die Altarwerkstatt des Paul Lautensack unter besonderer Berücksichtigung ihrer Verbindung zur Werkstatt des Pulkauer Altars. Baden-Baden/Straßburg 1963

Aurenhammer 1959-67
Hans Aurenhammer: Lexikon der Christlichen Ikonographie. Wien 1959-67

Back 1910
Friedrich Back: Mittelrheinische Kunst. Frankfurt/Main 1910

Baier 1977
Walter Baier: Untersuchungen zu den Passionsbetrachtungen in der Vita Christi des Ludolf von Sachsen. Ein quellenkritischer Beitrag zu Leben und Werk Ludolfs und zur Geschichte der Passionstheologie. (Analecta cartusiana 44) 3 Bde. Salzburg 1977

Baker 1935
Eric P. Baker: The Sacraments and the Passion in Medieval Art. In: The Art Bulletin 66, 1935, 81-89

Barrucand 1972
Marianne Barrucand: Le Retable du Miroir du Salut dans L'Œuvre de Konrad Witz. Genf 1972

Bartsch 1803-1821
Adam Bartsch: Le Peintre-Graveur. 21 Bde. Wien 1803-1821

Bartsch 1971ff.
The illustrated Bartsch. Bd. 1ff. London 1971ff.

Bauch 1969
Kurt Bauch: Aus Grünewalds Frühzeit. In: Pantheon 27, 1969, 83-98

Baudry 1950
Léon Baudry (Hrsg): La Querelle des Futurs Contingents (Louvain 1465-1475). Paris 1950

Bauer (1983)
Günter Bauer (Hrsg): Der Hochaltar der

Schwabacher Stadtkirche. Schwabach o. J. (1983)
BAUM 1976
Friedrich Baum: Die Schwabacher Stadtkirche St. Johannes d. T. und St. Martin. Eine Führung durch ihre Kunstschätze. In: Schwabacher Heimat. Blätter für Geschichtsforschung und Heimatpflege. Heimatkundliche Beilage zum Schwabacher Tagblatt 19, 1976, 1-16
BAUM 1917
Julius Baum: Deutsche Bildwerke des 10. bis 18. Jahrhunderts. Stuttgart/Berlin 1917
BAUM 1948
Julius Baum: Martin Schongauer. Wien 1948
BAUMGÄRTEL-FLEISCHMANN 1968
Renate Baumgärtel-Fleischmann: Bamberger Plastik von 1470-1520. Bamberg 1968
BAXANDALL 1980
Michael Baxandall: The Limewood Sculptors of Renaissance Germany. New Haven/London 1980
BAXANDALL 1984
Michael Baxandall: Die Kunst der Bildschnitzer. Tilmann Riemenschneider, Veit Stoß und ihre Zeitgenossen. (New Haven/London 1980) dt. München 1984
BEHLING 1957
Lottlisa Behling: Die Pflanze in der mittelalterlichen Tafelmalerei. Weimar 1957
BELTING 1981
Hans Belting: Das Bild und sein Publikum im Mittelalter. Form und Funktion früher Bildtafeln der Passion. Berlin 1981
BELTING/EICHBERGER 1983
Hans Belting und Dagmar Eichberger: Jan van Eyck als Erzähler. Worms 1983
BENESCH 1928
Otto Benesch: Zur altösterreichischen Tafelmalerei. In: Jahrbuch der kunsthistorischen Sammlungen in Wien, NF 2, 1928, 63-118
BENESCH/AUER 1937
Otto Benesch und Erwin M. Auer: Historia Friderici et Maximiliani. Berlin 1937
BENKÖ 1969
Marlene Benkö: Ungefaßte Schnitzaltäre der Spätgotik in Süddeutschland. Diss. (msch) München 1969
BERGSTRÄSSER 1941
Gisela Bergsträsser: Caspar Isenmann. Colmar 1941
BEUTLER/THIEM 1960
Christian Beutler und Gunther Thiem: Hans Holbein der Ältere. Die spätgotische Altar- und Glasmalerei. Augsburg 1960
BEUTLER 1984
Christian Beutler: Meister Bertram. Der Hochaltar von Sankt Petri. Christliche Allegorie als protestantisches Ärgernis. Frankfurt/Main 1984
BIAŁOSTOCKI 1960
Jan Białostocki : La peinture néerlandaise dans les collections polonaises 1450-1530. Catalogue Varsovie. Warschau 1960
BIAŁOSTOCKI 1966
Jan Białostocki: Les musées de Pologne. Brüssel 1966
BIEL 1963-67
Gabriel Biel: Canonis Missae Expositio. Hrsg. H. A. Oberman und W. J. Courtenay. 4 Bde. Wiesbaden 1963-1967
BIER 1925-78
Justus Bier: Tilman Riemenschneider, 4 Bde. 1925-1978 (Bd. 1: Die frühen Werke, Würzburg 1925; Band 2: Die reifen Werke, Augsburg 1930; Band 3: Die späten Werke in Stein, Wien 1973; Band 4: Die späten Werke in Holz, Wien 1978)
BIER 1955
Justus Bier: Der Meister des Wettringer Altars, ein Schüler Riemenschneiders. In: Das Münster 8, 1955, 137-149
BIER 1957
Justus Bier: Riemenschneider's Use of Graphic Sources. In: Gazette des Beaux-Arts 99, 1957, 203-222
BLOCH 1973
Peter Bloch: Eine Marienverkündigung der dunklen Zeit. In: Intuition und Kunstwissenschaft. Festschrift Hanns Swarzenski. Berlin 1973, 379-389
BLUM 1969
Shirley Neilsen Blum: Early Netherlandish Triptychs. A Study in Patronage. Berkeley/ Los Angeles 1969
BLUMENKRANZ 1965
Bernhard Blumenkranz: Juden und Judentum in der mittelalterlichen Kunst. Stuttgart 1965
BOCK 1921
Elfried Bock (Bearb): Staatliche Museen zu Berlin. Die Zeichnungen alter Meister im Kupferstichkabinett. Die deutschen Meister. Bd. 1. Berlin 1921
BOCK 1929
Elfried Bock: Die Zeichnungen in der Universitätsbibliothek Erlangen. Frankfurt/Main 1929
BOCK/ROSENBERG
Elfried Bock und Jacob Rosenberg (Bearb): Staatliche Museen zu Berlin. Die Zeichnungen alter Meister im Kupferstichkabinett. Die niederländischen Meister. Bd. 1. Frankfurt/ Main 1931

BODENSTEDT 1944
Sister M. Imm. Bodenstedt: The Vita Christi of Ludolphus the Cartusian. Washington 1944
BOMBE 1931
W. Bombe: Zur Kommunion der Apostel von Josse van Gent in Urbino. In: Zeitschrift für Bildende Kunst 65, 1931, 68f.
BOOM 1946
Gh. de Boom: Le Culte de l'Eucharistie d'après la miniature du moyen age. In: Studia Eucharistica. Antwerpen 1946, 326-332
BORCHGRAVE D'ALTENA 1948
Josef de Borchgrave d'Altena: Les retables brabançons conservés en Suède. Brüssel 1948
BOUTS 1957/58
Bouts, Dieric: Katalog der Ausstellung Brüssel/Delft 1957/58
BOUTS 1975
Bouts, Dirk en zijn tijd. Katalog der Ausstellung Löwen 1975
BRABANT 1971
Beelden uit Brabant. 1400-1520. Katalog der Ausstellung S'Hertogenbosch 1971
BRAUN 1924
Josef Braun S. J.: Der christliche Altar. 2 Bde. München 1924
BRAUN 1937
Josef Braun S. J.: »Altarretabel (kath)«. In: RDK Bd. 1, 1937, 529-564
BREITENBACH 1930
Edgar Breitenbach: Speculum Humanae Salvationis. Eine typengeschichtliche Untersuchung. Straßburg 1930
BRINKMANN 1987/88
Bodo Brinkmann: Neues vom Meister der Lübecker Bibel. In: Jahrbuch der Berliner Museen NF 29/30, 1987/88, 123-161
BROSCHEK 1973
Anja Broschek: Michel Erhart. Ein Beitrag zur schwäbischen Plastik der Spätgotik. Berlin/New York 1973
BROWE 1926
Peter Browe S. J.: Die Hostienfrevel der Juden im Mittelalter. In: Römische Quartalsschrift 34, 1926, 167-197
BROWE 1928
Peter Browe S. J.: Die Ausbreitung des Fronleichnamsfestes. In: Jahrbuch für Liturgiewissenschaft 8, 1928, 107-143
BROWE 1929
Peter Browe S. J.: Die Elevation in der Messe. In: Jahrbuch für Liturgiewissenschaft 9, 1929, 20-66
BROWE 1929 (2)
Peter Browe S. J.: Die eucharistischen Verwandlungswunder des Mittelalters. In: Römische Quartalsschrift 36, 1929, 137-169
BROWE 1935
Browe Peter S. J.: Mittelalterliche Kommunionsriten. In: Jahrbuch für Liturgiewissenschaft 15, 1935, 23-66.
BROWE 1967
Peter Browe S. J.: Die Verehrung der Eucharistie im Mittelalter. München (1933) 1967[2]
BRÜCKNER 1958
Wolfgang Brückner: Die Verehrung des Heiligen Blutes in Walldürn. Aschaffenburg 1958
BRÜSSEL 1984
Musées royaux des Beaux-Arts de Belgique. Département d'Art Ancien. Catalogue Inventaire. Brüssel 1984
BÜRCKSTÜMMER 1914
Christian Bürckstümmer: Geschichte der Reformation und Gegenreformation in der ehemaligen freien Reichsstadt Dinkelsbühl. Bd. 1, 1914
BUSHART 1974
Bruno Bushart: Jörg Ratgeb. In: Zeitschrift für Württembergische Landesgeschichte 33, 1974, 273-278
BUSHART 1975
Bruno Bushart: Rezension zu: Wilhelm Fränger. Ein Maler und Märtyrer aus dem Bauernkrieg. Dresden 1972. In: Pantheon 1975, 80
BYVANCK/HOOGEWERFF 1925
A. W. Byvanck und G. J. Hoogewerff: Noord-Nederlandsche Miniaturen. 2 Bde. S'Gravenhage 1925

CHÂTELET 1981
Albert Châtelet: Early Dutch Painting (Les Primitifs Hollandais. La Peinture dans les Pays-Bas du Nord au XVe siècle. Paris/Fribourg 1980) Amsterdam 1981
CHÂTELET 1983
Albert Châtelet: Ludolphe le chartreux et l' iconographie religieuse de la fin du moyenage. In: Von der Macht der Bilder. Beiträge des C.I.H.A.-Kolloquiums »Kunst und Reformation«. Hrsg. Ernst Ullmann. Leipzig 1983, 290-299
CHRISTENSEN 1970
Carl Christensen: Iconoclasm and the Preservation of Religious Art in Reformation Nuernberg. In: Archiv für Reformationsgeschichte 61, 1970, 205-221
CHRISTENSEN 1979
Carl Christensen: Art and the Reformation in Germany. Athens/Ohio 1979
COLLIER 1984
James M. Collier: A new perspective on Dirk Bouts. In: Pantheon 42, 1984, 49-51
COLLINSON 1986 (msch)
Howard Creel Collinson: Three Paintings by

Mathis Gothart-Neithart, called Grünewald. The Transcendent Narrative as Devotional Image. Diss. (msch) Yale University 1986

COLLINSON 1986
Howard Creel Collinson: Sacerdotal Themes in a Predella Panel of the Last Supper by Mathis Gothard-Neithart, called Grünewald. In: Zeitschrift für Kunstgeschichte 49, 1986, 301-322

COMESTOR
Petrus Comestor: Historia Scholastica. In: J. P. Migne: Patrologia Series Latina Bd. 198

CORNELL 1925
Henrik Cornell: Biblia Pauperum. Stockholm 1925

DANNHEIMER 1967
Heinrich Dannheimer: Der Meister des Wettringer Altars: Hans Beuscher von Schwäbisch Hall. In: Die Linde. Beilage zum fränkischen Anzeiger für Geschichte und Heimatkunde 49, 1967, 45-48

DAUN 1916
Berthold Daun: Veit Stoß und seine Schule in Deutschland, Polen, Ungarn und Siebenbürgen. Leipzig 1916[2] (erw.)

DAVIES 1972
Martin Davies: Rogier van der Weyden. An Essay, with a Critical Catalogue of Paintings assigned to him and to Robert Campin. London 1972 (dt. München 1972)

DECKER 1985
Bernhard Decker: Das Ende des mittelalterlichen Kultbildes und die Plastik Hans Leinbergers. (Bamberger Studien zur Kunstgeschichte und Denkmalpflege Bd. 3) Bamberg 1985

DEHIO 1964
Georg Dehio: Handbuch der deutschen Kunstdenkmäler 7. Baden-Württemberg. Bearb. Friedrich Piel. München/Berlin 1964

DEHIO 1968
Georg Dehio: Handbuch der Deutschen Kunstdenkmäler. Die Bezirke Neubrandenburg, Rostock, Schwerin. Bearb. von der Arbeitsstelle für Kunstgeschichte bei der Deutschen Akademie der Wissenschaften zu Berlin. München/Berlin 1968

DEHIO 1982
Georg Dehio: Die Kunstdenkmäler Österreichs. Steiermark. Bearb. Kurt Woisetschläger und Peter Krenn. Wien 1982

DEMMLER 1930
Theodor Demmler: Die Bildwerke des Deutschen Museums. Bd. 3. Die Bildwerke in Holz, Stein, Ton, Großplastik. Berlin/Leipzig 1930

DEMONTS 1930
Louis Demonts: Musée du Louvre. Inventaire général des dessins des écoles du nord. Ecoles allemandes et suisses. Bd. 1. Paris 1930

DENZINGER
Denzinger-Schönmetzer: Enchiridion symbolorum definitionum et declarationem de rebus fidei et morum. Freiburg/Breisgau 1976

DHANENS 1980
Elisabeth Dhanens: Hubert und Jan van Eyck. Königstein/Taunus 1980

DINZELBACHER 1977
Peter Dinzelbacher: Judastraditionen. Wien 1977

DOBBERT 1871
Eduard Dobbert: Die Darstellung des Abendmahles durch die byzantinische Kunst. In: Jahrbuch für Kunstwissenschaft 4, 1871

DOBBERT 1890-1895
Eduard Dobbert: Das Abendmahl Christi in der bildenden Kunst bis gegen Schluß des 14. Jahrhunderts. In: Repertorium für Kunstwissenschaft 13, 14, 15, 18, 1890-1895

DOBERER 1977
Erika Doberer: Die ehemalige Kanzelbrüstung des Nikolaus von Verdun im Augustiner-Chorherren-Stift Klosterneuburg. In: Zeitschrift des Deutschen Vereins für Kunstwissenschaft 31, 1977, 3-16

DROST 1963
Willi Drost: Die Marienkirche in Danzig und ihre Kunstschätze. Stuttgart 1963

DÜRER 1971
Albrecht Dürer 1471-1971. Katalog der Ausstellung Nürnberg 1971

DÜRER 1984
Albrecht Dürer. Kritischer Katalog der Zeichnungen. Hrsg. Fedja Anzelewsky und Hans Mielke. Die Zeichnungen Alter Meister im Berliner Kupferstichkabinett. Berlin 1984

DURRIEU 1902
Paul Durrieu: Heures du Turin. Très Belles Heures de Jean de France, Duc de Berry. Paris 1902

DWORSCHAK 1965
Fritz Dworschak: Der Meister der Historia (Niclas Preu). In: Die Kunst der Donauschule 1490-1540. Katalog der Ausstellung Linz 1965, 96f.

EGG 1962
Erich Egg: Die Pustertaler Altarwerkstatt am Ende der Gotik. Michael Parth und Nikolaus Bruneck. In: Veröffentlichungen des Museums Ferdinandeum in Innsbruck 42, 1962, 99-109

EGG 1985
Erich Egg: Gotik in Tirol. Die Flügelaltäre. Innsbruck 1985
EGGERT 1937
Helmuth Eggert: »Altarretabel (prot)«. In: RDK Bd. 1, Stuttgart 1937, Sp. 565-602
EHRESMANN 1966
Donald L. Ehresmann: Middle Rhenish Sculpture 1380-1440. Diss. (Mikrofilm/xerography) New York 1966
EHRESMANN 1982
Donald L. Ehresmann: Some Observations in the Role of Liturgy in the Early Winged Altarpiece. In: The Art Bulletin 64, 1982, 359-369
EINEM 1961
Herbert von Einem: Das Abendmahl des Leonardo da Vinci. Köln/Opladen 1961
ELZE 1966
Martin Elze: Das Verständnis der Passion Jesu im ausgehenden Mittelalter und bei Luther. In: Festschrift für Hanns Rückert »Geist und Geschichte der Reformation«. Berlin 1966, 127-151
EUCHARISTIA 1960
Eucharistia. Katalog zur offiziellen Ausstellung zum Eucharistischen Weltkongreß. München 1960
EVEN 1870
Edward van Even: L'ancienne école de peinture de Louvain. Brüssel/Löwen 1870
EVEN 1898
Edward van Even: Le contrat pour l'exécution du triptyque de Thierry Bouts de la collégiale de St. Pierre à Louvain. In: Bulletin de l'Academie royale de Sciences, des Lettres et des Beaux-Arts de Belgique 35, 1898, 469-479

FALK 1979
Tilman Falk: Beschreibender Katalog der Zeichnungen des 15. und 16. Jahrhunderts im Kupferstichkabinett der öffentlichen Kunstsammlung Basel. Basel/Stuttgart 1979
FASTES 1981/82
Les Fastes du Gothique – le siècle de Charles V. Katalog der Ausstellung Paris 1981/82
FEHRING/RESS 1977
Günther P. Fehring und Anton Ress: Die Stadt Nürnberg. 2. Aufl. bearb. von Wilhelm Schwemmer. München 1977
FELD 1976
Helmut Feld: Das Verständnis des Abendmahls. Darmstadt 1976
FIGDOR 1930
Die Sammlung Dr. Albert Figdor. 1. Teil Bd. 3. Gemälde. Eingel. und hrsg. Max J. Friedländer. Berlin/Wien 1930
FLANDERS 1960
Flanders in the Fifteenth Century. Art and Civilisation. Ausstellung Detroit Institute of Arts and the City of Bruges 1960
FRÄNGER 1972
Wilhelm Fränger: Jörg Ratgeb. Ein Maler und Märtyrer aus dem Bauernkrieg. Dresden 1972
FRANCASTEL 1952
Paul Francastel: Un Mystère parisien illustré par Uccello: Le miracle de l'Hostie d'Urbino. In: Revue Archéologique 39, 1952, 180-191
FRANCOTTE 1951/52
J. Francotte: Dieric Bouts, zijn kunst – zijn Laatse Avondmaal. Löwen 1951/1952
FRANZ 1963
Adolph Franz: Die Messe im deutschen Mittelalter. Beiträge zur Geschichte der Liturgie und des religiösen Volkslebens. (Freiburg 1902) unveränderter Nachdruck Darmstadt 1963
FREEDEN 1972
Max von Freeden: Tilman Riemenschneider. Leben und Werk. München 1972
FRIEDLÄNDER 1923
Max J. Friedländer: Die Lübecker Bibel. München 1923
FRIEDLÄNDER 1924-37
Max J. Friedländer: Die Altniederländische Malerei. 14. Bde. Berlin/Leyden 1924-1937
FRIEDLÄNDER ENP
Max J. Friedländer: Early Netherlandish Painting. 14 Bde. Leyden/Brüssel 1967-1976
FRIEDLÄNDER/ROSENBERG 1978
Max J. Friedländer und Jakob Rosenberg: Die Gemälde von Lucas Cranach. (Berlin 1932) London 1978
FRIES 1930
Walter Fries: Der Crispinusaltar. In: Schwabacher Heimat. Blätter für Geschichtsforschung und Heimatpflege. Heimatkundliche Beilage zum Schwabacher Tagblatt. 1930, 329-333
FRITZ 1954
Rolf Fritz: Conrad von Soest. Der Wildunger Altar. München 1954
FRIULI 1983
Mostra della scultura lignea in Friuli. Katalog der Ausstellung Udine 1983
FUNK 1938
Wilhelm Funk: Der Meister des Marthaaltares in St. Lorenz. Nürnberg/Berlin 1938
FUNKKOLLEG 1987
Funkkolleg Kunst. Hrsg. Werner Busch. 2 Bde. München/Zürich 1987

GARZAROLLI VON THURNLACKH 1941
Karl Garzarolli von Thurnlackh: Mittelalterliche Plastik in Steiermark. Graz 1941

GEILER VON KAISERSBERG 1509
Geiler von Kaisersberg: Fragmenta passionis domini. Mathias Schürer 1509
GEILER VON KAISERSBERG 1517
Geiler von Kaisersberg: Evangelia mit ußlegung. Grüninger 1517
GERSON 1971
Jean Gerson: Œuvres complètes. Vol VIII. L'Œuvre spirituelle et pastorale. Paris 1971
GERSTENBERG 1934
Kurt Gerstenberg: Riemenschneider und der niederländische Realismus. In: Zeitschrift des Deutschen Vereins für Kunstwissenschaft 1, 1934, 37-48
GERSTENBERG 1962
Kurt Gerstenberg: Tilman Riemenschneider (1941). München 1962[5]
GILBERT 1974
Creighton E. Gilbert: Last Suppers and their Refectories. In: The Pursuit of Holiness in Late Medieval and Renaissance religion. Hrsg. Charles Trinkaus und Heiko A. Oberman. Leiden 1974, 371-402
GMELIN 1974
Hans Georg Gmelin: Spätgotische Tafelmalerei in Niedersachsen und Bremen. München/Berlin 1974
GMELIN 1984
Hans Georg Gmelin: Neufunde spätgotischer Tafelmalerei in Niedersachsen. In: De Arte et Libris. Festschrift Erasmus 1934-84. Amsterdam 1984
GOPPELT 1966
Leonhard Goppelt: Typos. Die typologische Deutung des Alten Testaments im Neuen. (1939) Darmstadt 1966
GORISSEN 1969
Friedrich Gorissen: Ludwig Jupan von Marburg. Düsseldorf 1969
GORISSEN 1973
Friedrich Gorissen: Das Stundenbuch der Katharina von Kleve. Analyse und Kommentar. Berlin 1973
GOTIK IN TIROL 1950
Gotik in Tirol. Malerei und Plastik des Mittelalters. Katalog der Ausstellung Innsbruck 1950
GROSSHANS 1981
Rainald Grosshans: Rogier van der Weyden. Der Marienaltar aus der Kartause Miraflores. In: Jahrbuch der Berliner Museen 23, 1981, 49-112
GÜMBEL 1928
Albert Gümbel: Das Meßnerpflichtbuch von St. Lorenz in Nürnberg im Jahre 1493. (Einzelarbeiten aus der Kirchengeschichte Bayerns Bd. 8) München 1928
GÜMBEL 1929
Albert Gümbel: Das Meßnerpflichtbuch von St. Sebald in Nürnberg im Jahre 1482. (Einzelarbeiten aus der Kirchengeschichte Bayerns Bd. 9) München 1929

HAAS 1977
Walter Haas: Die mittelalterliche Altaranordnung in der Nürnberger Lorenzkirche. In: Nürnberger Forschungen 20, 1977, 63-108
HAGER 1962
Hellmuth Hager: Die Anfänge des italienischen Altarbildes. Untersuchungen zur Entstehungsgeschichte des toskanischen Hochaltarretabels. (Veröffentlichungen der Bibliotheca Hertziana) München 1962
HAHN-JÄNICKE 1965
Karin Hahn-Jänicke: Ein wiederentdeckter Altar des Hans Raphon in der Národní Galerie zu Prag. In: Niederdeutsche Beiträge zur Kunstgeschichte 4, 1965, 115-136
HAIMERL 1952
F. X. Haimerl: Mittelalterliche Frömmigkeit im Spiegel der Gebetbuchliteratur Süddeutschlands. In: Münchener theologische Studien 1, 4, 1952, 34ff.
HAMM 1977
Berndt Hamm: Frömmigkeit als Gegenstand theologiegeschichtlicher Forschung. Methodisch-historische Überlegungen am Beispiel von Spätmittelalter und Reformation. In: Zeitschrift für Theologie und Kirche 74, 1977, 464-497
HARMENING 1966
Dieter Harmening: Fränkische Mirakelbücher. Quellen und Untersuchungen zur historischen Volkskunde und Geschichte der Volksfrömmigkeit. In: Würzburger Diözesangeschichtsblätter 28, 1966, 25-240
HASSE 1940
Max Hasse: Der Flügelaltar. Diss. Berlin 1940. Dresden 1941
HASSE 1964/1965
Max Hasse: Lübecker Maler und Bildschnitzer um 1500. In: Niederdeutsche Beiträge zur Kunstgeschichte 3, 1964, 285-318 und 4, 1965, 137-156
HAUBST 1956
Rudolf Haubst: Die Christologie des Nikolaus von Kues. Freiburg 1956
HAUGG 1930
Donatus Haugg: Judas Iskarioth in den neutestamentlichen Berichten. Freiburg/Breisgau 1930
HAUSSHERR 1984
Reiner Haussherr: Jubiläumsmaßnahmen.

Rückblick auf einige Ausstellungen des Luther-Jahres 1983. In: Kunstchronik 37, 1984, 421-437
HAUSSHERR 1985
Reiner Haussherr: Der Bamberger Altar. In: Veit Stoß. Die Vorträge des Nürnberger Symposiums. Hrsg. Rainer Kahsnitz. Nürnberg 1985, 207-228
HECK 1979
Christian Heck: Gaspard Isenmann et le Retable de la Collégiale Saint-Martin de Colmar. In: Bulletin de la Société Schongauer 1979, 137-156
HENTSCHEL 1938
Walter Hentschel: Hans Witten. Der Meister H. W. Leipzig 1938
HESSIG 1935
Edith Hessig: Die Kunst des Meisters E. S. und die Plastik der Spätgotik. (Forschungen zur Deutschen Kunstgeschichte 1) Berlin 1935
HEUSER 1948
Johannes Heuser: »Heilig-Blut« in Kult und Brauchtum des deutschen Kulturraumes. Diss. (msch) Bonn 1948
HILGENFELD 1971
Hartmut Hilgenfeld: Mittelalterlich-traditionelle Elemente in Luthers Abendmahlsschriften. Zürich 1971
HILGER 1984
Hans Peter Hilger: Der Dom zu Xanten. Königsstein/Taunus 1984
HISTOIRE DE L'EGLISE
Histoire de l'Eglise depuis les origines jusqu'à nos jours. Hrsg. A. Fliche und V. Martin. Bd. XIV, 2. O.O. 1964
HOLBEIN 1965
Hans Holbein der Ältere und die Kunst der Spätgotik. Katalog der Ausstellung Augsburg 1965
HOLLSTEIN 1949-78
F. W. H. Hollstein: Dutch and Flemish Etchings and Woodcuts ca. 1450-1700. 20 Bde. Amsterdam 1949-1978
HOOGEWERFF 1936-1942
Godefridus Johannes Hoogewerff: De Noord-Nederlandsche Schilderkunst. 4 Bde. S'Gravenhage 1936-1942
HÖHN 1922
Heinrich Höhn: Nürnberger Gotische Plastik. Nürnberg 1922
HULIN DE LOO 1911
Georges Hulin de Loo: Heures de Milan. Brüssel 1911
HUTH 1981
Hans Huth: Künstler und Werkstatt der Spätgotik. (1923) Darmstadt 1981
ISERLOH 1980
Erwin Iserloh: Geschichte und Theologie der Reformation im Grundriß. Paderborn 1980
ISERLOH 1985
Erwin Iserloh: Das Tridentinische Meßopferdekret in seinen Beziehungen zu der Kontroverstheologie der Zeit (1963). In: Kirche – Ereignis und Institution. Aufsätze und Vorträge. Bd. 2. Münster 1985, 414-443

JÄGER 1829
E. Jäger: Die St. Michaelskirche zu Schwäbisch Hall. In: Kunstblatt 92, 1829
JAHNEL 1950
Helga Jahnel: Die Imhoffs, eine Nürnberger Patrizier- und Großkaufmannsfamilie, eine Studie zur reichsstädtischen Wirtschaftspolitik und Kulturgeschichte an der Wende vom Mittelalter zur Neuzeit (1351-1579). Diss. (msch) Würzburg 1950
JEDIN 1966
Hubert Jedin: Entstehung und Tragweite des Trienter Dekrets über die Bilderverehrung. In: Tübinger Theologische Quartalsschrift 116, 1935, 143-188, 404-429. Wiederabgedruckt in: H. Jedin: Kirche des Glaubens. Ausgewählte Aufsätze und Vorträge. Freiburg/Breisgau 1966, Bd. 2, 460-498
JONGH 1911
H. de Jongh: L'ancienne faculté de théologie de Louvain au premier siécle de son existence (1432-1540). Löwen 1911
JUNGMANN 1952
Josef Andreas Jungmann S. J.: Missarum Sollemnia. Eine genetische Erklärung der Römischen Messe. 2. Bde. Wien 1952
JUNIUS 1914
W. Junius: Spätgotische sächsische Schnitzaltäre und ihre Meister. Dresden 1914
JUSTE DE GAND 1957
Juste de Gand, Berruguete et la cour d'Urbino. Katalog der Ausstellung Gent 1957

KÄHLER 1981
Ingeborg Kähler: Der Bordesholmer Altar – Zeichen einer Krise. Neumünster 1981
KAISER 1978
Ute-Nortrud Kaiser: Der skulptierte Altar der Frührenaissance in Deutschland. 2 Bde. Frankfurt/Main 1978
KELBERG 1983
Karsten Kelberg: Die Darstellung der Gregorsmesse in Deutschland. Diss. (msch) Münster 1983
KELLER 1965
Harald Keller: Der Flügelaltar als Reliquienschrein. In: Festschrift für Theodor Müller

»Studien zur Geschichte der europäischen Plastik«. München 1965, 125-144

KISSER 1964
Maria Kisser: Die Gedichte des Benedictus Chelidonius zu Dürers Kleiner Holzschnittpassion. Ein Beitrag zur Geschichte der spätmittelalterlichen Passionsliteratur. Diss. (msch) Wien 1964

KÖHLER 1952-53
Walther Köhler: Zwingli und Luther. Ihr Streit über das Abendmahl nach seinen politischen und religiösen Beziehungen. 2. Bde. Gütersloh 1952-1953

KÖLN 1986
Köln, Wallraf-Richartz-Museum. Von Stefan Lochner bis Paul Cézanne. 120 Meisterwerke der Gemäldesammlung. Köln/Mailand 1986

KÖNIG 1984
Eberhard König: Gesellschaft, Material, Kunst. Neue Bücher zur deutschen Skulptur um 1500. Forschungsbericht. In: Zeitschrift für Kunstgeschichte 47, 1984, 535-558

KÖNIG 1985
Eberhard König: Stilgeschichtliche Überlegungen zum Englischen Gruß. In: Veit Stoß. Die Vorträge des Nürnberger Symposiums. Hrsg. Rainer Kahsnitz. Nürnberg 1985, 193-206

KÖTTER 1969
Franz Josef Kötter: Die Eucharistielehre in den katholischen Katechismen des 16. Jahrhunderts bis zum Erscheinen des Catechismus Romanus (1566). Münster 1969

KRAUSE 1983
Hans Joachim Krause: Zur Ikonographie der protestantischen Schloßkapelle des 16. Jahrhunderts. In: Von der Macht der Bilder. Beiträge des C.I.H.A.-Kolloquiums »Kunst und Reformation«. Hrsg. Ernst Ullmann. Leipzig 1983, 395-412

KROHM 1981
Hartmut Krohm: Zu Methode und Ergebnissen des Forschungsprojektes – das Problem der künstlerischen Herkunft. In: Tilman Riemenschneider. Frühe Werke. Katalog Würzburg/Berlin 1981

KRÜGER 1958
Eduard Krüger: Von spätgotischer Plastik in Schwäbisch Hall. In: Jahrbuch des Historischen Vereins für Württembergisch Franken 42, NF 32, 1958, 84-116

KUNST DER REFORMATIONSZEIT 1983
Kunst der Reformationszeit. Katalog der Ausstellung Berlin 1983

KUNST UM 1400 AM MITTELRHEIN 1975
Kunst um 1400 am Mittelrhein. Ein Teil der Wirklichkeit. Ausstellung Frankfurt 1975

KUNST VOOR DE BEELDENSTORM 1986
Kunst voor de beeldenstorm. Noordnederlands kunst 1525-1580. Katalog der Ausstellung Amsterdam 1986

KUNSTWERKE ST. MICHAEL 1980
Kunstwerke aus dem ehemaligen Chorherrenstift St. Michael zu den Wengen in Ulm. Katalog der Ausstellung Ulm 1980

KÜNSTLE 1926-1928
Karl Künstle: Ikonographie der christlichen Kunst. 2 Bde. Freiburg 1926-1928

KURTH 1925
Betty Kurth: Ein unbekanntes Jugendwerk Jörg Ratgebs. In: Beiträge zur Geschichte der deutschen Kunst. Hrsg. E. Buchner und H. Feuchtmayr 1, 1925, 192f.

LANE 1984
Barbara G. Lane: The Altar and the Altarpiece. Sacramental Themes in Early Netherlandish Painting. New York 1984

LANKHEIT 1959
Klaus Lankheit: Das Triptychon als Pathosformel. (Abhandlungen der Heidelberger Akademie der Wissenschaften) Heidelberg 1959

LAVALLEYE 1936
Jacques Lavalleye: Juste de Gand. Peintre de Frédéric de Montefeltre. Brüssel/Rom 1936

LAVALLEYE 1964
Jacques Lavalleye: Le palais ducal d'Urbin. Les primitifs flamands 7. Brüssel 1964

LAVIN 1967
Marilyn Aronberg Lavin: The Altar of Corpus Domini in Urbino. In: The Art Bulletin 49, 1967, 1-24

LCI
Lexikon der christlichen Ikonographie. Begr. von Engelbert Kirschbaum S. J., hrsg. von Wolfgang Braunfels. 8 Bde. Freiburg/Breisgau 1968-76

LEGENDA AUREA
Jacobus de Voragine: Legenda Aurea. Vulgo historia lombardica dicta. Hrsg. Th. Graesse. Breslau 1890[3]. Nachdruck Osnabrück 1965.

LEGENDA AUREA (Benz)
Jacobus de Voragine: Die Legende Aurea. Hrsg. und übersetzt Richard Benz (1917) Heidelberg 1979[9]

LEGNER 1986
Anton Legner: Die Domreliquienschränke und ihre Nachfolgeschaft in Kölner Kirchen. In: Kölner Domblatt 51, 1986, 195-270

LEHFELD/VOSS 1910
Paul Lehfeld und G. Voss: Bau- und Kunst-

denkmäler Thüringens. Herzogtum Sachsen-Meiningen I, 2. Jena 1910

LEVÈVE/MOLLE 1960
Levève R. und F. van Molle: De oorspronkelije schikking van de luiken van Bouts' Laatste Avondmaal. In: Bulletin de l'Institut royal du patrimoine artistique du Belgique 3, 1960, 5-19

LIEB/STANGE 1960
Norbert Lieb und Alfred Stange: Hans Holbein der Ältere. München/Berlin 1960

LIETZMANN 1955
Hans Lietzmann: Messe und Herrenmahl. Eine Studie zur Geschichte der Liturgie. (1926) Berlin 1955[3]

LOCHNER 1974
Vor Stefan Lochner. Die Kölner Maler von 1300-1430. Katalog der Ausstellung Köln 1974

LÖCHER 1986
Kurt Löcher: Dürer-Ersatz. Hans Schäufeleins Holzschnitte des Speculum passionis und ihre Wirkung auf die Künstler. In: Spiegelungen. Hrsg. Werner Knopp. 1986

LÖFFLER-DREYER 1987
Birgid Löffler-Dreyer: Voruntersuchung am Cismarer Altar – eine Dokumentationsmethode für ein Konservierungskonzept. In: Zeitschrift für Kunsttechnologie und Konservierung 1, 1987, 110-117

LOOMIS 1927
L. H. Loomis: The Table of the Last Supper in Religious and Secular Iconography. In: Art Studies 5, 1927, 71-88

LORENZ 1956
Marianne Lorenz: Die Gregoriusmesse, Entstehung und Ikonographie. Diss. (msch) Innsbruck 1956

LThK
Lexikon für Theologie und Kirche. 10 Bde. Freiburg/Breisgau 1957-65[2]

LUDOLPH
Ludolphus de Saxonia: Vita Jesu Christi e quatuor evangeliis. Hrsg. A.-C. Bolard, L.-M. Rigollot, J. Carnandet. Paris/Rom 1865

LÜTHGEN 1914
G. E. Lüthgen: Eine niederrheinische Abendmahlsgruppe. In: Zeitschrift für christliche Kunst 27, 1914, 108-117

LUTHER WA
Martin Luthers Werke, Weimarer Ausgabe. 1833ff.

LUTHER 1983
Martin Luther und die Reformation in Deutschland. Katalog der Ausstellung Nürnberg 1983

LUTTERVELT 1947
R. van Luttervelt: Twee Utrechtsche primitieven (Johannes van Stuemen). In: Oud Holland 1947, 107-122

LUTZ/PERDRIZET 1907
Jules Lutz und Paul Perdrizet: Speculum Humanae Salvationis. (Übersetzung Jean Mielot 1448). Kritische Ausgabe. Leipzig 1907

LUTZE 1939
Eberhard Lutze: Die Nürnberger Pfarrkirchen St. Sebald und St. Lorenz. Berlin 1939

MADER/GRÖBER 1939
Felix Mader und Karl Gröber: Die Kunstdenkmäler von Mittelfranken 7. Stadt und Landkreis Schwabach. 1939

MÄRKER 1985
Peter Märker: Besprechung der Ausstellung »Jerg Ratgeb – Spurensicherung« in Frankfurt/Main 1985. In: Kunstchronik 28, 1985, 525-530

MAFFAI 1942
E. Maffai: La reservation eucharistique jusqu'à la Renaissance. Brüssel 1942

MÂLE 1904
Emile Mâle: Le Renouvellement de l'Art par les mystères à la fin du Moyen Age. In: Gazette des Beaux-Arts 31, 1904, 89-106, 215-230, 283-301

MARCHETTI/NICOLETTI 1956
Guiseppe Marchetti und Guido Nicoletti: La scultura lignea nel Friuli. Mailand 1956

MARROW 1979
James Marrow: Passion Iconography in Northern European Art of the Late Middle Ages and Early Renaissance. A Study of the Transformation of sacred Metaphor into descriptive Narrative. Kortrijk 1979

MARTENS 1929
Bella Martens: Meister Francke. 2 Bde. Hamburg 1929

MASSA 1966
Willi Massa SVD: Die Eucharistiepredigt am Vorabend der Reformation. Veröffentlichungen des Missionspriesterseminars St. Augustin bei Siegburg 1966

MATTHAEI 1898
Adelbert Matthaei: Zur Kenntnis der mittelalterlichen Schnitzaltäre Schleswig Holsteins. Leipzig 1898

MEDITATIONES
Meditationes. Meditationes de passione Christi olim Sancto Bonaventurae attributae. Hrsg. Sister M. Jordan Stallings. Washington D. C. 1965

MEIER 1951
P. Ludger Meier OFM: Wilsnack als Spiegel

deutscher Vorreformation. In: Zeitschrift für Religions- und Geistesgeschichte 3, 1951, 54-69
MEISS 1967-74
Millard Meiss: French Painting in the Time of Jean de Berry. 3 Bde. London 1967-1974
MEISS/BEATSON 1977
Millard Meiss und Elisabeth H. Beatson: La Vie de Nostre Benoit Seigneur et La Saincte Vie de Nostre Dame. New York 1977
MELLINKOFF 1982
Ruth Mellinkoff: Judas's Red Hair and the Jews. In: Journal of Jewish Art 9, 1982, 31-46
MERSMANN 1952
Wiltrud Mersmann: Der Schmerzensmann. Düsseldorf 1952
MIELKE 1988
Hans Mielke: Albrecht Altdorfer. Zeichnungen, Deckfarbenmalerei, Druckgraphik. Berlin 1988
MILLET 1960
Gabriel Millet: Recherches sur l'Iconographie de l'Evangile aux XIVe, XVe et XVIe siècles d'après les monuments de Mistre, de la Macédoine et du Mont-Athos. (1916) Paris 1960[2]
MISSALE ROMANUM
Missale Romanum. Mediolani 1474. Hrsg. Robert Lippe. 2 Bde. London 1899-1907
MOELLER 1965
Bernd Moeller: Frömmigkeit in Deutschland um 1500. In: Archiv für Reformationsgeschichte 56, 1965, 5-31
MOELLER 1952
Emil Moeller: Das Abendmahl des Leonardo da Vinci. Baden-Baden 1952
MÖLLER 1937
Karl Möller: »Abendmahl«. In: Reallexikon zur deutschen Kunstgeschichte. Hrsg. Otto Schmitt, Bd. 1, Stuttgart 1937, Sp. 28-44
MOLANUS 1861
Johannes Molanus: Les quatorze livres sur l'Histoire de la ville de Louvain. 2 Bde. Brüssel 1861
MOOR 1981
Geertruida de Moor: Adriana van Roon (ca. 1450-1527) en Dirk Pietersz. Spangert (ca. 1465-1549), schenkers van het drieluikje met ›Het Laatste Avondmaal‹, toegeschreven aan Jacob Cornelisz. van Oostsanen. In: Bulletin van het Rijksmuseum 29, 1981, 63-78
MÜLLER 1837
Franz Hubert Müller: Beiträge zur deutschen Kunst- und Geschichtskunde durch Kunstdenkmäler mit vorzüglicher Berücksichtigung des Mittelalters. Leipzig/Darmstadt 1837[2]
MÜNCHEN 1975
München, Alte Pinakothek. Katalog V. Italienische Malerei. Bearb. Rolf Kultzen. München 1975
MÜNZENBERGER/BEISSEL 1885-1905
E. F. A. Münzenberger und Stephan Beissel S. J.: Zur Kenntnis und Würdigung der mittelalterlichen Altäre Deutschlands. Ein Beitrag zur Geschichte der vaterländischen Kunst. 2 Bde. Frankfurt/Main 1885-1905
MULS 1946
J. Muls: Het Laatste Avondmaal in de Nederlandsche Schilderkunst. In: Studia Eucharistica. DCCi anni a conditio festo sanctissimi Corporis Christi. Antwerpen 1946. 349-368
MUMMENHOFF 1913
Ernst Mummenhoff: Die Burg zu Nürnberg. Nürnberg 1913[3]
MUSPER 1952/53
Theodor Musper: Zwei neue Tafeln von Jerg Ratgeb. In: Münchner Jahrbuch der Bildenden Kunst 1952/1953, 191-198

NCE
New Catholic Encyclopedia. 15 Bde. Washington 1967
NEW YORK 1980
European Paintings in the Metropolitan Museum of Art by artists born in or before 1865. A summary catalogue by Katharine Baetjer. 3 Bde. New York 1980
NILGEN 1965
Ursula Nilgen: The Epiphany and Eucharist on the interpretation of Eucharistic Motifs in Medieval Epiphany Scenes. In: The Art Bulletin 49, 1967, 311-316. Eine kürzere Fassung dieser Überlegungen in: Schülerfestgabe für Herbert von Einem 16. 2. 1965. Hrsg. F. Deuchler und R. Haussherr. Bonn 1965, 197-215
NÜRNBERG GOTIK 1986
Nürnberg 1300-1550. Kunst der Gotik und Renaissance. Katalog der Ausstellung Nürnberg 1986
NÜRNBERG 1937
Nürnberg, Germanisches Nationalmuseum. Katalog der Gemälde des 13. bis 16. Jahrhunderts. Bearb. Eberhard Lutze und Eberhard Wiegand. 2 Bde. Leipzig 1937
NUSSBAUM 1979
Otto Nußbaum: Die Aufbewahrung der Eucharistie. Bonn 1979

OBERMAN 1965
Heiko Augustinus Oberman: Spätscholastik und Reformation. Bd. 1. Der Herbst der mittelalterlichen Theologie. Zürich 1965
OELLERMANN 1966
Eike Oellermann: Die Restaurierung des Hei-

lig-Blut-Altars von Tilmann Riemenschneider. In: 24. Arbeitsbericht des Bayerischen Landesamtes für Denkmalpflege 1965. München 1966, 75-85

OERTEL 1972
Hermann Oertel: Das frühprotestantische Abendmahlsbild in Wittenberg und Dresden. In: Kirche und Kunst 1972, H 3

OERTEL 1974
Hermann Oertel: Das protestantische Abendmahlsbild im niederdeutschen Raum und seine Vorbilder. In: Niederdeutsche Beiträge zur Kunstgeschichte 13, 1974, 223-270

OETTINGER 1939
Karl Oettinger: Die Malerei des Pulkauer Altars. In: Pantheon 23, 1939, 11-170

OSTEN 1935
Gert von der Osten: Der Schmerzensmann. Typengeschichte eines deutschen Andachtsbildwerkes. Von 1300 bis 1600. Berlin 1935

PAATZ 1939
Walter Paatz: Bernt Notke und sein Kreis. 2 Bde. Berlin 1939

PAATZ 1956
Walter Paatz: Prolegomena zu einer Geschichte der spätgotischen Skulptur im 15. Jahrhundert. In: Abhandlungen der Heidelberger Akademie der Wissenschaften. Philosophisch-Historische Klasse. 1956

PAATZ 1963
Walter Paatz: Süddeutsche Schnitzaltäre der Spätgotik. Die Meisterwerke während ihrer Entfaltung zur Hochblüte. 1465-1500. Heidelberg 1963

PANOFSKY 1951
Erwin Panofsky: The Roger Problems. In: The Art Bulletin 33, 1951, 33ff.

PANOFSKY 1971
Erwin Panofsky: Early Netherlandish Painting. Its Origins and Character. 2 Bde. Cambridge/Mass. (1953) 1971

PARSHALL 1972
Peter Parshall: Rezension zu: S. N. Blum: Early Netherlandish Triptychs. A Study in Patronage. Berkeley/Los Angeles 1969. In: The Burlington Magazin 64, 1972, 247-248

PARSHALL 1986
Linda und Peter Parshall: Art and Reformation. An ann. Bibliography. Boston/Mass. 1986

PAULUS 1923
Nikolaus Paulus: Geschichte des Ablasses im Mittelalter. 3 Bde. Paderborn 1923

PEETERS 1929
Ferdinand Peeters S. J.: Le Triptyque Eucharistique de Thierry Bouts à l'Eglise Saint Pierre, Louvain. Léau 1929[3]

PÉRIER D'IETEREN 1984
Cathelin Périer d'Ieteren: Les Volets peints des retables bruxellois conservés en Suede et le rayonnement de Colyn de Coter. Stockholm 1984

PHILIP 1971
Lotte Brand Philip: The Ghent Altarpiece and the Art of Jan van Eyck. Princeton/New Jersey 1971

PILZ 1979
Kurt Pilz: Die Stadtkirche St. Johannes und St. Martinus in Schwabach. Schwabach 1979

PILZ 1980
Wolfgang Pilz: Das Triptychon als Kompositions- und Erzählform in der deutschen Tafelmalerei von den Anfängen bis zur Dürerzeit. München 1970

PINDER 1986
Ulrich Pinder: Speculum Passionis. Faksimile nach der deutschen Übersetzung von 1663: Spiegel deß bitteren Leydens und Sterbens Jesu Christi. Hrsg. Helmar Junghans und Christa-Maria Dreißiger. Leipzig 1986

PLUMMER 1964
John Plummer: The Book of Catherine of Cleves. New York 1964

PLUMMER 1966
John Plummer: Die Miniaturen aus dem Stundenbuch der Katharina von Kleve. Berlin 1966

POPE-HENNESSY 1952
John Pope-Hennessy: Fra Angelico. London 1952

POPE-HENNESSY 1969
John Pope-Hennessy: Paolo Uccello. (New York 1950) New York 1969[2]

POST 1930
Chandler Rathfon Post: A History of Spanish Painting. 3 Bde. Cambridge/Mass. 1930

POST 1957
R. R. Post: Kerkgeschiedenis van Nederland in de Middeleeuwen. 2 Bde. Utrecht/Antwerpen 1957

POURBUS 1984
Pieter Pourbus. Meester-schilder 1524-1584. Katalog der Ausstellung Brügge 1984

PRATZNER 1970
Ferdinand Pratzner: Messe und Kreuzesopfer: Die Krise der sakramentalen Idee bei Luther und in der mittelalterlichen Spätscholastik. (Wiener Beiträge zur Theologie) Wien 1970

PUYVELDE 1912
Leo van Puyvelde: Schilderkunst en tooneelvertooningen op het eind van de middeleeuwen. Gent 1912

RAGUSA/GREEN 1961
Isa Ragusa und Rosalie B. Green: Meditations on the life of Christ. An illustrated manuscript of the 14th century. Princeton 1961
RAMISCH 1967
Hans K. Ramisch: Zur Entwicklung des gotischen Flügelaltares. In: Gotik in Österreich. Katalog der Ausstellung Krems/Donau 1967, 88-96
RASMO 1969
Nicolò Rasmo: Michael Pacher. München 1969
RASMUSSEN 1974
Jörg Rasmussen: Die Nürnberger Altarbaukunst der Dürerzeit. Hamburg 1974
RATGEB 1985
Jerg Ratgeb. Spurensicherung. Katalog der Ausstellung Frankfurt/Main 1985
RDK
Reallexikon zur Deutschen Kunstgeschichte. Hrsg. Otto Schmitt. Bd. 1ff. Stuttgart 1937ff.
RÉAU 1955
Louis Réau: Iconographie de l'art chrétien. 3 Bde. Paris 1955
RECHT 1987
Roland Recht: Nicolas de Leyde et la sculpture à Strasbourg – 1460-1525. (Diss. Straßburg 1978) Straßburg 1987
REICHERT 1967
Franz Rudolf Reichert (Hrsg): Die älteste deutsche Gesamtauslegung der Messe (Erstausgabe ca. 1480). Münster 1967
RENAISSANCE 1986
Die Renaissance im deutschen Südwesten. Katalog der Ausstellung Heidelberg 1986
RESS 1959
Anton Ress: Die Kunstdenkmäler von Mittelfranken 8. Stadt Rothenburg ob der Tauber, kirchliche Bauten (Die Kunstdenkmäler von Bayern). München 1959
RGG
Die Religion in Geschichte und Gegenwart. 6 Bde. Tübingen 1957-1962[3]
RIEMENSCHNEIDER 1981
Tilman Riemenschneider. Katalog der Ausstellung Berlin 1981
RÖHRIG 1955
Floridus Röhrig: Der Verduner Altar. Klosterneuburg 1955[2]
ROGIER VAN DER WEYDEN 1979
Rogier van der Weyden. Katalog der Ausstellung Brüssel 1979
ROOSVAL 1903
Jonny Roosval: Schnitzaltäre in schwedischen Kirchen und Museen aus der Werkstatt des Brüsseler Bildschnitzers Jan Borman. (Zur Kunstgeschichte des Auslandes 14) Straßburg 1903
ROOSVAL 1933
Jonny Roosval: Retables d'origines néerlandaises dans les pays nordiques. In: Revue Belge d'Archéologie et d'Histoire de l'Art 3, 1933, 150-158
ROSENBERG 1960
Jakob Rosenberg: Die Zeichnungen Lucas Cranachs des Älteren. Berlin 1960
ROSENKRANZ 1975
500 Jahre Rosenkranz. 1475 Köln 1975. Kunst und Frömmigkeit im Spätmittelalter und ihr Weiterleben. Katalog der Ausstellung Köln 1975
ROTH 1988
Michael Roth: Die Zeichnungen des »Meisters der Coburger Rundblätter«. Diss. (msch) Berlin 1988

SACHS 1907
Curt Sachs: Beiträge zur Entwicklungsgeschichte der deutschen Abendmahlsdarstellung. In: Repertorium für Kunstwissenschaft 30, 1907, 99-126 und 204-212
SANDBERG 1929
Evelyn Sandberg Vavalà: La croce Dipinta italiana e l'iconografia della passione. Verona 1929
SCATASSA 1902
E. SCATASSA: La chiesa del Corpus Domini in Urbino. In: Repertorium für Kunstwissenschaft 25, 1902, 438-446
SCHÄDLER 1954
Alfred Schädler: Zum Werk des Meisters der Lorcher Kreuztragung. In: Münchner Jahrbuch der Bildenden Kunst 3, 1954, 80-88
SCHÄDLER 1969
Alfred Schädler: Zur Straubinger Tonplastik der Spätgotik. In: Pantheon 27, 1969, 449-458
SCHÄDLER 1983/84
Alfred Schädler: Die »Alpenländische Galerie« in Kempten, ein künftiges Zweigmuseum des Bayerischen Nationalmuseums. In: Allgäuer Geschichtsfreund 1983/84, 56-78
SCHÄFER 1985
Altdeutsche Bilder der Sammlung Georg Schäfer. Schweinfurt. Kunstsammlungen der Veste Coburg. Schweinfurt 1985
SCHAFFNER 1959
Martin Schaffner – Maler zu Ulm. Katalog der Ausstellung Ulm 1959
SCHATTENMANN 1938
Paul Schattenmann: Reliquien und Wunder in der Kapelle zum Heiligen Blut in Rothenburg o.T. In: Die Linde. Beilage zum Fränkischen Anzeiger 29, 1938, 41-51

SCHELTEMA 1912
F. Adama van Scheltema: Über die Entwicklung der Abendmahlsdarstellung von der byzantinischen Mosaikkunst bis zur niederländischen Malerei des 17. Jahrhunderts. Leipzig 1912

SCHILLER
Gertrud Schiller: Ikonographie der christlichen Kunst. 4 Bde. Gütersloh 1966-1980

SCHINDLER 1978
Herbert Schindler: Der Schnitzaltar. Meisterwerke und Meister in Süddeutschland, Österreich und Südtirol. Regensburg 1978

SCHLEMMER 1975
Karl Schlemmer: Gottesdienst und Frömmigkeit in Nürnberg vor der Reformation. In: Zeitschrift für Bayerische Kirchengeschichte 44, 1975, 1-27

SCHLÜPFINGER 1975
Heinrich Schlüpfinger: Die Stadtpfarrei Schwabach vom Mittelalter bis zur Neuzeit. Schwabach 1975

SCHMIDT 1956
Gerhard Schmidt: Patrozinium und Andachtsbild. In: Mitteilungen des Instituts für Österreichische Geschichtsforschung 64, 1956, 277ff.

SCHMIDT 1959
Gerhard Schmidt: Die Armenbibeln des 14. Jahrhunderts. Graz/Köln 1959

SCHMIDT-LINSENHOFF 1984
Viktoria Schmidt-Linsenhoff: Ordenspropaganda und subjektiver Faktor. In: Städel-Jahrbuch NF 10, 1984, 155-188

SCHNEIDER 1986
Norbert Schneider: Der Genter Altar. Vorschläge für eine Reform der Kirche. Frankfurt/Main 1986

SCHNITZLEIN 1916
August Schnitzlein: Til Riemenschneiders Tätigkeit für Rothenburg. Verein Alt-Rothenburg. Jahresgabe für 1916

SCHNITZLER 1965
Hermann Schnitzler: Der Goldaltar von Aachen. Mönchengladbach 1965

SCHNURRER 1985
Ludwig Schnurrer: Kapelle und Wallfahrt zum Heiligen Blut in Rothenburg. In: 500 Jahre St. Jakob. Rothenburg ob der Tauber. 1485-1985. Festschrift anläßlich der 500. Wiederkehr der Weihe der St. Jakobs-Kirche zu Rothenburg ob der Tauber im Jahre 1485. Rothenburg 1985, 89-96

SCHNURRER 1985 (2)
Ludwig Schnurrer: Wunderheilungen zum Heiligen Blut in der Rothenburger St. Jakobskirche im ausgehenden Mittelalter. In: Die Linde. Beilage zum Fränkischen Anzeiger für Geschichte und Heimatkunde von Rothenburg/T. Stadt und Land. 67, 1985, Nr. 1, 2-7 und Nr. 2, 13-16

SCHÖNE 1938
Wolfgang Schöne: Dieric Bouts und seine Schule. Berlin/Leipzig 1938

SCHOLTENS 1952
H. J. J. Scholtens: Kunstwerken in het Utrechtse Kartuizerklooster. Nogmaals: De klosterkerk van Nieuwlicht en het drieluik van de H. H. Martelaren (1521). In: Oud Holland 67, 1952, 157-166

SCHOTT
Das vollständige Römische Meßbuch lateinisch und deutsch im Anschluß an das Meßbuch von Anselm Schott O. S. B. Hrsg. von den Benediktinern der Erzabtei Beuron. Freiburg/Breisgau 1961

SCHOUTE/ASPEREN DE BOER 1975
R. van Schoute und J. R. J. van Asperen de Boer: Het Laatste Avondmaal van Dirk Bouts. Een onderzoek met infraroodreflectografie. In: Dirk Bouts en zijn tijd. Katalog der Ausstellung Löwen 1975, 388-393

SCHRAMM 1920-1943
Albert Schramm: Der Bilderschmuck der Frühdrucke. 23 Bde. Leipzig 1920-1943

SCHRETLEN
M. J. Schretlen: Dierck Bouts. Amsterdam o. J.

SCHRETLEN 1925
M. J. Schretlen: Dutch and Flemish Woodcuts of the Fifteenth Century. London 1925

SCHUETTE 1907
Marie Schuette: Der Schwäbische Schnitzaltar. (Studien zur deutschen Kunstgeschichte 91) Straßburg 1907

SCULPTURE 1964-1980
Medieval Wooden Sculpture in Sweden. Hrsg. Bengt Thordeman und Aron Andersson. 5 Bde. Stockholm 1964-1980

SCULPTURES 1977
Les Sculptures medievales allemandes dans les collections belges. Katalog der Ausstellung Brüssel 1977

SIENA 1977
Siena, Pinacoteca nazionale. I dipinti dal XII al XV secolo. Katalog bearb. Piero Torriti. Genua 1977

SKULPTUREN 1971
Skulpturen aus Berliner Privatbesitz. Katalog der Ausstellung Berlin 1971

SMITS 1933
K. Smits: De Iconografie van de Nederlandsche Primitieven. Amsterdam 1933

SOBRÉ 1989
Judith Berg Sobré: Behind the Altar Table. The Development of the Painted Retable in Spain 1350-1500. Columbia 1989
SPÄTGOTIK 1970
Spätgotik am Oberrhein. Meisterwerke der Plastik und des Kunsthandwerks 1450-1530. Katalog der Ausstellung Karlsruhe 1970
STADT 1985
Stadt im Wandel. Kunst und Kultur des Bürgertums in Norddeutschland. 1150-1650. Katalog der Ausstellung Braunschweig 1985
STAFSKI 1965
Heinz Stafski: Katalog des Germanischen Nationalmuseums Nürnberg. Die Mittelalterlichen Bildwerke Bd. 1. Nürnberg 1965
STAFSKI 1978
Heinz Stafski: Zur Rezeption der Renaissance in der Altarbaukunst Süddeutschlands. In: Zeitschrift für Kunstgeschichte 41, 1978, 134-147
STANGE 1924
Alfred Stange: Jörg Ratgeb. Zugleich ein Beitrag zur Verarbeitung italienischer Formmittel in Deutschland. In: Festschrift Heinrich Wölfflin 1924
STANGE DMG
Alfred Stange: Deutsche Malerei der Gotik. 11 Bde. 1934-1961
STANGE KV
Alfred Stange: Kritisches Verzeichnis der deutschen Tafelbilder vor Dürer. 3 Bde. 1967-1978
STEINMANN 1968
Ulrich Steinmann: Der Bilderschmuck der Stiftskirche zu Halle. Forschung und Berichte der Staatlichen Museen Berlin 11, 1968
STERLING 1971
Charles Sterling: Observations on Petrus Christus. In: The Art Bulletin 53, 1971, 1-26
STERLING 1976
Charles Sterling: Jan van Eyck avant 1432. In: Revue de l'Art 33, 1976, 7-82
STIRM 1977
Margarete Stirm: Die Bilderfrage in der Reformation. (Quellen und Forschungen zur Reformationsgeschichte 45) Gütersloh 1977
ST. LAMBRECHT 1951
Österreichische Kunsttopographie. Die Kunstdenkmäler des Benediktinerstiftes St. Lambrecht. Bearb. P. Othmar Wonisch. Wien 1951
STOSS 1983
Veit Stoß: Werke des Meisters und seiner Schule in Nürnberg und Umgebung. Katalog der Ausstellung Nürnberg 1983
STRAUSS 1975
Walter L. Strauss: The German Single-Leaf Woodcut 1550-1600. 3 Bde. New York 1975
STRAUSS 1980
Walter L. Strauss: Albrecht Dürer, Woodcuts and Wood Blocks. New York 1980
STUMP/GILLEN 1937
Thomas Stump und Otto Gillen: »Heilig Blut«. In: RDK Bd. 1, 1937, 947-958
STUTTMANN 1937
Ferdinand Stuttmann: Der Reliquienschatz der Goldenen Tafel des St. Michaelsklosters in Lüneburg. Berlin 1937
STUTTMANN/OSTEN 1940
Ferdinand Stuttmann und Gerd van der Osten: Niedersächsische Bildschnitzerei des späten Mittelalters. Berlin 1940
SUNTRUP 1984
Rudolf Suntrup: Präfigurationen des Meßopfers in Text und Bild. In: Frühmittelalterliche Studien 18, 1984, 468-528
SWARZENSKI 1921
Georg Swarzenski: Deutsche Alabasterplastik des 15. Jahrhunderts. In: Städel-Jahrbuch 1, 1921, 167-213
SWOBODA 1969
Karl Maria Swoboda: Gotik in Böhmen. München 1969

TAUBE 1983
Barbara Taube: Das Marienretabel von Tilman Riemenschneider in Creglingen. Magisterarbeit (msch) Göttingen 1983
TAUBERT 1967
Johannes Taubert: Zur Oberflächengestalt der sogenannten ungefaßten Holzplastik. In: Städel-Jahrbuch NF 1, 1967, 119-139 (Neudruck in: Taubert 1978, 73-88)
TAUBERT 1978
Johannes Taubert: Farbige Skulpturen, Bedeutung, Fassung, Restaurierung. München 1978
TENZER 1985
Virginia Grace Tenzer: The Iconography of the Studiolo of Federico da Montefeltro in Urbino. Thesis Brown University 1985. Univ. Microfilms International 1986
THOMAS 1981
Alois Thomas: Die Darstellung Christi in der Kelter. (1936) Nachdruck Düsseldorf 1981
THULIN 1955
Oskar Thulin: Cranach-Altäre der Reformation. Berlin 1955
TÖNNIES 1900
Eduard Tönnies: Leben und Werke des Würzburger Bildschnitzers Tilman Rie-

menschneider 1468-1531. (Studien zur deutschen Kunstgeschichte 22) Straßburg 1900

TORSY 1971
Jakob Torsy: Eucharistische Frömmigkeit im späten Mittelalter. In: Archiv für mittelrheinische Kirchengeschichte 23, 1971, 89-119

TRE
Theologische Realenzyklopädie. Bd 1ff. Berlin/New York 1977ff.

TRENS 1952
Manuel Trens: La Eucaristía en el arte Espanol. Barcelona 1952

TRÈS RICHES HEURES
Les Très Riches Heures du Duc de Berry. Musée Condé, Chantilly. Faksimile hrsg. Jean Longnon und Raymond Cazelles. Paris 1970

TRIPPS 1969
Manfred Tripps: Hans Multscher. Seine Ulmer Schaffenszeit 1427-1467. Weißenhorn 1969

TÜMMERS 1964
Horst Johs Tümmers: Die Altarbilder des älteren Bartholomäus Bruyn. Köln 1964

URBINO 1983
Urbino e le marche prima dopo Raffaelo. Katalog der Ausstellung Urbino 1983

UTRECHT 1952
Catalogus der Schilderijen. Centraal Museum Utrecht 1952

VETTER 1972
Ewald Maria Vetter: Die Kupferstiche zur Psalmodia Eucaristica des Melchior Prieto von 1622. (Forschungen der Görresgesellschaft 2, 15) Münster/Westf. 1972

VETTER 1976
Ewald Maria Vetter: Buchbesprechung zu: Lotte Brand Philipp: The Gent Altarpiece and the Art of Jan van Eyck. Princeton/New Jersey 1971. In: Zeitschrift für Kunstgeschichte 1976, 221-235

VETTER 1980
Ewald Maria Vetter: Tilman Riemenschneiders Münnerstädter Altar. Zum Verständnis des theologischen Gehalts. In: Pantheon 38, 1980, 359-376

VETTER 1983
Ewald Maria Vetter: Bildprogramm und Ikonographie des Retabels. In: Der Hochaltar der Schwabacher Stadtkirche. Hrsg. Günter Bauer. Schwabach o. J. (1983)

VETTER/OELLERMANN 1988
Eike Oellermann und Ewald Maria Vetter: Zur Rezeption und Gestalt des Johannesaltares der St. Lorenzkirche in Nürnberg. In: Anzeiger des Germanischen Nationalmuseums 1988, 127-150

VETTER/WALZ 1980
Ewald Maria Vetter und Angelus Walz: Die Rolle des Monogrammisten A. G. im Werk Riemenschneiders. In: Anzeiger des Germanischen Nationalmuseums Nürnberg 1980, 48-73

VLOBERG 1946
Maurice Vloberg: L'Eucharistie dans l'Art. (Art de paysage 11) Grenoble/Paris 1946

WAAL 1982
H. van de Waal: Iconclass. An Iconographic Classification System. Bibliography 7. Amsterdam/Oxford/New York 1982

WALZ 1964
Angelus Walz: Von Dominikanerstammbäumen. In: Archivum Fratrum Praedicatorum 34, 1964, 231-274

WEBER 1911
Anton Weber: Til Riemenschneider. Sein Leben und Wirken. (1884) Regensburg 1911[3] (erw.)

WEHLI 1982
Tünde Wehli: Spanische Malerei des Mittelalters. (1980) Leipzig 1982

WEIGEL 1852
H. Weigel: Die Deutschordenskonturei Rothenburg o. T. im Mittelalter. Rothenburg 1852

WEIH-KRÜGER 1986
Sonja Weih-Krüger: Hans Schäufelein. Ein Beitrag zur künstlerischen Entwicklung des jungen Hans Schäufelein bis zu seiner Niederlassung in Nördlingen unter besonderer Berücksichtigung des malerischen Werkes. Diss. Erlangen/Würzburg 1986. (Eine Zusammenfassung der Arbeit in: Das Münster 44, 1988, 59-61)

WEITZMANN 1977
Kurt Weitzmann: Spätantike und frühchristliche Buchmalerei. München 1977

WEIZSÄCKER 1923
Heinrich Weizsäcker: Die Kunstschätze des ehemaligen Dominikanerklosters in Frankfurt am Main. München 1923

WENTZEL 1937
Hans Wentzel: Der Hochaltar von Cismar. Lübeck 1937

WENTZEL 1938
Hans Wentzel: Lübecker Plastik bis zur Mitte des 14. Jahrhunderts. Berlin 1938

WESSEL 1964
Klaus Wessel: Abendmahl und Apostelkommunion. Recklinghausen 1964
WESTFÄLISCHE MALEREI 1964
Westfälische Malerei des 14. Jahrhunderts. Katalog der Ausstellung. In: Westfalen 42, 1964, 3-224
WESTFEHLING 1982
Uwe Westfehling: Die Messe Gregors des Großen. Vision – Kunst – Realität. Katalog der Ausstellung Köln 1982
WILDENHOF 1972
Hilka Wildenhof: Der Wandel des Schnitzaltares vom letzten Drittel des 14. Jahrhunderts bis zum Ende des Weichen Stils. Diss. (msch) Frankfurt/Main 1972
WILLEMSEN 1962
Ernst Willemsen: Beobachtungen zur Oberflächenstruktur niederrheinischer Skulpturen. In: Jahrbuch der Rheinischen Denkmalpflege 24, 1962, 181f.
WILM 1929
Hubert Wilm: Gotische Tonplastik in Deutschland. Augsburg 1929
WINKLER 1941
Friedrich Winkler: Dürers Kleine Holzschnittpassion und Schäufeleins Speculum-Holzschnitte. In: Zeitschrift des Deutschen Vereins für Kunstwissenschaft 8, 1941, 197-208
WINKLER 1958
Friedrich Winkler: Dirk Bouts und Justus van Gent, Ausstellung in Brüssel und Gent. In: Kunstchronik 11, 1958, 1-7
WIRZ 1912
P. D. Corbinian Wirz: Die heilige Eucharistie und ihre Verherrlichung in der Kunst. Mönchengladbach 1912
WITTSTOCK 1981
Jürgen Wittstock: Kirchliche Kunst des Mittelalters und der Reformationszeit. Die Sammlung des St. Annen Museum. (Lübecker Museumskataloge 1) Lübeck 1981
WOLFSON 1989
Michael Wolfson: Der Meister der Darmstädter Passion. In: Kunst in Hessen und am Mittelrhein 29, 1989
WORMALD 1984
Francis Wormald: Collected Writings. Bd. 1. Studies in Medieval Art from the Sixth to the Twelfth Centuries. Oxford/New York 1984

ZIMMERMANN 1958/1959
Gerd Zimmermann: Patrozinienwahl und Frömmigkeitswandel im Mittelalter dargestellt an Beispielen aus dem älteren Bistum Würzburg. (Diss. Würzburg 1951). In: Würzburger Diözesan-Geschichtsblätter 20, 1958, 24-126 und 21, 1959, 5-124
ZIMMERMANN 1930/31
Heinrich Zimmermann: Nürnberger Malerei 1350-1450. Die Tafelmalerei. In: Anzeiger des Germanischen Nationalmuseums 1930/31, 23-48

Register

Fotonachweis

Amsterdam, Rijksmuseum-Stichting: 18. – Barçelona, Ampliaciones y repruducciones MAS: 2a, 2b. – Berlin, Gemäldegalerie SMPK: 5b. – Berlin, Kupferstichkabinett SMPK, Foto Jörg P. Anders: 20, 21, 24, 25, 28, 29, 30. – Berlin, Skulpturengalerie SMPK, Foto Jörg P. Anders: 32. – Berlin, Skulpturengalerie SMPK, Fotoarchiv: 45a, 45b, 46, 48. – Brüssel, A.C.L.: 3a, 3b, 3c, 3d, 3e, 3f, 6a, 6b, 7, 8, 22, 34, 38a, 38b, 38c, 38d. – Colmar, Musée d'Unterlinden: 23. – Dresden, Sächsische Landesbibliothek, Abt. Deutsche Fotothek, Foto Steuerlein: 41. – Heroldsberg, Eike Oellermann: 1. – Köln, Rheinisches Bildarchiv: 33, 43. – Lindau, Toni Schneiders: 11a, 11b. – Lübeck, Museum für Kunst und Kulturgeschichte der Hansestadt Lübeck: 19a, 19b, 19c. – München, Bayerisches Landesamt für Denkmalpflege: 16. – München, Bayerische Staatsgemäldesammlungen: 40. – New York, The Metropolitan Museum of Art: 9. – New York, The Pierpont Morgan Library: 35. – Nürnberg, Bildstelle und Fotoarchiv der Stadt Nürnberg: 14a, 14b. – Nürnberg, Evang.-Luth. Kirchengemeinde St. Sebald: 27. – Nürnberg, Germanisches Nationalmuseum: 31a, 31b, 39. – Paris, Louvre; Cliché des Musées Nationaux – Paris: 10a, 10b. – Rotterdam, Museum Boymans-van Beuningen: 5a. – Schleswig, Walter Körber: 42a, 42 b, 42c. – Schramm, Albert, Der Bilderschmuck der Frühdrucke, 23 Bde., Leipzig 1920-1943; 18, 677: 44. – Schretlen, H.J.J., Dutch and Flemish Woodcuts of the Fifteenth Century, London 1925; 62B: 36. – Schweinfurt, Sammlung Georg Schäfer: 26. – Stuttgart, Landesdenkmalamt, Baden-Württemberg: 12a, 12b. – Stuttgart, Staatsgalerie: 37. – Stuttgart, Württembergisches Landesmuseum: 47. – Udine, Soprintendenza, Foto Brisighelli: 15. – Urbino, Soprintendenza: 4a, 4b, 4c, 4d, 4e, 4f, 4g. – Utrecht, Centraal Museum: 17. – Wien, Bildarchiv der Österreichischen Nationalbibliothek: 13.

1 Terrakottagruppe, Nürnberg, St. Lorenz (Kat. 1)

2 a Sakramentsretabel aus der Eremità des San Bartolomé bei Villahermosa – Gesamtansicht (Kat. 2)

2 b Villahermosa, Abendmahl (Kat. 2)

3 a Dirk Bouts: Retabel für die Löwener Sakramentsbruderschaft, Löwen, St. Peter – Gesamtansicht alte Montage (Kat. 3)

3 b Dirk Bouts: Mitteltafel des Löwener Sakramentsaltares, Abendmahl (Kat. 3)

3 c Dirk Bouts: linker Flügel des Löwener Sakramentsaltares/ Ausschnitt, Begegnung zwischen Abraham und Melchisedech (Kat. 3)

3 d Dirk Bouts: linker Flügel des Löwener Sakramentsaltares/Ausschnitt, Passahmahl (Kat. 3)

3 e Dirk Bouts: rechter Flügel des Löwener Sakramentsaltares/Ausschnitt, Mannalese (Kat. 3)

3 f Dirk Bouts: rechter Flügel des Löwener Sakramentsaltares/Ausschnitt, wunderbare Speisung des Elia (Kat. 3)

4 a Justus van Gent: Haupttafel des Retabels für die Sakramentsbruderschaft zu Urbino, Apostelkommunion
(Kat. 4)

4 b Paolo Uccello: Predella des Retabels für die Sakramentsbruderschaft zu Urbino, Hostienlegende/ Ausschnitt (Kat. 4)

4 c Paolo Uccello: Hostienlegende/ Ausschnitt (Kat. 4)

4 d Paolo Uccello: Hostienlegende/ Ausschnitt (Kat. 4)

4 e Paolo Uccello: Predella des Retabels für die Sakramentsbruderschaft zu Urbino, Hostienlegende/ Ausschnitt (Kat. 4)

4 f Paolo Uccello: Hostienlegende/ Ausschnitt (Kat. 4)

4 g Paolo Uccello: Hostienlegende/ Ausschnitt (Kat. 4)

5 b Antwerpener Manierist: Passahmahl, eh. Berlin (Kat. 5)

5 a Antwerpener Manierist: Abendmahl, Rotterdam (Kat. 5)

6 a Meister der Katharinenlegende: Abendmahlsaltar, Brügge, Bischöfliches Seminar (Kat. 6)

6 b Meister der Katharinenlegende: Mitteltafel mit dem Abendmahl (Kat. 6)

7 Albert Bouts: Abendmahl, Brüssel (Kat. 7)

8 Meister der Grooteschen Anbetung (?): Abendmahlsaltar, Brüssel (Kat. 8)

TAFEL XVI

10 a Lukas Cranach d. Ä.: Altarmodell, geöffneter Zustand, Paris (Kat. 10)

10 b Lukas Cranach d. Ä.: Altarmodell, geschlossener Zustand, Paris (Kat. 10)

11 a Tilman Riemenschneider: Heiligblut-Altar, Rothenburg o. T., St. Jakob – Gesamtansicht (Kat. 11)

11 b Tilman Riemenschneider: Schreingruppe des Rothenburger Heiligblut-Altares (Kat. 11)

12 a Abendmahlsaltar in der St. Jakobskirche, Niederstetten – geöffneter Zustand (Kat. 12)

12 b Niederstettener Abendmahlsaltar, geschlossener Zustand (Kat. 12)

13 Kärntener Bildschnitzer: Abendmahlsaltar in St. Lambrecht (Kat. 13)

14 a Abendmahlsaltar, eh. Nürnberg, Burg – geöffneter Zustand (Kat. 14)

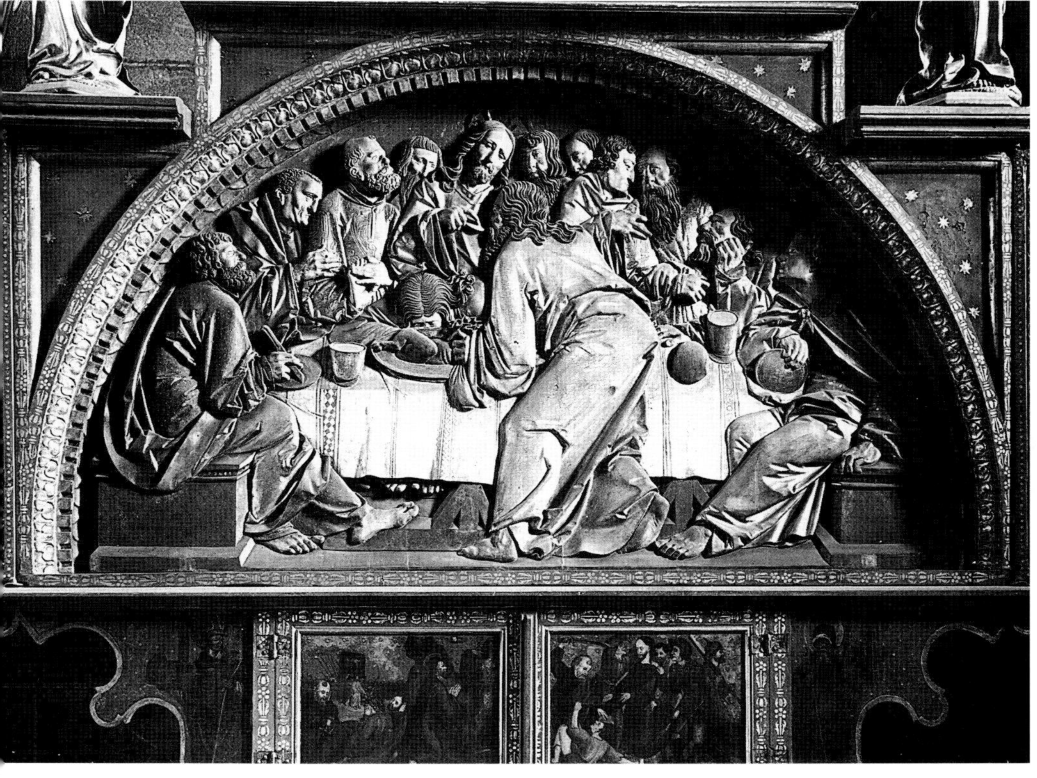

14 b Abendmahlsaltar, eh. Nürnberg, Burg – Abendmahl (Kat. 14)

15 Michael Parth: Abendmahlsaltar in Sauris di Sopra (Kat. 15)

16 Schuster-Altar in der Kirche St. Johannis und St. Martinus zu Schwabach (Kat. 16)

TAFEL XXVI

17 Abendmahlsaltar aus der Kartause zu Nieuwlicht, Utrecht (Kat. 17)

18 Umkreis des Jacob Cornelisz. van Oostsanen: Abendmahlsaltar, Amsterdam (Kat. 18)

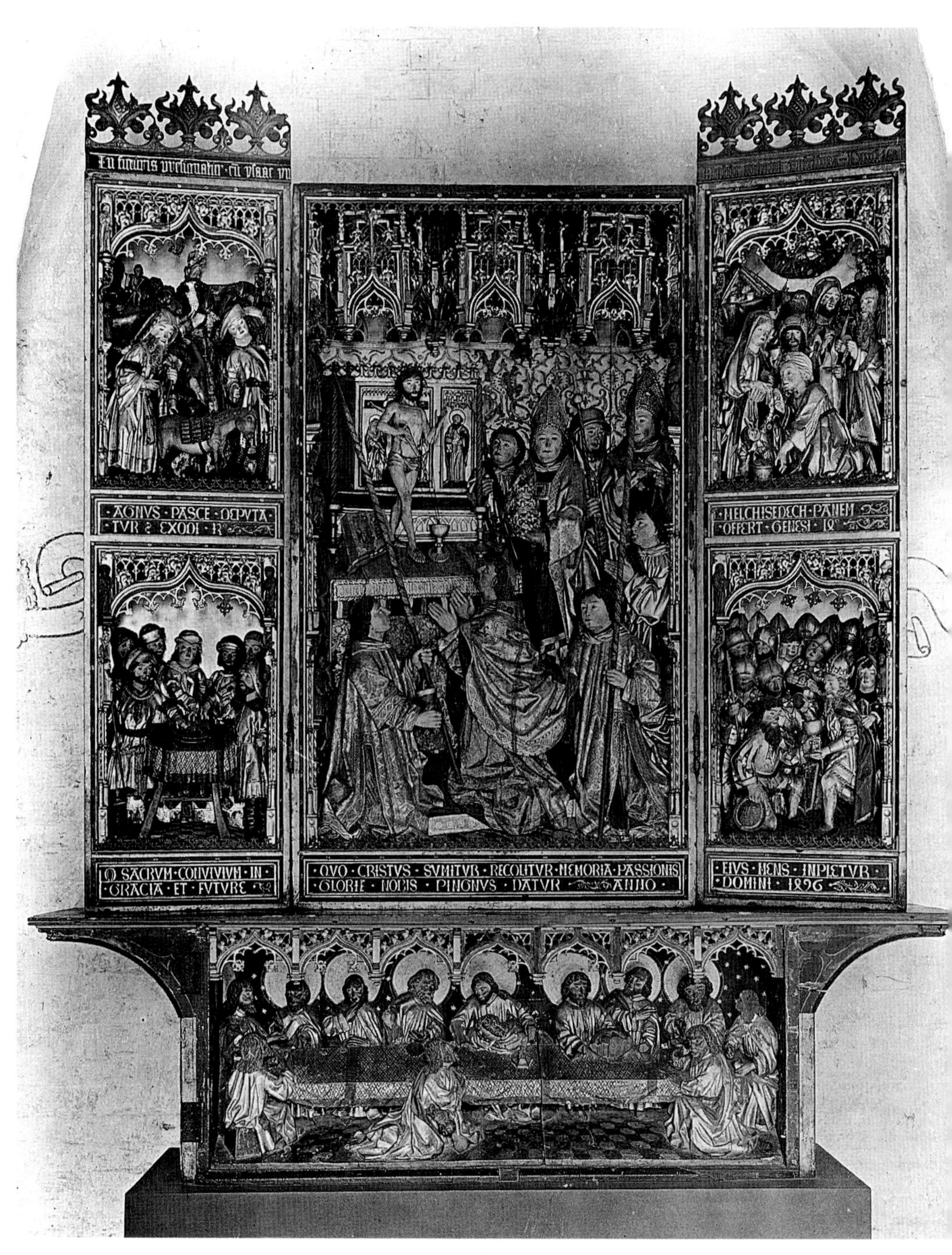

19 a Henning van der Heide: Fronleichnamsaltar, Lübeck – geöffneter Zustand (Kat. Anhang)

19 b Henning van der Heide: Lübeck, Sonntagswandlung, linker Teil (Kat. Anhang)

19 c Henning van der Heide: Lübeck, Sonntagswandlung, rechter Teil (Kat. Anhang)

20 Israhel van Meckenem: Gregorsmesse, Kupferstich, B. 101

21 Dürer: Gregorsmesse, Holzschnitt, B. 142

22 Rogier van der Weyden: Sakramentsaltar, Antwerpen, Kathedrale

23 Martin Schongauer: Abendmahl, Colmar, Musée d'Unterlinden

24 A. G.: Abendmahl, Kupferstich, B. 3

25 I. A. M van Zwolle: Abendmahl, Kupferstich, B. 2

26 Grünewald: Abendmahl, Sammlung Schäfer, Schweinfurt

27 Veit Stoß: Volckamer-Epitaph, Nürnberg, St. Sebald

28 Marcanton Raimondi: Abendmahl, Kupferstich, B. 26

29 Dürer: Abendmahl, Holzschnitt aus der Kleinen Passion, B. 24

30 Dürer: Abendmahl, Holzschnitt aus der Großen Passion, B. 5

31 a Tonapostel des Weichen Stils, Nürnberg, Germanisches Nationalmuseum

31 b Tonapostel des Weichen Stils, Nürnberg, Germanisches Nationalmuseum

32 Lorcher Kreuztragung, Berlin, Skulpturengalerie SMPK

33 Dreikönigsaltar, Karden, Stiftskirche St. Kastor

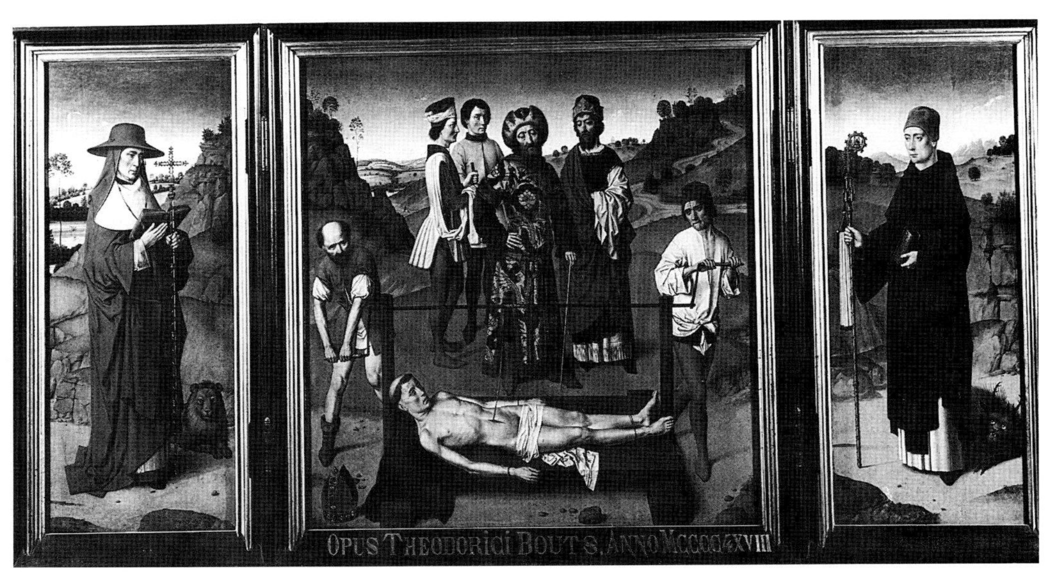

34 Dirk Bouts: Erasmus-Altar, Löwen, St. Peter

35 Abendmahlsdarstellung aus dem Stundenbuch der Katharina von Kleve, New York, The Pierpont Morgan Library, M. 945, f. 142v

36 Abendmahlsdarstellung aus Ludolphus, Levens ons Heren, Antwerpen 1488

TAFEL XXXVIII

37 Jörg Ratgeb: Abendmahlsdarstellung des Herrenberger Altares, Stuttgart, Staatsgalerie

38 a Antwerpener Manierist: Retabel in der Kathedrale zu Västerås, Sonntagswandlung

38 b Antwerpener Manierist: Retabel in der Kathedrale zu Västerås, Alltagswandlung

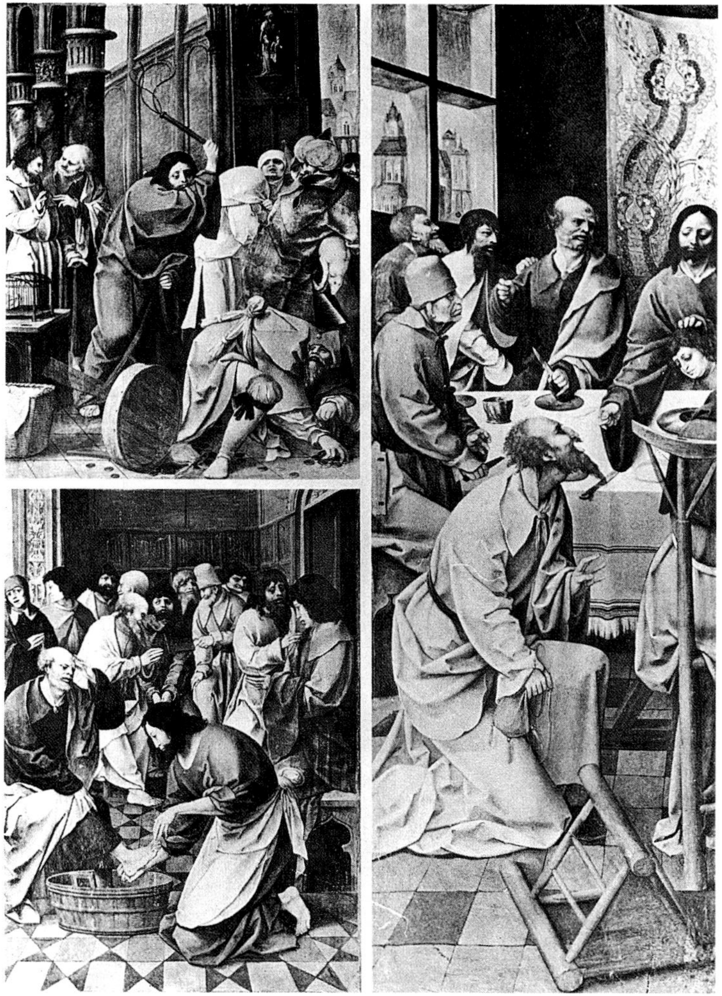

38 c Antwerpener Manierist: Retabel in der Kathedrale zu Västerås,

38 d Antwerpener Manierist: Retabel in der Kathedrale zu Västerås,

39 Nothelfer-Altar aus Kornburg, Nürnberg, Germanisches Nationalmuseum

40 Umkreis des Bartholomäus Zeitblom, Abend-

41 Hans Witten: Abendmahl und Ölberggebet, erste Wandlung des Ehrenfrie-

42 a Hans Brüggemann: Retabel für die Stiftskirche zu Bordesholm, Dom zu Schleswig – Predella

42 b Bordesholmer Altar, Abendmahl und Fußwaschung aus der Predella

42 c Bordesholmer Altar, Agape der urchristlichen Gemeinde aus der Predella

43 Abendmahlsrelief aus der Sammlung Röttgen, Köln, Schnütgen-Museum

O herre Jhesu criste/susser
trost aller betrubten vnd
begierlichen herczen czu deiner
liebe/das du dic ob dem tysche
des leczten nachtmales so klar=
lich vnd vberschwencklych er
zeygt hast/do du spracht zu dei

44 Abendmahlsdarstellung in einer Ausgabe der Zeitglöcklein von Bertholdus, 1495

45 a Schnitzaltar in der Pfarrkirche zu Wettringen – Gesamtansicht

45 b Wettringer Altar – Predella mit dem Abendmahl

46 Predella mit dem Abendmahl am Michaelsaltar, Schwäbisch Hall, St. Michael

47 Abendmahlsdarstellung aus Rieden, Stuttgart, Württembergisches Landesmuseum

48 Predella mit dem Abendmahl des Heilig-Geist-Retabels, Schwäbisch Hall, St. Michael